U0475657

废名全集

第七卷
论著（二）

陈建军／编

武汉出版社

（鄂）新登字 08 号

图书在版编目（CIP）数据

废名全集. 第七卷, 论著. 二 / 陈建军编. — 武汉：武汉出版社, 2023.10
ISBN 978-7-5582-6071-1

Ⅰ. ①废… Ⅱ. ①陈… Ⅲ. ①废名（1901-1967）— 全集 Ⅳ. ①I217.2

中国国家版本馆CIP数据核字（2023）第096932号

编　　　者	陈建军
责任编辑	杨童舒　黄　澄
助理编辑	王　玥
封面设计	刘福珊
督　　印	方　雷　代　涌
出　　版	武汉出版社
社　　址	武汉市江岸区兴业路136号　　邮　编：430014
电　　话	(027)85606403　　85600625
	http://www.whcbs.com　E-mail: whcbszbs@163.com
印　　刷	湖北新华印务有限公司　　经　销：新华书店
开　　本	880 mm × 1230 mm　　1/32
印　　张	9.375　　字　数：220千字
版　　次	2023年10月第1版　　2023年10月第1次印刷
定　　价	980.00元（全套十卷）

版权所有·翻印必究
如有质量问题，由本社负责调换。

废名(中)与阴法鲁(左)、游国恩(右)合影

废名(第三排左九)在江西省泰和县与"土地改革工作团"成员合影

《杜诗讲稿》铅印本

《杜甫论》手稿

《杜甫论》打印本

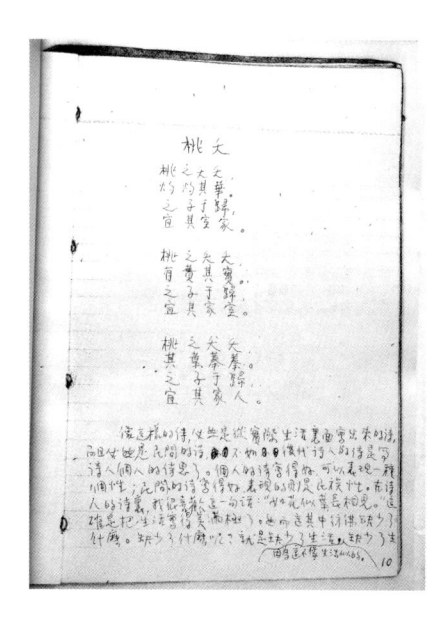

《古代的人民文艺——诗经讲稿》手稿

《杜甫诗论》手稿

目　　录

第七卷　论著(二)

古代的人民文艺——诗经讲稿 ······················ (1)
　　关雎 ··· (4)
　　桃夭 ··· (12)
　　汉广 ··· (16)
　　行露 ··· (21)
　　摽有梅 ·· (26)
　　野有死麕 ··· (29)
　　匏有苦叶 ··· (32)
　　蟋蟀 ··· (36)
　　绸缪 ··· (39)
　　东山 ··· (42)
　　车舝 ··· (49)

杜诗讲稿 ·· (53)
　第一讲　杜甫《自京赴奉先咏怀》在中国文学史上的意义
　　　　　·· (55)
　第二讲　分析"前出塞"、"后出塞" ················· (65)

第三讲　关于三"吏"、三"别" ……………………………（84）
第四讲　杜甫的律诗和他的伟大的抒情诗 ………………（97）
第五讲　秦州诗风格 …………………………………………（112）
第六讲　入蜀诗的变化 ………………………………………（128）
第七讲　夔州诗 ………………………………………………（147）
第八讲　杜甫的歌行 …………………………………………（162）
第九讲　杜甫的绝句 …………………………………………（176）
第十讲　诗的语言问题 ………………………………………（185）

杜甫论 ……………………………………………………………（197）
　一、难得的杜甫的歌颂人民 ………………………………（201）
　二、难得的自我暴露 ………………………………………（216）
　三、杜甫走的生活的道路 …………………………………（221）
　四、杜甫的思想的特点 ……………………………………（236）
　五、杜甫的性格的特点 ……………………………………（243）
　六、杜诗的妇女形象 ………………………………………（250）
　七、杜甫的一生对我们的借鉴 ……………………………（253）

杜甫诗论 ………………………………………………………（255）
　生活是诗的源泉 ……………………………………………（257）

关于杜诗两篇短文 ………………………………………………（272）
谈"语不惊人死不休" ……………………………………………（279）
谈杜甫的"登楼" …………………………………………………（282）
杜甫的价值和杜诗的成就 ………………………………………（285）

古代的人民文艺——诗经讲稿

手稿,约作于1949年夏,署名废名。1949年至1950年在北京大学讲授。共11节,其中《桃夭》和《行露》两节另有誊写稿,均署名冯文炳。引言系冯健男手迹。据手稿排印。

中国的诗,从《诗经》起,有不少是没有得到正确的讲解的。原因是封建思想支配人心太久。而"五四"当时所谓新文学运动又受了资产阶级思想的支配。到了今日,我们才有正确理解文学遗产的可能,因为我们的态度与方法都有本质上的改变。我们要求正确的诗解。讲解正确了,才谈得上批判,谈得上接受。

我现在且从《诗经》里提出一些来讲。我先说我自己的讲法。

我要讲的是:中国古代的人民文艺。

关　　雎

关关雎鸠,
在河之洲。
窈窕淑女,
君子好逑。

参差荇菜,
左右流之。
窈窕淑女,
寤寐求之。
求之不得,
寤寐思服,
悠哉悠哉,
辗转反侧。

参差荇菜,
左右采之。
窈窕淑女,
琴瑟友之。

参差荇菜，
左右芼之。
窈窕淑女，
钟鼓乐之。

我爱好《关雎》这一首诗。我不但懂得这首诗的意义好，而且懂得它的文章好。很少有人懂得这首诗的意义，很少有人懂得这首诗的文章。旧派把它当作"后妃之德"，把它看得那么重，当然懂得意义了，然而他们首先不懂得诗，不懂得诗怎么懂得诗的意义呢？新文学运动以后，知道《诗经》的《国风》都是民间的歌谣，《关雎》就是一首恋爱的歌，仿佛文章也懂得了，意义也懂得了，这确是很好的事，是一种解放。然而新文学家投奔西洋文学，大家都讲恋爱，不懂得结婚，故曰结婚是恋爱的坟墓。不懂得结婚，怎么能懂得《关雎》呢？因为《关雎》本来是讲究结婚的。我也是当时的新文学家之一，曾经是崇拜恋爱的，认恋爱为神圣的，恋爱的意义简直代表了人生的意义，仿佛是基督教的上帝。后来我觉悟了，这个观念大要不得，令我们耽误了许多事情，误己误人，演成许多悲剧。恋爱当然是我们生活的一段，而且是重要的一段，这一段弄得好，我们整个的生活都可以过得有意义，但决不能把它来代替一切，那我们就没有为人民服务的机会了。我现在确是懂得"为人民服务"的意义。中国人的生活是重结婚的，结了婚以后则恋爱大学毕了业，我们要出去替社会服务了，不能老恋着这个学校，那样便像功课不及格的留级学生。《关雎》又确是一首好诗，即是说文章写得好。要懂得文章，也并不是一件容易事，得有许多经验。在我懂得《关雎》的意义时，我已经有许多作文的经验,只不过是由西方的悲剧回到中国的"团圆"戏罢了,思想改变了,技巧是无所谓改变的。不过我要附带说一句,从西方悲剧回到《周南》《召南》,我才没有才子佳人的毛病,没有状元及第的思想,也没有道学家的男女观,这是我得感谢西方文学的。我的作文的技巧,也是从西洋文学得到训练而回头懂得民族形式的。这个训练是什么呢?便是文学的写实主义。凡属有生命的文学,都是写实的。中国后来的人之所以不懂得《三百篇》,便因为后来的文学失掉了写实的精神,而《三百篇》是写实的。什么叫做"写实的"呢?写实便是写实生活,文学的题材便是实际的生活。即如《关雎》这一首诗,并不是没有经验做底子,而由一个人闭着眼睛瞎想,因为要做诗的原故,故而想出一个什么鸟儿来起兴罢,这样你这个人便是孔子骂的"正墙面而立",你什么也看不见,你怎么会写出诗来呢?你如果有生活,则处处是诗了,所以你在河之洲上,看见关关雎鸠,那里又有妙龄女郎,而实生活当中的好女子,尤其是农村社会的女子,并不是不在那里做工作,故意在河之洲上叫你拾得恋爱的资料的,总之是生活当中有诗,这首诗的第一章便应该这样写:

关关雎鸠,
在河之洲。
窈窕淑女,
君子好逑。

"逑",匹也。"君子好逑",便是说这个女子你如果爱着了,那真是佳耦。我告诉诸君,我自己便有这个生活的经验。不过当时是八股时代，不知道写诗，等到后来进了新的学校，同西洋文学接触，我乃把我的少年生活都唤起了，而且加了许多幻想，写了许多小说，起初自己很得意，后来又很不满意，因为我为得写小说的原故，把自己的生活都糟踏了，那时叫做把生命献给艺术之神，其实是糟踏生活。在我认为专门做文学家是糟踏生活，我便离开了文学，回转头去替社会服务，首先是做丈夫，做父亲，而其时适逢抗日战争，我回到故乡，常常在河之洲上走路，看见洲上有鸟儿，妇女们都在那里洗衣，我觉得这个风景很好，可以描写一番，于是我毫不费力地念了起来："关关雎鸠，在河之洲……"这时我已经是老作家了，知道这个技巧很不容易，文章并不一定是自己的好，古人的文章已经很好了，何必自己写呢？即如这"在河之洲"四个字，应该经过了许多辛苦，我们写白话文的人常常觉得驾驭不了文字，要说一个东西站在什么上面仿佛很难似的，而古人的"关关雎鸠在河之洲"很容易的写出来了。因此我非常之佩服《关雎》之诗。我那时做小学教师，教学生作文，告诉学生造一个句子要有主词，要有谓语，总喜欢举"关关雎鸠在河之洲"做例子，因为乡下人很受了旧日读书人的影响，总以为"关关雎鸠"是一句，"在河之洲"又是一句。我则说"关关雎鸠"四个字不是一句，是一个句子的主词，关关是鸟的叫声，是形容雎鸠的，算不得谓语，要有"在河之洲"四个字这句话才有谓语，所以八个字一起才是一句。学生都给我说服了。我在批评卞之琳的诗的时候，又说卞之琳的句子欧化得好，正如"关关雎鸠在河之洲"那么自然。这都不是我故意瞎说，我是真真懂得《诗经》的文章了。我曾经自己批评我自己道："你当初为什么躲在山里头十年写半部小说呢？你整个的小说也抵不过关关雎鸠在河之洲这两句诗!"这确是我的真心话,我写小说的文章那能及得《诗经》的文章,我们当时崇拜恋爱的生活当然更不及《关雎》乐而不淫哀而不伤了。以上都是我的辛苦之言。我现在总说一句,《诗经》的文章是写实主义,《诗经》所表现的生活是现实主义。更说明白些,《诗经》里的《国风》是人民文艺,不是文学家的文艺。凡属人民文艺都是写的实生活,它的写法也是写实的。《诗经》的体裁向来认为有赋,比,兴,其实什么叫做"兴"呢?据我的经验,兴就是写实,就是写眼面前的事情。你看见了关关雎鸠在河之洲,也看见了窈窕淑女,你便写下来,便是:

关关雎鸠,
在河之洲。
窈窕淑女,
君子好逑。

所以"兴",其实就是"赋",就是一种叙述。眼面前的事情本来是没有逻辑的,但眼面前的都是生活了,都是文章了,所谓落花水面皆文章。你看见桃之夭夭灼灼其华,你又看见一个出嫁的女子,于是你就写着:"桃之夭夭,灼灼其华。之子于归,宜其室家。"于是人家说你的诗是"兴也。"这样说当然也是可以的,但你决不是没有生活的底子,没有话想出话来说的。没有话想出话来说,可见你没有生活,你也便没有诗!所以后代的诗多半是无病呻吟了。《诗经》里的诗则都是生活,故都是诗。我曾经细心体察一般所认为《诗经》里的"兴"体的诗,差不多完全是眼前的叙述,即是"即事"。如我以前所讲的《野有死麕》一诗就是的。

再如这样的诗,"常棣之华,鄂不韡韡,凡今之人,莫如兄弟!"你说它是"兴也",实在也就是赋也,是把眼见的东西与心下想的事情一齐说出来,所以才写得那么生动。决不是无中生有,闭着眼睛想出常棣之华来说,那你那里还有诗呢?又如"脊令在原,兄弟急难,每有良朋,况也永叹",也必是一面看见鸟儿一面有自己的心事罢了。古代的诗本不是做文章,所以没有起承转合。后来的诗人如李白杜甫也都是做文章,免不了起承转合,所以"举头望明月,低头思故乡","仰面贪看鸟,低〔回〕头错应人",都令我们有线索可寻,若《诗经》则是"兴"了。不是写眼面前的事情确乎是兴起下文的也有,那多半是用韵的原故,或者是当时的成语亦未可知,如以前所讲的"匏有苦叶,济有深涉"便是。再如"相鼠有皮,人而无仪","相鼠有齿,人而无止","相鼠有体,人而无礼",以及"扬之水不流束薪,彼其之子不与我戍〔戌〕申","纠纠葛屦,可以履霜,掺掺女手,可以缝掌〔裳〕",都仅仅是因为用韵的原故由上句兴起下句的。我决不是附会其说,我是毫无成见地观察,在这个观察之下,我发现"扬之水不流束薪"有两见,"纠纠葛屦,可以履霜"也有两见,我觉得很有趣,可以证明它不是即事,是因为用韵的原故,或者是当时的成语,故而雷同。

  上面我算是把《关雎》第一章讲了。懂得第一章则其余两章(这首诗的分章向来有不同,我是赞成三章的)是很容易懂的,因为都是写实的。我所不自足的,我们对于鸟兽草木之名都不识得,对于诗恐怕要失得亲切,如参差荇菜的荇菜到底是什么东西呢?我们平常只知道爱菊花,爱莲,用周茂叔的话季唐以来则爱牡丹,因为我们都是智识阶级,同生活脱节。我在农村的日子虽然很久,但也还是空想的时候多,若是写菱角,说"左右流之",

"左右采之"，或者"左右芼之"(,)照朱熹的话芼者熟而荐之也，我都能喜欢，因为我确是采过菱角，确是左右流之，左右采之，自己坐在小船上，也确是喜欢把它煮熟了，但对于荇菜则很是隔膜，我想不出它是什么东西。传曰，"荇，接余也。"解释了也等于不解释，接余又是什么呢？不过我可以从采菱去推测，从"左右流之"，从"左右采之"去推测。"左右芼之"的"芼"字虽然又脱了节，又可以从"左右流之"，从"左右采之"去推测。这样我还是能感得亲切的。"左右采之"的"采"字当然不成问题，"左右流之"的"流"字与"左右芼之"的"芼"字则颇成问题，芼字我们现在简直不用，流字虽然是很习用的字，在这里是不是有古义呢？我们对于《诗经》的障碍，便是字不认得，再就是鸟兽草木之名不识得，其余的障碍在我是没有的。《毛传》训"流之"的"流"为"求也"，朱《集传》"流，顺水之流而取之也"，其实是一样的，朱只是解释"流"何以是"求"罢了。"芼之"的"芼"，毛训为"择"，朱训为"熟而荐之也"(,)前面我已经说了。"寤寐思服"，这四个字里头，"服"是动词，毛训"思之"，即是寤寐求之的意思，而诗本文的"思"字则是句中助词，关于这一点可参看王引之《经传释词》。其余的字句可以不必解释了，如"悠哉悠哉，辗转反侧"已成了我们口头上活用的语句了。不过有两句话我要特别介绍一下，于此我们可以见《诗经》的文章确是不错，确乎是写实的。此两句为何？即"琴瑟友之"与"钟鼓乐之"。我有一回在北京街上看见一个小户人家墙上贴了红对子，我一看有四个字是"琴瑟友之"，一见之下我很喜欢这四个字，觉得比后来所谓"琴挑"要大方得多了，格外有一种弹琴鼓瑟的苦心孤诣似的，我大大的佩服《诗经》的文章。连忙我又想到"钟鼓乐之"，"钟鼓乐之"完全足以代表中国民间结婚的热闹与欢乐!解放以后,我们到处扭秧歌,也无非是中国的"钟鼓乐之"的空气了。所有后代的诗与文,没有任何文章足以抵得这"琴瑟友之"与"钟鼓乐之"的,我们对于这种好句子已经习而不察,可见我们已经没有民间的欢喜,我们已经与生活脱节了。

桃　　夭

桃之夭夭，
灼灼其华。
之子于归，
宜其室家。

桃之夭夭，
有蕡其实。
之子于归，
宜其家室。

桃之夭夭，
其叶蓁蓁。
之子于归，
宜其家人。

　　像这样的诗，必然是从实际生活里面写出来的诗，而且必然是民间的诗，不如后代诗人的诗是写诗人个人的诗思了。个人的诗写得好，可以表现一种个性；民间的诗写得好，表现的则是民族性。在诗人的诗里，我很喜欢这一句话："如花似叶长相见。"这确是把生活写得美满极了。然而这其中仿佛缺少了什么。缺少了什么呢？就是缺少了生活，因为这不像生活似的。缺少了生活故只是一句好诗而已。《桃夭》三章则确乎是生活，即是家庭生活，即是中国的夫妇之道。故我说《桃夭》之诗表现的是民族性。是的，中国的诗是写结婚的，不是只讲恋爱的，所谓乐而不淫，哀而不伤，重的是生活。

　　我引了"如花似叶长相见"这个句子，就诗说，这一句确是写得好。其实就诗说，《桃夭》三章句句写得好，只是给大家读得烂熟不觉得它好罢了。我做小孩时，读了"桃之夭夭，灼灼其华"，觉得可以，到了"有蕡其实"，"其叶蓁蓁"，便觉得是多余的，仿佛桃之夭夭便应该是灼灼其华，还要其叶其实做什么呢？这个文章做得不好！我到现在还记得我那时的心理。我到现在才知道在中国连小孩子也受了八股文人的影响，同生活脱了节了。古代《诗经》是丰富的生活，而我们只晓得做文章凑篇幅。在生活上为什么只晓得说花呢？如果是一个园丁，园里种了有桃子，决无林黛玉葬花之感，桃花谢了就要结桃子，桃子结过了之后就是满树的叶子，这一株好桃树，花盛，果盛，叶盛，真是茂盛极了，快乐极了，可以起生活上一种丰富的感情，美满的状态，如果有一个出嫁的女子当此良辰美景，自然拿这株桃树来描写她了。大约之子于归的时候正是灼灼其华的时候，但仅仅咏她一章，感情不够，意思不够，也就是文章不够，故干脆把这一株树的整个生活都唱出来了，你们文人懂得什么呢？懂得《桃夭》三章写得好，便懂得《诗经》不是写诗，而是中国最好的诗，因为诗是生活。这种文章，也不流利，也不蹩扭，又参差，又整齐，用了许多相同的字句,而又有一个突起的变换,真是自然而又曲尽其致。

后来文人的诗,"衰桃一树近前池,似惜红颜镜中老,""有花堪折直须折,莫待无花空折枝,"他们的树都是没有叶子的,他们只是好色,他们没有生活。姚际恒将唐人诗"绿叶成阴子满枝"与《桃夭》言实言叶相比,其实两样的空气大不相同,一个正是说"色衰",而《诗经》的"灼灼其华"与"有蕡其实"与"其叶蓁蓁"都是写"桃之夭夭"了。《毛传》云,"夭夭,其少壮也。"即是说年青的桃树。总之《诗经》是生活的健康,生活的赞美,生活的庆祝,后代的诗是文人的空想与其色情伤感而已。

我由《桃夭》诗写实与叶想起《诗经》里写植物的实与叶子的诗很多,这足以证明《诗经》是写实生活。后代的诗则是空想,只是写花,而花又都是文人的花,很少大众生活的花了。《诗经》写叶子的句子如《小雅·车舝》第三章:

> 陟彼高冈,
> 析其柞薪,
> 析其柞薪,
> 其叶湑兮!
> 鲜我觏尔,
> 我心写兮!

我想这里"析其柞薪,其叶湑兮",非有实际经验的人是不能懂得的。"湑",盛也。"其叶湑兮",是说叶子茂盛极了。这只是说意义。至于"其叶湑兮"的实感,是非析薪之时你亲自站在树下不能领略的。我在故乡山中住得很久,见乡人伐木,一个枝子倒下来的时候,真是"其叶湑兮!"同时"我心写兮"了! 据我的听觉的经验,这个声音实在太快乐了,太茂盛了。

汉　广

南有乔木，
不可休息。
汉有游女，
不可求思。
汉之广矣，
不可泳思。
江之永矣，
不可方思。

翘翘错薪，
言刈其楚。
之子于归，
言秣其马。
汉之广矣，
不可泳思。
江之永矣，
不可方思。

翘翘错薪,

言刈其蒌。

之子于归,

言秣其驹。

汉之广矣,

不可泳思。

江之永矣,

不可方思。

这首诗方玉润《诗经原始》认为是"江干樵唱",我是很同意的。方氏之言曰,"殊知此诗即为刈楚刈蒌而作,所谓樵唱是也。近世楚粤滇黔间,樵子入山,多唱山讴,响应林谷,盖劳者善歌,所以忘劳耳。其词大抵男女相赠答,私心爱慕之情,有近乎淫者,亦有以礼自持者,文在雅俗之间,而音节则自然天籁也。当其佳处,往往入神,有学士大夫所不能及者。愚意此诗亦必当时诗人歌以付樵。"方氏所谓"诗人"是一种什么人我们且不管他,总之必有采薪的实生活做底子才能歌此诗,空想的学士大夫决不能有此气息,因为这种诗里头有劳动者的血液流通。我最喜欢"翘翘错薪,言刈其楚。之子于归,言秣其马。""翘翘错薪,言刈其蒌。之子于归,言秣其驹。"劳动者拿着斧头或者拿着镰刀砍了一把柴,他的手下有一个最不空虚的感觉,即是劳动的实在,决不是空想派的什么"得鱼而忘筌",他什么也忘不了,要说忘,或者忘记疲劳罢,于是他歌唱起来了,唱起"之子于归"的事情来了,"之子于归,言秣其马。"翻译起来便是:"为什么喂马呢?因为她要出嫁呵,喂马驾车呵。"离开生活是任何人也不能把砍柴与喂马这两件事连在一起的。因为砍柴的原故乃连在一起,真是写得温柔敦厚,一方面工作,一方面又有一点儿爱情,而这个爱情真表现得可爱,歌起她出嫁喂马来了,这不是劳动者的歌声吗?我为得要赞美这个歌声,不惜费点篇幅把陶渊明的《闲情赋》引了来,"愿在衣而为领,承华首之余芳,悲罗襟之宵离,怨秋夜之未央。愿在裳而为带,束窈窕之纤身,嗟温凉之异气,或脱故而服新。愿在发而为泽,刷玄鬓于颓肩,悲佳人之屡沐,从白水以枯煎。愿在眉而为黛,随瞻视以闲扬,悲脂粉之尚鲜,或取毁于华妆。愿在莞而为席,安弱体于三秋,悲文茵之代御,方经年而见求。愿在丝而为履,附素足以周旋,悲行止之有节,空委弃于床前。愿在昼而为影,常依形而西东,悲高树之多荫,慨有时而不同。愿在夜而为烛,照玉容于两楹,悲扶桑之舒光,奄灭景而藏明。愿在竹而为扇,含凄飙于柔握,悲白露之晨零,顾襟袖以缅邈。愿在木而为桐,作膝上之鸣琴,悲乐极以哀来,终推我而辍音。"陶渊明因为是魏晋人的原故,而且他到底不屑于做士大夫,所以还能做出这样西洋式的抒情诗,即是说写得大方,然而我现在确是喜欢"翘翘错薪,言刈其楚。之子于归,言秣其马。"因为一个是诗人的寂寞,一个确乎是劳动者的生活。要说哀而不伤,只有《诗经》才真是的,因为他只有唱歌的必要,没有寂寞的余地了。陶渊明的可爱在其幽默,《诗经》的可爱在其歌唱实生活。换一句话说,《汉广》的樵唱,其歌与其生活是一元的。这首诗的意义本来很明白,男子爱慕女子而女子是许给别人家的,所以我说他是哀而不伤。《郑笺》却又说了许多冤枉话,我们可以不管,只是笺照例训"言"为"我","言秣其马",便是"我秣其马",诚如胡适之所说《诗经》的"言"字是不能训"我"的,这里的"言"字确乎是一种连接词,把"之子于归"与"秣马"两件事连在一起,意义是"女儿出嫁了,所以喂马呵!"至于秣马这件事是谁做的,那丝毫没有关系。"言"字决不是"我"字,决不是说"我替她秣马",如欧阳修所谓虽为执鞭所欣慕之意,这样正是"我愿"式的文人的诗了,远不及陶渊明的"愿"之诚实,更谈不上《三百篇》的情调了。"翘翘"应如王引之训为众多之貌。"错薪"是许多木杂在一起。这里的木是江边的木,一定不是高大的树,言刈"楚",又言刈"蒌",蒌简直是草类,在《王风》与《郑风》并有"不流束楚"的句子,楚而可束故非大木,只是都可以做柴烧罢了。这首诗里的"思"字都是语辞。"方"是名词当动词用,方,桴也。即是说,江水长不可以乘桴了。《谷风》云,"就其深矣,方之舟之",方同舟一样都是名词当动词用。"汉有游女,不可求思",游女当用《韩诗》义训为水神,这是《诗经》里其他的诗所没有的情调,《楚辞》以后则很普通了。还有"南有乔木,不可休息"两句,《郑笺》云,"木以高其枝叶之故,故人不得就而止息也。"这真是可笑的说法,高其枝叶为什么不得就而止息呢?高其枝叶正好止息于其下了。我以为这两句不是空空的什么"兴也","南"或者就是江南岸,或者远远的望见的南边,在那里有一棵大树,可是望得见不能到那树底下去了。汉水之广,江水之长,都是写实。这首诗最重要的便在二三章的刈薪与秣马,否则真像诗人的空想,有了"翘翘错薪,言刈其楚,之子于归,言秣其马",然后山高水长都跟着切实了,真是一唱三叹。

关于"薪"的问题是一个很有趣的问题,《汉广》是情诗,写刈楚刈蒌,其余如《唐风·绸缪》,《小雅·车辖》,都是写结婚的诗,或言"束薪",或言"析薪",又如《齐风·南山》"析薪如之何,匪斧不克,取妻如之何,匪媒不得",很能表现一种农村社会的空气,这个原故我以为便因为采薪这件事占农村生活很重要的部分,男女共同在一块儿操作,古代如此,现代也还是如此,中国的"牧歌"便于此产生了。中国是重结婚的,故咏"之子于归"了。

行　露

厌浥行露。
"岂不夙夜？
谓行多露！"

"谁谓雀无角——
何以穿我屋？
谁谓女（汝）无家——
何以速我狱？
虽速我狱，
室家不足！"

"谁谓鼠无牙——
何以穿我墉？
谁谓女无家——
何以速我讼，
虽速我讼？
亦不女从！"

这是《诗经·国风·召南》里的一首诗,诗的文章写得非常之精简而有力量,在我习惯了现代短篇小说的人,即是说受了西方文学影响的人看来,一点没有不明白的地方。西洋短篇小说最讲究经济,要以少的文字写出多的意思,这一首《行露》真是最经济的写法。凡属经济的写法,并不是故意求之,乃是一种天然的武装,必是最沉痛的文章,最富有反抗性的文章。我这样抽象的说还不行,我要具体的解释《行露》这首诗。第一章三句,《毛传》,"厌浥,湿意也",形容露之湿。两个"行"字都是名词,即是"道路"的意思。"谓行多露"的"谓"字,王引之《经传释词》说,"谓犹奈也。"王氏引了许多证据,在《诗经》里有"天实为之,谓之何哉?"谓之何,即是奈之何。又如"赫赫师尹,不平谓何?"即是说师尹为政不平,其奈之何?所以"岂不夙夜?谓行多露!"意思是说"我本是半夜里起来走路的,无奈路上露水太多,难以行走,所以到时天已经大亮了。"或者到时红日已经好高也说不定。《诗经》里"岂不"的句子都是将肯定的意思以反语出之,如《大车》里"岂不尔思,畏子不奔",《东门之墠》里"岂不尔思,子不我即",两个"岂不尔思"都是"我本思你"的意思。所以这里"岂不夙夜"正是说夙夜而行。这一章诗是写女子半夜起来走路,从乡下到衙门口去打官司,因为男子告了她。乡下女子进城,尤其是为得诉讼之类的事情,总是夜里起来走路的,一方面女子性急,一方面又怕白天里给人看见有点羞惭。这种人情,我在乡村间见得很多,中国农村社会古今恐相差不远。在北平有一个小曲,叫做《王定保借当》,里面写了两姊妹赴县衙鸣冤,有云:"二人打伴到县衙,夜晚登梯过墙走,背着爹娘私离家。姊妹俩,行路难,天明见人面羞惭,一直找到衙门口。"《行露》诗里的女子也正是这个心理,天明见人面羞惭,故她说,"我走是走得很早的,半夜里就起来走路,无奈路上露多不好走了。"首句"厌浥行露"是一个叙述的句子,接着"岂不夙夜,谓行多露",便不是作诗者的叙述,是诗里的主人公一个女子自己说的话了。我们读了这第一章,仅仅三句,因为是三句,所以迫促得有趣,我们读了就知道有一种痛苦的事情发生,一种急迫的事情发生,真是写得精干有力量。接着二三两章把全个事情都告诉我们了,都是写得那么简短,那么明白,那么沉痛,用女子自述的口气。只可惜中国后代的文人既缺乏思想,又不懂得文章的技巧,一直埋没了这种好诗,糟踏这种好诗。

二章,"何以速我狱","速"训"召","狱"即是"讼","速我狱"同三章"速我讼"是一样的意义,即是说"弄得我吃官司!"这首诗的作者,或者是另外一个作诗的人,或者作诗的人就是吃官司的女子自己,我们无从知道,但技巧真是高,我们从简短的文字里可以推测(简直不是推测,是完全知道!)男女两造的关系。因为比喻用得好。"谁谓雀无角,何以穿我屋?"这是一个乡下人坐在自己的屋子里看见麻雀儿在屋角里跳动得响,一幅最生动最寂寞的情景,——"雀儿,你又没有角儿,怎么钻进得来的呢?"乡下人与牛儿或羊儿最有感情,牛儿或羊儿倘若钻进屋里来了,毫不足奇,仿佛牛儿或羊儿它本是有角的,它应该钻进屋里来!由此可知道这里有一个男子,"女(同汝)本是无家的,但你同我有了关系,于是你仿佛你有家了,所以你现在告我了!你同我虽然有关系,但我们之间夫妇的关系是不够的,(诗里说是'室家不足!')所以你告我我不怕的。"

接着第三章妙喻层出不穷,鼠也是最能在我们家里墙上打洞的，我们平常看见老鼠把家具或衣服咬破了，心里总觉得奇怪，这个小东西当然有牙齿，但我们看见它咬破了坚硬的东西如木头之类，仿佛这个东西没有牙齿似的，它怎么这么的会咬！雀穿我屋，鼠穿我墉，虽然不是正式的关系，但也确是最有接近的关系了，最容易进我们屋子里的莫过于雀与鼠这两样东西了。所以我说这是妙喻。二章说"室家不足"，三章说"你无论如何强迫不了的，我不会跟从你的，我要同你断绝关系！"所以我说整个的事都明白的告诉我们了。这种"谁谓汝无家，何以速我讼"的事情在乡村间是很有的，只有古代的《诗经》给我们写得那么好罢了。这首诗很可能是女子写的，就是另外一个诗人写的(,)这个诗人也是同情于女子的，是女子写的我们敬重这个女子，是诗人写的我们敬重诗人，因为这首诗尊重女子的生活，了解女子的痛苦，把农村社会里的妇女生活状况与妇女心理描写得淋漓尽致，虽然只有那么几行文字。这种诗表现出的是一种健全的妇女观，这是不成问题的，真正的艺术必定是健全的，同时又反映了它所出生的那个社会。

　　《三百篇》的背景当然是封建社会，封建社会而有反封建思想，那正是艺术的价值，艺术不能超过它所出生的社会，但艺术最重要的性质是反抗性与严肃性，这便是艺术的永久价值了。

　　因为是封建社会的产物，你如不是诗人，换一句话说你如没有反抗性，你便不能懂得这些诗，所以历来解诗的人大半是封建思想了。什么《毛传》，什么《郑笺》，都是乡下老学究做的玩意儿，他们是一点也不懂得文学的。朱熹较高明，然而他又到底是道学家。即如这一首《行露》，毛也好，郑也好，朱也好，都是拿一个"礼"字来解释。《毛传》解释"虽速我讼，亦不女从"，说是"终不弃礼而随此强暴之男。"所以二章"室家不足"解为礼不足,《毛传》拿出礼的标准来,说"昏礼纯帛不过五两。"《郑笺》则是,"室家不足,谓媒妁之言不和,六礼之来,强委之。"这都是凭了自己的意见,于诗的本身之外加了许多的事件来解诗。这一来,对于第一章三句自然无法解释了,陈奂《毛诗传疏》替毛公说话道:"故此云厌浥者道中之露也,然必早夜而行始犯多露,岂不早夜而谓多露之能濡己乎?以兴本无犯礼,不畏强暴之侵陵也。"《郑笺》则是:"言我岂不知当早夜成昏礼与?谓道中之露太多,故不行耳。"与诗上下文不相连贯,不知说的是些什么。朱熹《集传》解释第一章云:"南国之人,遵召伯之教,服文王之化,有以革其前日淫乱之俗,故女子有能以礼自守,而不为强暴所污者,自述己志,作此诗以绝其人,言道间之露方湿,我岂不欲早夜而行乎?畏多露之沾濡而不敢尔。盖以女子早夜独行,或有强暴侵陵之患,故托以行多露而畏其沾濡也。"我看他"作此诗以绝其人"的话,实有所见,"有以革其前日淫乱之俗",似乎也知道男女曾有关系,不知怎的他说不出人情之所以然,扯到教化上面去了。不管怎样,朱传较之毛郑要高明些。

清代姚际恒颇能有识见,其释《行露》首章云:"此比也。三句取喻违礼而行,必有污辱之意。《集传》以为赋,若然,女子何事夤夜独行,名为贞守,迹类淫奔,不可通矣。或谓夤夜往诉,亦非。"这个"或谓"本来很对,不知何以"亦非"?我看到这句话很喜欢,我的意思正是如此。这一章确是"赋",即是叙述。《毛传》谓之"兴",姚际恒谓之"比",俱非。

我这样说诗,我认为是毫无疑问的。有人问我:"你有什么证据呢?"这种人是中了考据的毒,我只好回答他:"有诗为证。"

摽有梅

摽有梅，
其实七兮；
求我庶士，
迨其吉兮！

摽有梅，
其实三兮；
求我庶士，
迨其今兮！

摽有梅，
顷筐墍之；
求我庶士，
迨其谓之！

摽，落也。"摽有梅，其实七兮"，就是说树上落了有梅，一共落了有七个，于是这个采梅的女子就暗暗地自己喜着说道："求我庶士，迨其吉兮！"吉就是吉利的意思，如《定之方中》诗里"卜云其吉"的吉是一样,而且这个女子在这里打树上的梅子,简直有"卜"的意味,看她的求爱吉利不吉利,落下了有七个,那一定是吉利的,所以歌曰:"摽有梅,其实七兮;求我庶士,迨其吉兮!"真是写得天真可爱,最难得的健康的民间歌谣。接着歌第二章,这回落了有三个,这回已不是吉利不吉利的问题,而是时间早晚的问题,既然是"其实三兮",那么就"迨其今兮!"就是说现在就是时候了。梅子都落在地下了,那么就拿筐子拾起来罢,所以第三章便写着"顷筐塈之"。塈,取也。顷筐是一种小的筐子,在《卷耳》诗里也有"采采卷耳,不盈顷筐",《荀子·解蔽篇》释诗云,"顷筐易满也,卷耳易得也,"《毛传》释为:"易盈之器"。这个女儿一面拿筐子拾梅儿,一面又自言自语道:"我现在就去同他说罢!"诗上谓之"迨其谓之!"这比"迨其今兮"又更进一层了,这已经是要向他有一种表示的意思了。这首诗的意义很明白,"摽有梅"的"梅"字,恐怕有双关的意思,陈奂《毛诗传疏》说梅媒声同,故见梅以起兴,这一点是不错的。

像这种思想健康,意义明白的诗歌,却给思想不健康的人将诗意歪曲了,"其实七兮",他们要说是"尚在树者七","其实三兮",他们要说是"梅在树者三",这是多么不自然的看法!天下那有这样的笨人,数一数树上还有几颗果子呢?而中国从古迄今的读书人都是数《三百篇》树上的剩梅,不喜欢看地下的落梅,这些人不应该算是白痴吗?甚矣中国读书人不懂诗,诗在《诗经》!诗在民间!孔子曰,"诗三百,一言以蔽之曰:'思无邪。'"我真佩服孔子的艺术观。在中国只有民间的思想每每是"无邪"的。反之,读书人则是"邪"。他们都认为"摽有梅,男女及时也',(《小序》的话)女子"惧其嫁不及时而有强暴之辱也",(朱熹

《集传》)于是第一回数一数树上还有七个梅,这已经够少的了,朱熹便借女子的口气说话道:"求我之众士,其必有及此吉日而来者乎?"到了第二回,则朱熹曰:"梅在树者三,则落者又多矣。今,今日也,盖不待吉矣。"这就是说迫不及待。最可笑的,既然只剩了三个在树上,则第三回为什么又"顷筐取〔塈〕之"?这似乎至少不只三个,所以拿筐子来盛取。综观中国说诗人的意思,是不承认女子求爱这一件事实,拒绝这一件事实,故把一首青春欢乐之歌当作嫁不出去的老处女的忧虑了。

野有死麕

野有死麕,
白茅包之。
有女怀春,
吉士诱之。

林有朴樕,
野有死鹿——
白茅纯束。
有女如玉。

"舒而脱脱兮!
无感我帨兮!
无使尨也吠!"

这首诗的空气热闹极了,快乐极了,是中国的一首最好的牧歌,而腐儒们却将一个"礼"字把它掩盖起来,俞平伯先生数了一下,"郑氏此诗之笺,三章用八礼字",于是它毫无生气了。我们现在要还它的本来面目,然后请你看这首诗好不好。麕是鹿的一种,"野有死麕",是男女一起在野外打猎,打死了一匹鹿。凡属打猎,打死一个什么东西,无论是禽,无论是兽,便是大家最快乐的时候,所以"野有死麕,白茅包之",不要以为是死的,其实是活的空气。这时有一女子在场,此女也,怀春之女也,哥儿便拿了白茅包了鹿肉献给她了,当然是诱惑的意思。《毛传》"群田之获而分其肉",这话是不错的,但他说"凶荒则杀礼,犹有以将之",便歪曲了,从那里见得"凶荒"呢?因了"凶荒"便马马虎虎拿死鹿来当聘礼呢?第二章句子最别致,三句,却是四顿,最后一句"有女如玉"四个字来得非常之郑重,非常之大雅,要说礼,这才真是礼了,在这样野外,好像很野蛮,包了死鹿,然而"有女如玉"!"朴樕",小木也;"纯束",犹包之也。第三章,"舒而脱脱兮,无感我帨兮,无使尨也吠",《毛传》,"舒,徐也。脱脱,舒迟也。感(同撼),动也。帨,佩巾也。尨,狗也。"但毛公接着说一句"非礼相陵则狗吠!"我以为狗决不是吠非礼,这个狗大约还是猎犬,跟着女儿(它的主人)去打猎的,或者虽非猎犬,林野离家不远,尨也跟着主人一路来了,跟在身旁,故女子看见男子动手动脚来撩她,便告诉他道:"你别鲁莽,别拉我的手巾,别弄得我的狗吠了。"她口里虽然那么说,心里是很快乐的,其实尨也是很快乐的,决不是什么"非礼相陵则狗吠"的空气。我以为三章都是写野外的事情,所以我开头便说是"牧歌"。高明如俞平伯先生在这里也错信了古人的话,认为第三章"则述为婚时女之密语,神情宛尔,绝妙好词"。(《读诗札记》)他引了姚际恒的话,"定情之夕,女属其舒徐而无使帨感犬吠,亦情欲之感所不讳也欤?"我认为这话仍是说得很寒伧的。其实《毛传》"非礼相陵则狗吠"的话颇含糊,并不一定说是婚时。《毛传》讲这首诗还没有十分讲"礼",还不十分可恶,若如卫宏之序,郑玄之笺,则可恶已极。卫《序》云:"野有死麕,恶无礼也。天下大乱,强暴相陵,遂成淫风,被文王之化,虽当乱世,犹恶无礼也。"《郑笺》首章云:"乱世之民贫,而强暴之男多行无礼,故贞女之情欲令人以白茅裹束野中田者所分麕肉为礼而来。"其余同样荒谬。

匏有苦叶

匏有苦叶，
济有深涉，
深则厉，
浅则揭。

有弥济盈，
有鷕雉鸣，
济盈不濡轨，
雉鸣求其牡。

雝雝鸣雁，
旭日始旦。
士如归妻，
迨冰未泮。

招招舟子，
人涉卬否。

  人涉卬否，
  卬须我友。

  这首诗完全是写实，写一个济渡处。中国后来的诗简直没有这样写实的手法。不但诗里头没有，便是散文里头也没有，小说里头也没有。但在中国农村社会里头这种生活的情形却是很普遍的。我做小孩子的时候，常常在一个济渡处玩耍，"匏有苦叶"所写的完全是我所看见的情形了，难得它写得那么朴质，那么热闹，那么健康，一点后来文人的习气没有，真是古代的人民文艺了。我因为懂得这首诗的原故，赞美这首诗的原故，等我再回转头去看看汉代宋代以迄近代的读书人对于这首诗的讲解，我真是感得难过，中国的事情难道真是可以恸哭流涕！何以一般所谓儒者，思想都是那么下流，那么一种变态心理呢？这件事决不是小事！中国从《诗经》以后简直没有人民文艺了，有的只在民间，在农民的生活里头，而两性间的变态心理管治了一切的正统文学！我大约真正应该感谢西洋文学，我因为呼吸了西方的艺术空气的原故，乃恢复了我的健康，文士的习气乃渐渐洗掉了，今日我敢说我是真正的懂得《诗经》，懂得《诗经》所代表的中国农村社会产生出的健康文学。现在且让我来解释《匏有苦叶》这首诗，我说这首诗是写实。第一章，"匏有苦叶"这一句是没有意义的，只是用韵的原故引起"济有深涉"这一句来，那么这里所写的是一个过渡的地方了。渡有浅深，我记得我小时在县城外河边看乡下人过渡进城来，水深时淹到他们的肚脐，我们看着觉得好玩极了，乡下人则毫不在乎，这便叫做"深则厉"。古训谓"以衣涉水为厉"，"由带以上为厉"，又说"至心曰厉"，都是不错的,水深了,和衣而涉,水或深到脐,或深到胸,都是常有的情形。"浅则揭",揭,褰衣也,水浅则褰衣便可以过来了。我小时最喜欢在城外看乡下人过河,而且常看见"关关雎鸠在河之洲",即是说看见河之洲上有小鸟叫,如八哥喜鹊之类,但没有看见雉,那么有雉的地方当然可以看见雉了。在抗战期间我在故乡住着是看见过雉的,它忽然叫着一飞,真是"有鷕雉鸣"了,于是说到《匏有苦叶》的第二章,我认为"有弥济盈,有鷕雉鸣"都是写景,"济盈"是说水满了,"弥"是写水满之状,"鷕"是雉鸣的响声。"济盈不濡轨"当然也是写景,稍稍带了一点旁观者的心理作用。"雉鸣求其牡"是诗的点睛作用,把空气都活动了,凡属诗必然有两性的关系在里头才能写得生动的。"轨"者车轴之两端,河岸上的人容易看见,水太盈满了,车在水里渡过,很容易把轮子都淹没了,然而我们既然让车渡水,必然有渡过之可能,所以岸上的人看来轮子快淹没了,而终于没有淹没,没有濡到车轴了,故诗写着"济盈不濡轨",是写得很生动的,我说稍稍带了一点旁观者的心理作用。"雉鸣求其牡",是说雌雉求雄雌〔雉〕。本来飞者曰雄,走者曰牡,但亦可通称,故《南山》诗里头称狐为雄,"雄狐绥绥"。做诗作文,用字之妙存乎一心,我以为"雉鸣求其牡"是应该用这一个"牡"字的,若改"牡"为"雄"便死得多了。这里还有用韵的关系,因为"济盈不濡轨"的"轨"读作"九"音。因为这一个"牡"字,乃生起许多胡说,我对于古来讲解这首诗的人表示痛恨,说他们是变态心理,我不暇引他们的解释,只看他们解这一个"牡"字!《毛传》云,"违礼义不由其道,犹雉鸣而求其牡矣。飞曰雌雄,走曰牝牡。"即是说飞禽在那里求走兽!毛公生怕我们不懂得他的意思,故多写两句,诚如陈奂《传疏》所云:"传嫌牡雄可以通称,故又申释之云'飞曰雌雄走曰牝牡'者,雌雄从隹为飞鸟,牝牡从牛为走兽,刺夫人兼刺宣公也。"原来儒者们以为《匏有苦叶》这首诗是刺卫宣公与其夫人并为淫乱的。《郑笺》云,"雄鸣反求其牡,喻夫人所求非所求。"我一点也不想笑他们!我真是感得伤心,这样怎么能谈文艺!王引之关于这一个字说得很好,"牡即雄之雄者,故曰'其牡',若属之走兽,不得言'其'矣。传笺失之。"

第三章,"雝雝鸣雁,旭日始旦。士如归妻,迨冰未泮。"这也正是我小时所看见的热闹情景。王引之说这个"雁"是说鹅,是不错的,并不因为我小时所看见的是羽毛上涂了红色的鹅叫,实在诗里这个雁是鹅。这都是从头一年中秋以后到第二年春天以前的事情,而以薄冰的时候为最普遍,那时的朝阳也格外显得"旭日始旦"了,所谓冬日可爱。奇怪,我的"雝雝鸣雁"的记忆确乎是在济渡处,我的"旭日始旦"也在这个济渡处。

第四章我以为又是用女子说的话。大概这里也有过渡的船,非一定要自己涉水不可的。"招招舟子,人涉卬否。人涉卬否,卬须我友。"招招是舟子召人过渡之状,卬者我也,意思是说"人家过去,我要等候我友。"说话的神气不像男子。这话当然不说出口,只在她的心里说。我的话说完了,中国有这样好的短篇小说吗?就连五四以后的新小说也没有这样新鲜健康的,因为这是民间文艺。

蝃 蝀

蝃蝀在东,
莫之敢指。
女子有行,
远父母兄弟。

朝隮于西,
崇朝其雨。
女子有行,
远兄弟父母。

"乃如之人也,
怀昏姻也!
大无信也!
不知命也!"

这首诗向来都认为是说女子不好的,所谓"刺奔"。为什么呢?大约因为字面上有"女子"两个字,那么明明是说女子了!

所以《毛传》在第三章"乃如之人也"句下解释道："乃如是淫奔之人也。"我说因为字面上有"女子"两个字,还是宽恕他们的话,只不过说他们不懂得文章,究其实乃因为他们的思想是"邪"的,即是封建思想。《国风》里的诗没有一首是刺女子的,都是同情女子的。在封建社会里头,本来是男子的势力,要刺女子整个社会都在那里刺,用不着诗人作诗了,若作诗则必是反抗社会,反抗社会即是同情女子。这正是诗之所以为诗。姚际恒的《诗经通论》在《蝃蝀》之后论道："此诗未敢强解,小序谓刺奔虽近似,然'女子有行,远父母兄弟',《泉水》《竹竿》二篇皆有之,岂亦刺奔耶？此语乃妇人作,则此篇亦作于妇人未可知,必以为刺奔,于此二句未免费解。"姚氏的话可谓能有识见,然而照我的意思,"女子有行,远父母兄弟"的话,《泉女〔水〕》诗里头有,《竹竿》诗里头有,这首《蝃蝀》里头也有,可能是当时的成语,故诗里头引用来了,诗是诗人作的,这个诗人可能是女子,可能不是女子,诗的文章自可以用女子说话的口气了。在《蝃蝀》这诗里,我以为第三章是女子说的话,第一章第二章则是叙述句子,在叙述当中引用了"女子有行,远父母兄弟"的成语罢了。因为押韵的原故,第二章便写作"远兄弟父母"。在我的故乡黄梅有一句通行的话,"嫁出之女,放出之水（ㄒㄩ）",意思是说女子出嫁以后娘家便不能照顾她了,常常在人家口里用,不过意义同"女子有行,远父母兄弟"似乎很不同,前者是父母兄弟再也"不管她"的意思,后者似是说女子远离父母兄弟的寂寞了。现在让我来解释《蝃蝀》这首诗,我确是没有强为之解的意思,我倒是有修辞立其诚的诚意了。

这首诗一定是写一个没有信义的丈夫,正是同情于弱女子的诗。第三章"乃如之人也",正同《邶风·日月》诗里头"乃如之人兮"是一样的句法,是女子指男子说。"怀昏姻也,大无信也,不知命也",这三句,恰恰是判断这个男子,并不是什么刺淫奔之女子。第一章"蝃蝀在东,莫之敢指",《毛传》,蝃蝀,虹也,望着东边天上这个东西,不敢指他,心里真是怕他,很能象征女子害怕的心理,也就是这个男子可怕。接着,"女子有行,远父母兄弟",便是写女子的凄凉孤独,因为她离娘家很远,没有可以共商量的人了。《诗经》里被虐待或被弃的女子,每每只有一条路,(后代的农村女子也正是如此!)即是想同娘家的父母兄弟说一说,如《邶风·柏舟》所云"亦有兄弟,不可以据,薄言往愬,逢彼之怒!"《卫风·氓》则有"兄弟不知,咥其笑矣!"那都是告诉了父母兄弟也还是枉然。《蝃蝀》则离父母兄弟很远,没有可以共说话的人了。所以这个女子的心情是很怯弱的,形单影只,望着天上的虹不敢指了,这个虹很有点象征可怕的丈夫。第二章又不过重复的说,说清早西边天上的虹。东与西没有多大的意义的,只是将文章的空气加重了罢了。郑玄谓朝隮于西的隮亦虹。崇朝其雨即是整个早晨下雨。在我的故乡也有这样的话:"东虹晴,西虹雨。"此事不知确否?我还没有在早晨看见虹的经验。有了第一章与第二章的空气,于是第三章用女子自己说话的口气说这个男子道:"乃如之人也,怀昏姻也!大无信也!不知命也!"他心里怀着鬼胎,他想弃她!

绸　　缪

绸缪束薪，
三星在天。
今夕何夕？
见此良人！
子兮！子兮！
如此良人何！

绸缪束刍，
三星在隅。
今夕何夕？
见此邂逅！
子兮！子兮！
如此邂逅何！

绸缪束楚，
三星在户。
今夕何夕，
见此粲者！

子兮！子兮！
如此粲者何！

这首诗是新婚之夕男女见面喜不自胜之辞。这个见面真是不容易了，太好了。所谓"良人"，所谓"邂逅"，所谓"粲者"，我以为都是男子指女子说的。《毛传》，"子兮者，嗟兹也。"王引之说，"嗟兹，即嗟嗞。"所以"子兮子兮"是惊叹辞。"今夕何夕？见此良人！子兮！子兮！如此良人何！"翻译起来应该是"今天晚上该是怎样一个晚上，得见好人儿！哎呀，要怎样才对得起你呵！"这首诗的艺术价值都在每章的首两句，有了首两句则下文便都好了。我决不是附会其说。这种写法本来叫做"兴也"。我曾说"兴"就是写实，并不是凭空拿一个什么来兴起一个什么。不过我现在还要将我所谓写实的意义更规定一下，不可以含糊其辞，写实者便是将生活上就其时与地自然而然可以联得起来的事情写下来的意思。如"关关雎鸠在河之洲"与"窈窕淑女，君子好逑"是同时同地之所见，故自然而然的写了下来，写下来自然是诗了。如果照朱熹的话淑女与君子"相与和乐而恭敬，亦若雎鸠之情挚而有别，"那便成了逻辑，不是诗了。若是诗，则很容易写，因为随时有生活，随处有生活，只要你不是"视而不见"，不是"正墙面而立"。若是逻辑，则很难写，写出来也一定不是诗，因为你没有感情。又如就《汉广》的"翘翘错薪，言刈其楚，之子于归，言秣其马"四句说，也叫做兴，因为"刈其楚"与"秣其马"虽然不是同时同地发生的事情，而这两件事情与此时此地最有关连。现在我们所讲的《绸缪》之诗正是新婚之夕，新昏之夕与"绸缪束薪"有什么关联呢？这里头真见生活。大约农村间，平常"绸缪束薪"的时候,抬起头来正是"三星在天",这个生活太辛苦了,这个记忆太深刻了,到了新昏之夕,真是今夕何夕,而也从"绸缪束薪,三星在天"说起了,所谓劳动者的意识。这一来,"今夕何夕,见此良人",说不尽的辛苦,说不尽的甜蜜。下面的"束刍"与"束楚",是一唱三叹,也真是有许多事情。

东　　山

我徂东山，
慆慆不归。
我来自东，
零雨其蒙。
我东曰归，
我心西悲。
制彼裳衣，
勿士行枚。
蜎蜎者蠋，
烝在桑野，
敦彼独宿，
亦在车下。

我徂东山，
慆慆不归。
我来自东，
零雨其蒙。
果臝之实，

亦施于宇，
伊威在室，
蠨蛸在户，
町畽鹿场，
熠〔燡〕燿宵行，
亦〔不〕可畏也，
伊可怀也。

我徂东山，
慆慆不归。
我来自东，
零雨其蒙。
鹳鸣于垤，
妇叹于室：
"洒埽穹窒，
我征聿至！
有敦瓜苦，
烝在栗薪，
自我不见，
于今三年！"

我徂东山，
慆慆不归。
我来自东，
零雨其蒙。

> 仓庚于飞,
>
> 熠燿其羽,
>
> 之子于归,
>
> 皇驳其马,
>
> 亲结其缡,
>
> 九十其仪,——
>
> 其新孔嘉,
>
> 其旧如之何?

这首诗相传是周公东征劳归士之作,我想是不错的。从来人的解释,也没有大背诗情的地方,可见这首诗之近乎人情了。我现在从各家注解当中,择取我认为最恰当的解释,写在下面:

首章　慆慆,言久也。　零雨其濛,同"击鼓其镗""雨雪其雱"是一样的句法;濛,雨貌。

制彼裳衣,治归装也。　勿士行枚,士,事也;行,阵也;枚,衔枚之枚。　蜎蜎,动貌。　蠋,桑虫如蚕者也。

烝在桑野,是久处桑野的意思,烝训久。　敦彼独宿,敦,独处不移之貌;独宿,指离家已久的士兵。"蜎蜎者蠋,烝在桑野",这两句是兴起"敦彼独宿,亦在车下",意思是说,"虫儿们总呆在桑林里头,我的兵士们也都在行阵里头,没有离开了。""独宿"这个名词用得甚佳,很表现一种对于士兵的爱。现在大家是要归家,显得大家久矣夫是独宿之人了。现在不再作战,这样说不显得大家不是战士了。

二章　果臝,栝楼也。　施,延也。　伊威,鼠妇也。　蟏蛸,小蜘蛛也。　町畽,鹿迹也。　熠燿宵行,是说萤火夜飞有光。　此章言战后此情此景令人可惧,亦最动人之思也。

三章　垤,小丘也。　穹室,是说屋子里有窟窿的地都填塞起来。　我征,是指出征在外的丈夫。"有敦瓜苦,烝在栗薪",同首章"蜎蜎者蠋,烝在桑野"是一样的文章,那是说虫在桑野,这是说瓜在栗薪,那是兴起眼前之人都在车下,这是兴起出征之人久在外面,仿佛像瓜挂在栗薪了。不同的地方,"蜎蜎者蠋,烝在桑野",并不是眼前的事情,是想像的;"有敦瓜苦,烝在栗薪",则眼前确有此瓜,触景生情。因为这首诗所写的归时是"果臝之实亦施于宇"的时候,也正是"有敦瓜苦,烝在栗薪"的时候。瓜在栗薪,是她眼前看见的,而她想到久在外面的人了,"自我不见,于今三年!"

四章　"仓庚于飞,熠燿其羽",是说仓庚飞时羽翼鲜明,以兴起下文"之子于归"的热闹。"于飞"的"于"字同"于归"的"于"字是一样的用法,都是动词前面加这么一个字,这个字并没有意义。《诗经》里这种句子很有,如"黄鸟于飞","王于兴师","王于出征"都是。"之子于归"即是女儿出嫁,这个女儿大概就是三章"妇叹于室"的"妇"。所以这里所描写的女儿出嫁的光景乃是思往事。郑玄说得很好,"归士始行之时,新合昏礼,今还,故极序其情以乐之。"《郑笺》很少有这样通达的话,这话令我喜悦。不过他说"仓庚于飞,熠燿其羽",是写"于归"之时,我以为不必一定如此,只是兴起嫁时的一切光辉夺目罢了。"皇驳其马",是写马的颜色,言嫁时车马之盛。"亲结其缡",《仪礼·昏礼》,母施衿结帨,结缡当即是指结帨这件事,言嫁时母亲丁宁告戒一番。"九十其仪",言多仪也。那么新婚时的情形真是"伊可怀也"了,现在这回久别归来应该是怎么样呢?我们乡下有一句话,"久别胜新昏",便是《东山》"其新孔嘉,其旧如之何"的答案了。所以这里的"新""旧"两个字是指的一个人儿。《郑笺》云,"其新来时甚善,至今则久矣,不知其如何也,又极序其情乐而戏之,"汉儒也懂得周公的幽默了。

我为什么讲这首诗呢?我是一则以喜,一则以惧。喜者,《东山》诗写得那么好,一点没有后来士大夫的恶劣气息,惧者,从汉以来诗里的空气已不复有民间的朴素,而民间也染了士大夫的思想了,即是封建思想。我读了《东山》诗之后,连忙想到的,是鲁秋胡妇的故事,以及傅玄颜延之辈写的《秋胡行》。《列女传》,鲁秋胡洁妇者,鲁秋胡子之妻,秋胡子既纳之五日,去而宦于陈，五年乃归，未至其家，见路傍有美妇人，方采桑，秋胡子悦之，下车谓曰："今吾有金，愿以与夫人。"妇人曰："嘻！夫采桑奉二亲，吾不愿人之金！"秋胡子遂去，归至家，奉金遗其母。其母使人呼其妇，妇至，乃向采桑者也。妇污其行，去而走，自投河而死。我们试把这个故事同《东山》诗的诗情一比，便可知道什么是封建思想。封建思想是不要人有健康的生活，女子动不动是要"死"的，那么平日所过的勤苦的生活不知为了什么了，真是可怜。傅玄的诗写得很好，篇末云，"引身赴长流，果哉洁妇肠。彼夫既不淑，此妇亦太刚。"诗人毕竟是有感情的。元人杂剧有《秋胡戏妻》，洁妇却是没有死，给一位老太太救活了，很令我喜欢。这位老太太便是她的婆婆，婆婆这样同她说："媳妇儿，你若不肯认我孩儿呵，我寻个死处！"于是她说："你你，我认了秋胡也。"这是士大夫的思想还没有完全统治民间的生活，所以在杂剧里产生了这一位老太太。中国人不喜欢悲剧，在戏剧里如果秋胡妇以死收场，观众一定不喜欢看。在实际生活上，在抗战期间我本着实际观察，一般农民对于被日寇污辱的妇女都是十分同情的，丈夫同情其妻，孩儿同情其母，大家只有"生"的意志，没有"死"的纲常了。文人编剧本，在这一点不能不投老百姓之所好，不让秋胡子之妻投河而死，确是可喜的。然而士大夫的真面目毕竟要露出来，即是狐狸尾巴露出来了，试看杂剧的收结：

想当日刚赴佳期，被勾军蓦地分离。苦伤心抛妻弃母，早十年物换星移。幸时来得成功业，着锦衣脱去戎衣。荷君恩赐金一饼，为高堂供膳甘肥。到桑园糟糠相遇，强求欢假作痴迷。守贞烈端然无改，真堪与青史标题。至今人过钜野寻他故老,犹能说鲁秋胡调戏其妻。

这便是道地的士大夫思想,在这个思想统治之下秋胡妇是要投水而死的。所以我以为在杂剧里秋胡妇之不死是一位老太太救活了的,即是民间思想不喜欢这样的悲剧。

我读了《东山》诗,同时联想到的还有庾信的一首诗,题为《见征客始还遇猎》,诗是这样:

> 贰师新受诏,长平正凯归,犹言乘战马,未得解戎衣,上林遇逐猎,宜春暂合围,汉帝熊犹愤,秦王雉更飞。故人迎借问,念旧始依依,河边一片石,不复肯支机。

这首诗我也很喜欢,"河边一片石,不复肯支机",仿佛叫你赶快回家去,织女再也不肯织布了。这很有希腊神话的空气,将人情美化。然而《东山》一诗才真是中国的,是写实的,是民间的,难得写得那么深厚,那么幽默。

车 辖

间关车之舝兮,
思娈季女逝兮。
匪饥匪渴,
德音来括。
虽无好友,
式燕且喜。

依彼平林,
有集维鷮。
辰彼硕女,
令德来教。
式燕且誉,
好尔无射。

虽无旨酒,
式饮庶几。
虽无嘉殽,
式食庶几。

虽无德与女，
式歌且舞。

陟彼高冈，
析其柞薪，
析其柞薪，
其叶湑兮！
鲜我觏尔，
我心写兮！

高山仰止，
景行行止，
四牡骓骓，
六辔如琴，
觏尔新昏，
以慰我心。

　　这是《小雅》里的一首诗，是咏新婚的，我十分喜欢它。我觉得这种诗歌真能代表一种文明，给毛郑腐儒们都讲歪曲了，有特别提出来讲一讲之必要。我不暇引腐儒们的话。我真有点奇怪，这种诗不像贾宝玉式的崇拜女子，一点文人习气没有，但把妇女也就崇拜得可以了，只有我们现在的劳动英雄们的结婚才配得上，到底是什么原故呢？我决不是说笑话，我决不是附会，我们且讲诗。最精采的当然是四五两章。四章我在讲《桃夭》的时候已经引过了，我说要有析薪的经验才懂得"析其柞薪，其叶湑兮",现在把"其叶湑兮"与新婚相见相提并论,一定是有实生活作底子的,仍是劳动者的歌声呵!诗的茂盛与诗的快乐与生活的朴实,都在这个文章里表现出来了,但这个文章一点也不能捏造呵,因为生活不能捏造!第五章也真好,你走在大路上,你望见高山,你没有别的说法,只有"高山仰止,景行行止"是唯一的诗呵,翻译出来便是:"高山我们望罢!大路我们行罢!"接着又说"四牡骓骓,六辔如琴",新婚的马车跑起来真是得意呵,合拍子呵,好一个"六辔如琴"!这真是野外的音乐,壮健的音乐,而在劳动者的新婚时是美丽的音乐!是的,这种诗不能是写贵族的,试看第一章"虽无好友,式燕且喜",无论主人怎样谦逊,总不能替"敝友"谦逊起来,在《陋室铭》里头都是"谈笑有鸿儒,往来无白丁",何况贵族之家呢?只有农村间的口吻才说"我们家里没有好朋好友。""间关车之辖兮",也活像乡村间车子动身时的情形,朱《集传》,"间关,设辖声也。辖,车轴头铁也,无事则脱,行则设之。"听这个声音,车子一定不多,所以后面也不过说"四牡骓骓",决不是"之子于归,百两御之"的光景了。何况下面还有"陟彼高冈,析其柞薪"呢?照我这样讲,则一章二章三章都写得好,正是老老实实的写,"虽无好友","虽无旨酒","虽无嘉殽",虽"匪饥匪渴",然而正是如饥如渴呵,"觏尔新昏,以慰我心!"写得最令我们赞叹的当然是"高山仰止,景行行止,四牡骓骓,六辔如琴"。

杜诗讲稿

前七讲分三篇载《东北人民大学人文科学学报》1956 年第 1 期、第 3 期、第 4 期，署名冯文炳。其中，第一篇题为《杜甫写典型——分析"前出塞"、"后出塞"》，第二篇、第三篇均题为《杜诗讲稿》。收入中华书局 1963 年 2 月版《杜甫研究论文集》二辑，署名冯文炳。

废名曾将原刊本拆下，重新排序、装订，序号从"二"至"八"，无"一"，总题"杜甫的诗"。

又有抽印本，排序有变化，序号改为从"第一讲"至"第七讲"。

后废名作《杜诗稿续》，共三讲，未刊。

兹将前七讲与《杜诗稿续》三讲合并，总题"杜诗讲稿"。前七讲据抽印本排印，后三讲据手稿排印。

第一讲　杜甫《自京赴奉先咏怀》在中国文学史上的意义

我们分析杜甫《自京赴奉先咏怀五百字》。

这首诗,在中国文学史上,意义太大了,是划时代的现实主义的杰作。诗写的是唐玄宗天宝十四年十月——十一月的事情,其时这个统治主正在"幸华清宫",同杨贵妃一块儿。杜甫因为他的家寄住在奉先,他从长安动身到奉先去,第二天清晨经过骊山——华清宫所在地,受了非常大的刺激,真是悲愤填胸,大约就在到家后写了这一首《咏怀》。安禄山的乱本来就在这个十一月里发生了。这是一个大变乱,唐王朝从此一蹶不振,对人民说也是一个大灾难。杜甫的这五百个字,反映了这个时代。

从前有人说:"文之至者,但见精神,不见语言。此五百字,真恳切至,淋漓沉痛,俱是精神,何处见有语言!"这话对这首诗是能有所认识的。杜甫写这首诗时的思想感情真是太急迫了,要说的话太多了。向来以这首诗与《北征》相提并论,比起《北征》来,《自京赴奉先咏怀》字数要少些,然而意思确是显得更多更多,思想感情确是显得更重更重。就诗的语言说,这首诗还有一般旧日作诗的缺陷,就是表现一件事情不是用确切的活的词汇,而是用典故来代,从故纸堆中找僻生的字来用,如"蚩尤塞寒空"以"蚩尤"代旌旗,"乐动殷胶葛"——又作"殷蠍竭"或什么,反正都是失掉作用的词汇。这个现象《北征》里便没有。《北征》里象"天吴及紫凤,颠倒在短褐"的句子,不能算是用了死字眼,是描写得很生动的,因为"天吴""紫凤"同是具体事物的名字。不过《赴奉先咏怀》里的典故和僻字,就是说当时已经失去作用的词汇,还是极少数的,而且杜甫用来也同无病呻吟的人作诗惯用死典故死字眼不同,惯用死典故死字眼是掩饰自己没有意义,是堆砌,什么也没有表现,杜甫则是要表现一件事情,这件事情又确实不好表现。不好表现约有两种原因,一种原因是旧日诗的体裁的关系,表现上受了限制;一种原因是这件事情的性质,好比"蚩尤塞寒空"是描写唐朝皇帝同了妃子住在山上取乐,要许多卫兵守护着,远望山上尽是旗子,杜甫当然不能当作好看的风景来写,表现起来便有些困难。"乐动殷胶葛"也是一样,写时是厌恶它,但怎么写这个音乐的声音呢?确有困难。杜甫只是告诉我们有这些事情罢了,我们读着知道这些事情罢了。我们现在读古人的诗,在语言方面不要给典故和僻字吓唬住了,或者受了它的迷惑,以为它令我们不懂便是它的奥妙。其实真正的好的语言决不是叫人不懂的,而是叫人格外懂的。好比这几句:"况闻内金盘,尽在卫霍室。中堂有神仙,烟雾蒙玉质。"借汉朝皇帝内戚来指唐代姓杨的,并把杨妃都描写出来了,是以极少的语言写不少的事情,正是旧日诗的长处。在这里用的典故——"卫霍",同比喻一样,同例证一样,是修辞所容许的,是应该用的。旧日诗的表现作用,有时有所短,而更多的场合是有其所长。到了"煖客貂鼠裘,悲管逐清瑟。劝客驼蹄羹,霜橙压香橘。朱门酒肉臭,路有冻死骨!"则充分发挥了诗的长处,煖客四句连忙接到"朱门酒肉臭",又连忙接到"路有冻死骨",意思明白不用说,而力量大极了,把作者的思想感情一下子传给了读者,在散文里便没有法子来得这么快,这是韵文胜过散文的地方。而这里并没有典故,并没有僻字。联到自己家庭在奉先时,这样写:"老妻寄异县,十口隔风雪!"都是老杜惊人的语言,把苦难的日子写得非常有形象,仿佛天下的人各自有其老幼男女,各自在风雪之中,一家人聚在一块儿也无非是挤冻挨饿而已。所以接着便是:"谁能久不顾,庶往共饥渴。"好的语言好的诗是用不着典故和僻字的。典故和僻字在旧日诗里有时确是不能不依赖它,好象在某种情况之下走路不能不拄棍子,我们千万不要为它所迷惑,我们要把它当作普通话一样用语法同词汇来衡量,那么它的好丑便难逃我们的眼睛。我们在这里应该首先交代这一层。

杜甫以五百字告诉天下大乱了,由阶级矛盾引起了七八年的"胡骑长驱",两京沦陷,生民涂炭。而在《自京赴奉先咏怀》以前写的诗里诗人已暴露了统治阶级的剥削、荒淫、腐败、自私、不顾人民的事实,同时替人民作了记录,支持封建唐朝唯一的两件事——租和兵,人民是怎样担当起来。这有有名的《兵车行》和《丽人行》。此外有一首《同诸公登慈恩寺塔》,篇幅虽较短,而是同屈原《离骚》同性质的作品,也是杜甫的咏怀,也讽斥了唐明皇同杨贵妃,也骂了跟着皇帝的官,"君看随阳雁,各有稻粱谋!"我们可以把这些诗同《自京赴奉先咏怀》联系起来看。

杜甫个人在天宝十四年(这年他四十四岁)本来开始有了一个官职,初授河西尉,他没有做,改右卫率府胄曹参军,他做了,连忙又要不干的样子。关于此事他有两首诗,我们有一谈之必要。一首是《官定后戏赠》,自己赠给自己;一首是《去矣行》。

《官定后戏赠》云:"不作河西尉,凄凉为折腰。老夫怕趋走,率府且逍遥。耽酒须微禄,狂歌托圣朝。故山归兴尽,回首向风飙!"这说明杜甫同陶渊明一样不肯"折腰",但时代不同了,陶渊明的时代,一个贵族在乡下住着,虽然穷一些,人家还要尊重他的门第,我们在陶诗里可以看出陶渊明穷而受到尊重的情形;唐朝是科举时代,地主阶级是一步步向上爬的,你没有"衣锦"而"还乡"是没有人瞧得起的,所以杜甫曾诉苦:"乡里儿童项领成,朝廷故旧礼数绝。自然弃掷与时异,况乃疏顽临事拙。饥饿动即向一旬,敝衣何啻联百结。君不见空墙日色晚,此老无声泪垂血!"(《投简咸华两县诸子》)陶渊明是不至于这个样子的。杜甫不肯"折腰"做河西尉,大可以赋"归去来兮"了,然而"故山归兴尽,回首向风飙!"这就是说陶渊明的时代已经过去了。实际上杜甫的家这时已无法而安置在奉先(详情我们虽然不知道),便是"老妻寄异县,十口隔风雪"的境况。他个人在长安"率府且逍遥"。说是"逍遥"而又觉得可耻,我们看他的《去矣行》:"君不见鞲上鹰,一饱即飞掣,焉能作堂上燕,衔泥附炎热!野人旷荡无靦颜,岂可久在王侯间?未试囊中餐玉法,明朝且入蓝田山!"他说"餐玉法"是说气话,明天就要走罢了。所以他写了《去矣行》之后接着就是《自京赴奉先咏怀》,这两首诗合起来便等于杜甫写了他自己的"归去来兮辞",这是非常有意义的一件事。杜甫是很佩服陶渊明的,两位诗人的思想感情常有矛盾也相同,而杜甫又曾批评陶渊明:"陶潜避俗翁,未必能达道!"(《遣兴五首》之三)那么在杜甫看来什么叫做"道"呢?我们应该重视《自京赴奉先咏怀五百字》,杜甫的"道"的意义应该就是我们现在所说的诗的"人民性",就是现实主义的精神。时代变化了,生活复杂了,杜甫的诗所表现的现实主义乃超过他以前的任何诗人。而在杜甫以后的中国封建社会所产生的任何诗人——或者因为染了佛教道教的臭味,或者因为"官"气重些不及杜甫的生活同人民接近,也都没有杜甫的爱国爱人民的深厚感情、伟大诗篇。

在我们今天看来是很明白的,《自京赴奉先咏怀》暴露而且控诉了统治者,国家的栋梁应该没有别的人而是交租税服兵役的劳苦大众,作者自己也属于剥削阶级。作者所没有认识清楚的是"皇帝"——诗里非常天真地叫作"圣人",这到底是一个什么东西?这无非是封建社会上层建筑的一个魔术名词,支配了任何人的思想意识,作者认为颠扑不破罢了。若检查一下具体生活当中的人,连诗人杜甫也可耻,因为同劳动人民比起来"生常免租税,名不隶征伐"。我们看这几句诗:"圣人筐篚恩,实欲邦国活,臣如忽至理,君岂弃此物?"这算是杜甫的哲学,是"至理",根据他的诗里所控诉的一件一件的事实,这所谓"至理",完全站不住脚,徒徒表示封建社会的上层建筑是事实的歪曲。事实是:"彤庭所分帛,本自寒女出,鞭挞其夫家,聚敛贡城阙!"为什么在你的哲学里忽然又把这寒女家鞭挞出来的东西认为是"圣人筐篚恩"呢?然而诗人的感情是非常好的,"臣如忽至理,君岂弃此物",他要求"至理",他宝贵"此物",他"实欲邦国活",所以他的诗反映了真实的历史,真实的历史是剥削与被剥削两个阶级对立。从本篇看来,当时农民"失业""远戍",从《兵车行》看来,远戍而家里还是逃不了"县官急索租"。在杜甫其余的诗里写租税写兵役两件事的太多太多,明明指出男子服兵役死了而女子还是要在家纳税的有:"石间采蕨女,鬻市输官曹,丈夫死百役,暮返空村号。闻见事略同,刻剥及锥刀。"(《遣遇》)我们再举个例子看剥削者方面，杜甫自己在夔州的时候雇了人种了稻田植了果林，当然足以代表地主阶级，而他在夜里写诗，一首说"暂忆江东鲙，兼怀雪下船"，一首写其闻见："甲兵年数久，赋敛夜深归。"（《夜二首》）诗人只是有良心听见农民半夜里纳赋回来把事情记在自己的诗里，过的却明明是有特权的生活。所以邦国之得以苟活，完全靠劳苦大众支持，这是封建中国的实质。杜甫说他"默思失业徒，因念远戍卒"，他并不是在这篇《咏怀》里写两句诗就算了，他平日真是"思"，真是"念"，他的《前出塞》《后出塞》都是在"思"在"念"之下给我们留下了国家真正的主人平凡而伟大的劳动人民的形象。他在《夏夜叹》里还这样地思念着："念彼荷戈士，穷年守边疆，何由一洗濯，执热互相望！"这是想起荷戈之士天热没有法子洗澡。我们真要学习杜甫，看杜甫是如何地爱劳动人民，爱兵！除了"失业徒""远戍卒"而外，我们把《自京赴奉先咏怀》里面的名字再检查一下，什么"尧、舜"，什么"巢、由"，什么"当今廊庙具"，什么"多士"，什么"仁者"，都是好名词，代表中国封建社会的传统哲学，而历史证明这是地主阶级自欺欺人。倒是"圣人"同了"神仙"在"路有冻死骨"的日子在音乐当中在山上温泉里"浴"或者"赐浴"，有其人，有其事。然而我们如果说诗人如果当道（他当然不会当道）将如何能济于事，"窃比稷与契"，那又是上了哲学的当。我们只要读一读杜甫向"圣人"献的《三大礼赋》，便知道那与国计民生是一点也不相干的。我们再读一读他后来写的《洗兵马》，这是一首非常有名的歌颂诗，除了最后几句劝农的话写出国家的实际责任归根结蒂落在打完仗平了寇（其实寇还没有平）回来的农民头上而外，没有一句话配得上叫做政治的内容，什么"司徒清鉴悬明镜，尚书气与秋天杳",什么"鹤驾通霄凤辇备,鸡鸣问寝龙楼晓",简直不象杜甫的诗了。原因非常简单,历史上中国的封建统治,几个最初建国的皇帝,因为从民间起来,受了阶级斗争的教训,现在知道要缓和斗争,稍稍满足农民的要求,尚谈得上一些政治措施,至于他们的子孙,自然便一个个地坏下去,暴露剥削阶级的本质,——这是不可能有例外的。这个政权之下的诗人,说什么"窃比稷与契",同"生逢尧舜君"一样是腐儒的话。

我们对《自京赴奉先咏怀》起首一段的话还应该作必要的分析。诗人杜甫同时确是中国封建社会一个极其素朴的哲学家。他生于宋代理学家之前,所以他是儒家而不谈玄学,他只说他"窃比稷与契"。他呼吸了魏晋老庄哲学派的空气,所以他明明受了孔孟——尤其是孟轲的影响很深,而他又毫无拘束地说着"孔丘盗跖俱尘埃"(《醉时歌》)的话,表现在《自京赴奉先咏怀》里便有这样的庄周"齐物"的思想:"顾惟蝼蚁辈,但自求其穴,胡为慕大鲸,辄拟偃溟渤?"可惜他常常有求人的事情,因为这些可耻的事也写了一些"干谒"的诗,所以接着他说"独耻事干谒",并不是说自己没有干谒,倒是说"耻"。他批评陶渊明"未必能达道",而他"终愧巢与由,未能易其节"的感情又确是很重的,在他后来的诗里表示过不只一次。临死之年写的《登舟将适汉阳》一诗里还说着"鹿门自此往,永息汉阴机。"但从杜甫前前后后的诗里证明他决无意于做"萧洒送日月"的名士一派,这一派人当中最豪放、最富有感情的象后来诗人辛弃疾也还是"闲饮酒,醉吟诗,千年田换八百主,一人口插几张匙",说得好听"管竹管山管水",其实是地主。杜甫当然过了这种地主生活,他在夔州的生活便是很明显的,然而他总是说老实话的时候多,他对被剥削者说"日矖惊未餐,貌赤愧相对!"(《信行远修水筒》)所以"取笑同学翁,浩歌弥激烈",应该翻转来说是他笑别人,别人不配笑他。杜甫一生的生活,一生写的诗,告诉我们他的思想是真实的,他没有说一句门面话,这是杜甫最不可磨灭的地方。其所以能如此,最主要之点还在于他的生活接近人民,他真懂得人民的痛苦。"盖棺事则已,此志常觊豁。穷年忧黎元,叹息肠内热。"这四句,便是杜甫的写照。我们真应该爱他,爱他这四句话,在这里不能有一点夸大,而是不夸大的最伟大诗人呵!"此志常觊豁",所谓"志"便是"诗言志"的志,他的诗,便是"穷年忧黎元"的诗。统观杜集,用他自己的话,"语不惊人死不休"(《江上值水如海势聊短述》),那是关于表现方法,用他自己的话又正是"盖棺事则已,此志常觊豁",这是写诗的精神。陶渊明自白其"酣觞赋诗,以乐其志",杜甫的"豁"字便等于陶渊明的"乐"字。杜甫是中国封建社会最伟大的现实主义的诗人。

我们还应该简单然而扼要地把唐代以前几个伟大的诗人——就他们的诗所反映的社会现实这一个主要问题,拿来同杜甫的《自京赴奉先咏怀》作一个比较。一句话,杜甫以前的诗人的诗里所反映的矛盾不超过诗人本阶级内部的矛盾,杜甫的诗,如我们上面所分析,则反映了中国封建社会两个阶级的对立。我们先看屈原,屈原感情热烈,想象丰富,语言风格更特别有创造性,若问他当时为什么写《离骚》,应该就是这几句话的回答:"时溷浊而嫉贤兮,好蔽美而称恶!闺中既邃远兮,哲王又不寤!怀朕情而不发兮,余焉能忍与此终古!"当时的"贤"当然是立于人民利益方面的,然而"溷浊"是统治阶级的溷浊,"贤"同"浊"是一个阶级里面的事。曹植更不用说,他的"拔剑捎罗网"

的思想感情，主要是因为"本是同根生，相煎何太急"来的。阮籍同陶渊明很有相象的地方，陶渊明耕田不用说，阮籍也很想"耕"，所以他的《咏怀》说："愿耕东皋阳，谁与守其真？"不过阮籍当时所处的阶级内部矛盾非常利害，他很容易有性命的危险，他只能靠"醉"来解决。他的诗所表现的感情极强，语言美丽："曲直何所为，龙蛇为我邻！"这就是表示他妥协，他不怕"曲"，因为龙也是曲。这当然是统治阶级内部的事情。陶渊明耕田也只是解决他个人思想矛盾（也就是统治阶级内部矛盾）的手段，在陶诗《饮酒》篇里有一首写一个农民劝他"褴缕茅檐下，未足为高栖，一世皆尚同，愿君汨〔汩〕其泥"，很明白，劳动人民知道隐士的身分了。我们再看鲍照的这一首《拟古》："束薪幽篁里，刈黍寒涧阴。朔风伤我肌，号鸟惊思心。岁暮井赋讫，程课相追寻。田租送函谷，兽藁输上林。河渭冰未开，关陇雪正深。笞击官有罚，呵辱吏见侵。不谓乘轩意，伏枥还至今！"前面一十二句不很象杜甫的先声吗？然而"不谓乘轩意，伏枥还至今"是鲍诗的主题思想，与杜诗有着质的差异。杜甫的划时代的《自京赴奉先咏怀》，可以当作还没有阶级觉悟的老实人的一篇反省，里面反映了两个阶级，控诉以皇帝为首的本阶级即地主阶级，同情被剥削被压迫的农民阶级。

最后我们附谈一件有趣的事，要象我们现代的鲁迅"横眉冷对千夫指，俯首甘为孺子牛"，就必须爱憎分明，把统治者与人民的界线划得清清楚楚，屈原、阮籍、陶潜等都是古人，而且是贵族，当然不能够。独有杜甫，他的恨眉有时横起来了，同时就因为哀我黎民。我们抄他这首《朱凤行》：

> 君不见,潇湘之山衡山高,山巅朱凤声嗷嗷,侧身长顾求其曹,翅垂口噤心劳劳。下愍百鸟在罗网,黄雀最小犹难逃。愿分竹实及蝼蚁,尽使鸱枭相怒号!

这最后两句,"愿分竹实及蝼蚁,尽使鸱枭相怒号",不很象现代鲁迅的口声吗?杜甫是伟大的,可以说在中国文学史上他是第一个把人民和统治者分开,爱憎分明的诗人。

第二讲　分析"前出塞"、"后出塞"

引　　言

　　我们学习马克思列宁主义,认识了历史的主人是劳动人民。我们本着这个伟大的、正确的观点读中国过去的作家的作品,可以发现极少数的作家能对他们所熟识的本阶级有着控诉,尤其难得的他们当中最有良心的人在不自觉的状态之中认识劳动人民对国家的功勋。我们首先引鲁迅在1926年说的话:"去年我主张青年少读或者简直不读中国书,乃是用许多苦痛换来的真话,决不是聊且快意,或什么玩笑,愤激之辞。古人说,不读书便成愚人,那自然也不错的。然而世界却正由愚人造成,聪明人决不能支持世界,尤其是中国的聪明人。"(《写在〈坟〉〈的〉后面》)这是鲁迅对中国过去历史的亲切的认识。他所谓"愚人"是指中国的农民,因为过去农民是没有受教育的机会的。所谓"聪明人"便指了地主阶级士大夫,鲁迅特别指出他们决不能做什么好事,——谈得上"支持世界"吗? 杜甫也是从自己生活当中积累了无数经验的,"聪明人"没有良心,良心与正义只在"愚人"即劳苦大众方面。我们看他在《听杨氏歌》一首诗里极其沉痛地说出了这一句话:"勿云听者疲,愚智心尽死!"这一句话(包括两句五言诗),向来不为人所懂得,意思其实明白得很,就是说,不要以为劳动人民同朝廷做官的人一样心都死了。因为他为群众所感动,许多人在一块儿听一个女子唱歌,其中"壮士泪如水",他乃发此深省。杜甫的诗的主要价值,可以毫不迟疑地说,就在于歌颂正义的有良心的"愚"即农民,他们是国家的支持者;控诉"智"——有特权的士大夫阶级,作者自己也在内,因为"生常免租税,名不隶征伐"。

我们现在首先来分析《前出塞》、《后出塞》,看杜甫怎样把劳动人民写了两个典型。

过去读杜诗的人在这个问题上也接触到了一些(因为问题太显著了),但必待今日我们用新的文艺理论的观点才能把问题提高到科学水平,把它肯定下来,从而认识杜甫《前出塞》、《后出塞》的真实的价值。

过去读杜诗的人说这两篇诗,"诸章皆代为从军者之言"。又说,这两篇诗,九首或五首,"只如一首,章法相衔而下"。这是文章作法一类的话,把问题庸俗化了,如何能接触到本质。若用文艺科学的话,杜甫《前出塞》、《后出塞》的主题思想是写兵,便是我们今日遵照毛主席的文艺方针文艺要写工农兵的写兵。杜甫是把他的时代里农民出身的兵写了两个典型。《前出塞》写的是一个士兵,《后出塞》写的是一个将校。

过去读杜诗的人对《前出塞》说:"是公借以自抒所蕴。读其诗,而思亲之孝,敌忾之勇,恤士之仁,制胜之略,不尚武,不矜功,不讳穷,豪杰圣贤兼而有之,诗人乎哉?"把杜甫的价值抬得这么高,"豪杰圣贤兼而有之","诗人"的称号不足以代表他。因为诗里表现了"豪杰圣贤"的品质,所以便说是杜甫"借以自抒所蕴"。我们今日知道,杜甫才真正是诗人,所以他能在他的诗里写了"豪杰圣贤兼而有之"的品质的一个兵,一个劳动人民。我们今日是学习了毛主席《在延安文艺座谈会上的讲话》,才能认识文艺要写工农兵的意义,而且知道要写工农兵非得作家自己首先经过思想改造不可,我们当然不能把伟大的马克思主义的立场观点求之于古代说诗的人,但我们确实可以从古代说诗的人的话进而学习诗人杜甫。

对《后出塞》说:"将校有此一人,而不知其姓名,可恨也。"要求知道这个将校的姓名,当然是很好的感情,但这也表明古代说诗的人不知道写典型的意义。而杜甫是更古的古代作家,我们真应该佩服他。

《前出塞》写一个士兵,《后出塞》写一个将校,都是从初应征募的时候写起,写到最后一章《前出塞》是"从军十年余",《后出塞》是"跃马二十年",这本来是非常明白的,两篇诗,一篇九首,一篇五首,各写着一个人的传记,都有那么长的时间的经历。《木兰辞》写木兰在军中有十年,所谓"壮士十年归",其辞当然是木兰归家以后的追叙。同样,杜甫的两篇《出塞》,也必以最后一章叙述的时间为准,——在《后出塞》里作者明明给我们交代清楚了,是主人公在军中回来以后的追叙。《前出塞》是出兵吐番,关中老百姓在这次被征去的,在诗的开首就指明了目的地,"悠悠赴交河",这个人后来在军中十年余。《后出塞》是东都人"召募赴蓟门"去的,这个人后来在河北作了军官,安禄山长驱河洛他乃间道逃归。两篇诗既然把两个人的军中生活都作了总结,那么我们应该注意的不是这两篇诗写的什么军役,象朱鹤龄所说"天宝末,哥舒翰贪功于吐番,安禄山构祸于契丹,于是征调半天下,《前出塞》为哥舒发,《后出塞》为禄山发"是丝毫没有意义的。向来说诗的人因为把注意点弄错了,于是对于杜甫写这两篇诗的年代所说的话也不得要领,把杜甫写《前出塞》放在哥舒翰征吐番的时候,《后出塞》则因为诗中明明写了安禄山长驱河洛的事,只好说"当是天宝十四载冬作"。据我们判断,《前出塞》、《后出塞》是杜甫同时写的,因为杜甫这两篇诗主要是写两个人物,表现这两个人物的思想感情,同时,他们的生活、环境、时代,自然也都反映出来了。两个人物,一个出塞在前,一个出塞在后,所以诗便叫做"前出塞"与"后出塞"。作者的企图分明不在写前后两次出塞。从任何方面来看,没有理由否认两篇诗是同时写的合理性。或者有人说,杜诗的题目当中标前后字样的还有夔州写的《前苦寒行》、《后苦寒行》,明明是先写一首,单名"苦寒行",及后再作一首,故加前后字以分之。这话当然不错,但这是因为夔州苦寒是偶然的事件,而那年偏有两次的苦寒,题前题后便表示两次苦寒的偶然性,而且前后的时间明明是很近的,我们正可以说《前苦寒行》、《后苦寒行》是同时写的。如果是今年的苦寒和明年的苦寒,杜甫便不说"前苦寒""后苦寒"了。总之这是偶然写的诗,诗题正表示偶然性的事。《前出塞》、《后出塞》是杜甫有计划地创造,是大力创造,必成于一时,正同三"吏"、三"别"是有计划地创造,是大力创造,也必成于一时。

那么《前出塞》、《后出塞》究竟应该断定是杜甫在什么时候写的呢?《后出塞》是在《自京赴奉先咏怀》之后写的丝毫没有疑问,因为诗里写了安禄山"长驱河洛昏",而写《自京赴奉先咏怀》时安禄山之乱还没有发生,或者发生了杜甫并不知道。在《自京赴奉先咏怀》以后,直到杜甫由京到华州,经历了许多事故,写了许多诗,从这些诗的性质看,都是切合其环境的,从那些环境看都不会产生《前出塞》、《后出塞》。说《后出塞》是杜甫由华州暂回东都时候所写,应该最为合理,这篇诗第五首说:"坐见幽州骑,长驱河洛昏,中夜间道归,故里但空村",这明明是主人公回来了,杜甫在自京赴奉先以后是没有机会遇见此种人的,杜甫也不是空口说白话的,此种人只可能是他由华州回东都时遇见的。他后来曾有诗说这回回来的情况,"昔归相识少,早已战场多",相识少,确是有相识,《后出塞》应该就是拿战场上回来的一个人写了典型。不过我们断定《前出塞》是杜甫在秦州写的,那么《后出塞》也必定是在秦州所写,——这也丝毫没有不合理的地方,诗人把他的写作的时间延迟了一年。《前出塞》为什么是在秦州写的?留待下面分析《前出塞》诗时再说。就诗的表现方法说,《前出塞》、《后出塞》还近乎三"别",异乎三"吏",因为在三"吏"里作者把自己也加进去了,做了"客行新安道"的客,这个客又"暮投石壕村",——在《兵车行》里也是如此,作者同"行人"对话。三"别"同前后"出塞"里面没有作者,就人物个性说,《前出塞》、《后出塞》比起三"别"来,更有着积极的典型意义。今天我们推重三"吏"、三"别"的人民性是当然的事,我们似乎忽视了《前出塞》,我们倒应该把《前出塞》、《后出塞》是中国诗史上第一个写兵写典型人物的伟大创造的事实指出来。从前说诗的人曾说这两篇诗"有古乐府之声而理胜",是有见地的话。所谓"理胜",用我们现在的话,就是《前出塞》、《后出塞》的思想性强。而"有古乐府之声",又表示两篇诗的艺术性高。

"前出塞"九首

一

戚戚去故里,悠悠赴交河。公家有程期,亡命婴祸罗。君已富土境,开边一何多?弃绝父母恩,吞声行负戈!

这是写一个乡下老百姓,年青人,开始离家当兵去的思想感情。杜甫只是用了八句话,四十个字,表现的事情真不少,令人不能不承认韵文是真有长处。韵文并不只是一个表面的形式问题,我们不能因你用整齐的句法,有了韵脚,就认为你写的是诗,诗要在此〔比〕散文更经济的条件下收到更多的效果,有散文所不能有的力量。(不要误会以为散文不及诗,散文又有散文的长处,那是另外一件事。)好比这首诗第一第二两句写一个人要离乡别里到很远很远的交河地方去,字数比用散文写是要少好些,所表现的东西不是多得不可计算吗?作者不把他的主人公的思想感情,当前的境况,一下子都交给读者了吗?"戚戚去故里,悠悠赴交河",读者读着不但知道了这个远行之事,简直同这个远行之人心心相印,因为诗的语言的关系。接着两句又完全写出这个老百姓的思想斗争过程,他曾经想逃,但不可能,怕惹祸。据历史记载,当时农民逃亡的事情是很有的。在杜甫其他诗里也表现了农民逃役的思想。如《遭田父泥饮美严中丞》中说:"差科死则已,誓不举家走!"可见是有"举家走"的。又如《甘林》中说:"主人长跪问:'戎马何时稀?'我衰易悲伤,屈指数贼围,劝其死王命,慎莫远奋飞!"可见是有"远奋飞"的。在这里杜甫劝"死王命",是指抵御吐番的侵略,对正义的战争说的。在《前出塞》里所写的征役,从老百姓看来是"君已富土境,开边一何多",所以杜甫对"公家有程期,亡命婴祸罗"的思想是同情的。接着"弃绝父母恩"一句把青年农民表现得极其真实,他只知道父母的恩,并不知道此去作战的意义,而且他明明知道政府不是他的政府,对他是压迫的,是剥削的,所见,所闻,所身受,无不如此。所以接着就是"吞声行负戈",把人物内心与行动完全写尽了,没有法子负起戈来就走,离家了。唐代制度,农民应征当兵去是要自己装备的,在《兵车行》里也是"行人弓箭各在腰,耶娘妻子走相送"。

所以杜甫从一开始便是典型环境典型性格,写他的时代里农民服兵役的典型。我们似乎不可能比他的诗有更经济的表现手法,比他的诗有更真实的感染力量。不过,如果《前出塞》只有这一首,虽然一样的应该欣尝〔赏〕它,却不必引起我们这么大的注意。现在则这一首诗明明是故事的开端,故事是接连发展下去,正同我们今天表现工农兵的长篇故事一样,在我们的诗史里应该以有《前出塞》、《后出塞》而自豪! 我们看杜甫把他的故事怎样发展下去。

二

出门日已远,不受徒旅欺。骨肉恩岂断?男儿死无时! 走马脱辔头,手中挑青丝。捷下万仞冈,俯身试搴旗!

在这个行伍里的人,当然都是农民,都是受压迫的。彼此都是一样的心事,而彼此不通心事。离开家庭,彼此陌生。说着"出门日已远,不受徒旅欺",是自己出门怕欺的原故,是农民的朴素感情,别人自己也怕欺哩,未必欺你。到了混熟了,彼此就都不陌生,觉得日子好过些。这时也并没有忘记家,但可以忘记罢了,记起来时便说着:"骨肉恩岂断?"连忙又说着"男儿死无时!"这句话所表现的思想感情甚深刻,不完全是愤慨的话,但也有愤慨。这个青年人已经手中拿着武器,就容易激发志气,要以身报国,所以"男儿死无时"本来是为国牺牲的感情。然而在封建社会里,因为自己不是生活的主人,青年农民确是总有愤慨,仿佛自己是随时给人送死似的!杜甫因为接近农民,懂得农民,同情农民,才能写得这么深刻。接着写这个青年人怎样试着显身手,极其天真可爱。

三

磨刀"呜咽"水,水赤刃伤手!欲轻"肠断"声,心绪乱已久!丈夫誓许国,愤惋复何有?功名图麒麟,战骨当速朽!

这是描写走陇山。关于这个山,有有名的《陇头歌辞》:"陇头流水,鸣声呜咽。遥望秦川,肝肠断绝。"杜甫自己是走过这个山的,《秦州杂诗》第一首说的"迟回度陇怯"便指他走这个山。他一定是把他走上陇山的经验结合到这首《出塞》的诗里来写,所以才给我们千载下的读者留下这么可感动的情景,不是凭空从典故里想出"呜咽"水、"肠断"声来的,典故只是帮助他写实生活。我们说杜甫的两篇《出塞》是到秦州后写的,从这首度陇的描写也可以得着根据。我们在第一首里知道主人公去故里赴交河,但"故里"在什么地方,作者并没有告诉我们,现在从度陇的描写里可以知道,这个兵是关中(就是"秦川")老百姓,所以他说着"欲轻'肠断'声"的话。这是诗人善于用典故,从古以来登上这个山头,都是"遥望秦川,肝肠断绝",今日秦川从军的人安得不然。这个秦川人更在这个水里磨刀,多么悲壮的图画!在这个高山之上说着"丈夫誓许国,愤惋复何有",把第二首里"骨肉恩岂断,男儿死无时"的感情明朗化了,而且提高了一步,因为与伟大的祖国的山川相对,最容易动人爱国之思,伟大的中国劳动人民便有"丈夫誓许国"的怀抱,别的愤慨就丢开。杜甫不是真正懂得中国农民,他不会这样写的,——在这里他是写一个青年农民。接着"功名图麒麟,战骨当速朽",又真正是写"人",天真的青年劳动人民,以为他还是可以立功名的,他要求不朽。他不知道他的愤惋倒实在是有根据的。后来的事实又使他愤惋了,便是第五首最末两句:"我始为奴仆,几时树功勋!"

四

送徒既有长,远戍亦有身,生死向前去,不劳吏怒嗔!路逢相识人,附书与六亲,哀哉两决绝,不复同苦辛!

杜甫不是对于当时远戍的兵士有真正的认识,有实生活的体验,不会写这样的诗的。我们简直可以说杜甫同他们交了朋友,他们把他们的生活都告诉了他,他才能替他们作这样的传记。我们这样说,是有理由的,看《秦州杂诗》第六首写"往来戍"的兵士,确乎是杜甫亲见其人,不能不是他同他们有往来的。杜甫本来一向同他所爱的这些人有来往,从写《兵车行》的时候就是如此,他在路上访问他们。三"吏"、三"别"也都是走在路上到处访问写了许多典型。《出塞》诗写的是高度的典型人物,必有他所认识的人的生活作素材。象这一首,丝毫容不得空想,——杜甫几时空想过呢?在"丈夫誓许国"以后,又来一个极其沉痛的控诉,诗人替人民把心事说尽了。"哀哉两决绝,不复同苦辛!"在家种田的也是苦,在外当兵的也是苦,因为同是受压迫。要求同过一种苦的生活而不可能。

在杜甫以前的中国诗里,没有象杜甫这样写远戍之人在路上的生活的。(在杜甫以后的文学作品里也没有,只有《水浒》对公人送犯人在路上有详细描写。)

五

迢迢万里余,领我赴三军。军中异苦乐,主将宁尽闻?隔河见胡骑,倏忽数百群。我始为奴仆,几时树功勋!

前面写了四首诗,共三十二个句子,而是写了这个兵士走了万里路的生活。如果写小说,可以写得很长,一定是非常有价值的文学作品,但在中国文学史上不可能有这个奇迹,发展到杜甫的时代中国文学的主要体裁还是诗。是的,诗,创造了杜甫的《前出塞》,就是一个奇迹,三十二个句子写一万里路初入伍的行军生活,多么丰富的内容!多么伟大的场面!表现了多么真实的个性！到这第五首，开始过戍卒生活了，初次看见胡骑了，而一下子也控诉了军中待遇不平等。这样的诗才是真正的历史。这样的诗才反映了真正的劳动人民的思想感情。这个年青的兵士，一个劳动人民，本来要求不朽，立功名，给自己留一个画象，现在知道自己是在军中做奴仆而已。"我始为奴仆"，这一句诗，除了杜甫，谁都不能替人民写的。这一个青年士兵是多么的失望。他在家乡种田本来看惯了，也过了奴隶生活的，想不到在军中也是为奴隶，所以说"我始为奴仆，几时树功勋！"这表现人民是多么地有当家作主的思想，只要是遇着正义的民族战争的场合。伟大的是劳动人民！伟大的是诗人杜甫！另外还有一层意思，这个青年人，在家里，生活虽然苦辛，而是有"父母恩"的，所以不觉得自己是奴仆，现在则受着冷酷的奴仆一般的待遇了，"我始为奴仆！可笑，谈得上什么树功勋！"这么美丽的高贵的厚重的思想感情，当然不能为封建社会士大夫阶级所能理解，我们看一看仇兆鳌的注解对这两句诗所引用的典故，什么"卫青奋于奴仆"，什么"封常清始为高仙芝傔，……此亦起于奴仆者"，该是多么肮脏的话！奴隶的话！侮辱了诗，侮辱了劳动人民。

六

鲁迅在晚年曾计划写一部长篇小说，谈到长篇小说的形式问题，曾这样说："可以打破过去的成例的，即可以一边叙述一边议论，自由说话。"这是一个宝贵的意见。其实在古代象杜甫的《前出塞》九首，就是"一边叙述一边议论，自由说话"的形式。杜甫所以能达到这种自由表现的地步，原因是他懂得他所处的时代里的人民，他能把他所爱的，所了解的"人"全面写出来。他了解得深，了解得广，他乃表现得自由。中国的劳动人民是有他的政治理想的，就是"爱国善邻"四个字。中国一个"武"字就是"止戈"两个字。就是要制止战争。《前出塞》第六首把中国人民保卫祖国抵御侵略的意志表现得多么素朴多么坚强呵！"杀人亦有限，立国自有疆，苟能制侵陵，岂在多杀伤？"中国劳动人民的思想从来就是如此。就阶级压迫说，《前出塞》的这一个兵，是有愤惋的，但在祖国的边疆之前，他要宣布他的政治理想。诗人杜甫的政治理想，同劳动人民是一致的。所以诗写到这里，可以说是同声歌唱起来了，象是作者的议论，也象是作品里的主人公的议论。大凡缺乏思想的作品，叫读者读着就非常显得拘束，零碎，没有法子统一似的，因为它本来不是一个整体，谈不上什么叫做联系，什么叫做全面。愈是整体性的东西，在它分散的时候愈见其自由自在，息息相关。《前出塞》第六首，还有第七第八首，这三首所写的，好象不是主人公的实生活，其实是人物的真性格。第六首写中国劳动人民的理想，已如上述。第七首写戍守，"已去汉月远，何时筑城还"，是卫国爱家之思。在祖国的边疆上，有强烈的民族自尊心，最容易记得历史，想到月亮便说"汉月"。出塞而没有打胜仗是不行的，所以第八首就写打胜仗，这里最好也是用典故，这样，叙事也就等于抒情，故用了汉朝与匈奴的典故，"单于寇我垒"，"虏其名王归"。而接着"潜身备行列，一胜何足论"把劳动人民的无名英雄思想写得真实活泼极了。初来时"功名图麒麟"只是一种天真的想法，真正到战场上，劳动人民是没有个人的。

七

从军十年余,能无分寸功?众人贵苟得,欲语羞雷同。中原有斗争,况在狄与戎!丈夫四方志,安可辞固穷。

这是《前出塞》第九首。这一首又回到实生活。这一首所表现的思想感情是《前出塞》九首诗的核心力量。杜甫是因为这个核心力量乃充分发展开去极力写这一个典型人物的。这必然有真人真事。是这个真人真事打动了杜甫。可惜从前的人都不懂得这个道理。封建社会的士大夫阶级当然也不可能懂得这个道理。我们现在是学习了马克思列宁主义,学习了马克思列宁主义的文艺理论,乃能懂得劳动人民的性格,能印证文艺科学的法则,把古代的实现〔现实〕主义的作家的伟大价值从埋没中给发掘出来。在人民时代什么有真实性的东西都不会终久被埋没的。其实杜甫的诗本来写得非常明白,我们只看"中原有斗争"这一句,这明明是指安史之乱还没有了结,中原还在打仗,这同唐肃宗至德二载诗人在凤翔写的《送韦六评事充同谷防御判官》一诗里"中原正格斗"一句指的是一件事,只是形势到两年后在秦州写《前出塞》时要缓和一些,这时不是"中原正格斗",是"中原有斗争"。这样明白的叙述时事,从来解诗的人却说得一塌糊涂,正因为他们的思想糊涂。我们从"从军十年余","中原有斗争,况在狄与戎"这三句诗,毫无疑问可以断定《前出塞》是杜甫在秦州写的,故事是主人公"从军十年余"的今日说的话,从当初离家别里的时候说起,一直叙述到现在。现在主人公是在祖国的西边疆,就是在秦州一带抵御吐番,就是在"戎"。戎者西戎,《秦州杂诗》第十八首"警急烽常报,传闻檄屡飞,西戎外甥国,何得连天威"所指的便是。本来是在"戎",何以加"况在狄"三个字呢?我们可以从两方面解释,根据都在《秦州杂诗》里。一、是当时事实如此,就是《秦州杂诗》第六首所说的"往来戍",本在防西戎,又调去防河北之胡(因为是北胡故曰狄,狄者北狄),"防河赴沧海,奉诏发金微"。二、是伟大的思想感情的表现,我们也可以从秦州诗里得到说明。《秦州杂诗》第十一首,第一句"萧萧古塞冷",第五第六两句写得真可爱:"蓟门谁自北?汉将独征西!"征西是唐朝中国对吐番边境有防御,因汉朝设有"征西将军"的史实,故借用"汉将""征西"字面,非常有气概。而同时想到蓟北,就记起"出自蓟北门"一句古诗,时蓟北尚为史思明所占据,未能收复,那么"蓟门谁自北"呢?中国人谁在那里走路呢?诗人自己是多么爱国呵!所以他在《前出塞》里才能体会守卫边疆兵士的感情,此时(唐肃宗乾元二年)洛阳又为寇所侵占,河北一时谈不上恢复,自己则在抵御西戎之中,写出来就是这两句诗:"中原有斗争,况在狄与戎!"这表示这一个兵身在西戎而亦不忘记北狄未灭,中原之事更不用说了。杜甫的诗明明是如此写,所以接着就是"丈夫四方志"。杜甫一定是在秦州同戍卒有了认识的人,对其生活,对其家乡,对其思想感情,都有了了解,受了感动,还一定受了教育,才用了很大的气力,写了这个典型。若我们不觉得《前出塞》费了什么大气力,那是杜甫两篇《出塞》诗的表现手法太纯熟了。

身在边疆,心里只有国家,不计较个人的事情,这便是这个兵士给杜甫的教育。杜甫把这个劳动人民的高贵品质集中地写在这第九首诗里。当了十几年兵能无分寸功?这话说得多么朴素。这一颗不愿"苟得"的心,才真是劳动人民的心,把一切剥削阶级的人显得不算人,对之都要羞死,而可爱的人反而说自己羞,羞与人"雷同",杜甫多么会写伟大的心呵!在这种羞苟得的思想之下,正是念念不忘于国家多难,才能不怕贫苦,当得起"固穷"二字。杜甫这个人真可爱,他把孔夫子勉励自己的道德标准(孔子在陈绝粮时说"君子固穷!")拿来写兵士,而且他表现得劳动人民是安而行之。

我们就根据这一首诗,断定《前出塞》是杜甫在秦州写的。《前出塞》既然是秦州写的,《后出塞》不成问题也是在秦州同时写的。杜甫特意写两个典型。古人之中也有黄鹤说《出塞》诗"当是乾元二年至秦州思天宝间事而为之",他虽然没有说出他的理由来,可见总是有理由的,也可以帮助我们说话。

"后出塞"五首

我们已经说过,专就《后出塞》的诗说,这五首诗很可能是杜甫由华州回洛阳的时候写的。没有理由可以反驳这个论断。我们现在既已肯定《前出塞》是杜甫在秦州所作,那么《后出塞》当然也是在秦州所作,即是比由华州回洛阳的时间晚了一年。总之主要的是这一点:《后出塞》的主人公是作者由华州回洛阳时遇见的人物。因为这个人物,诗人给我们写了一个典型。

从诗的题目看,《后出塞》的主人公应征的时间当然比《前出塞》的主人公应征的时间在后,所以才叫做《后出塞》。然而在诗里《前出塞》的主人公"从军十年余",《后出塞》的主人公"跃马二十年",后者的时间还要多些,是怎样一回事呢?是的,《前出塞》

是一个士兵的传记,诗从他从军的时候写起,到写诗时"从军十年余"。《后出塞》是比较有职位的将校,所以在他逃归的时候说"身贵不足论"。在他初去蓟门的时候也说"战伐有功业,焉能守旧丘",可见就在这时他已不是一个普通兵,已在战场上立过功的。那么他所说"跃马二十年",不是从"召募赴蓟门"的时候算起,杜甫认为他的诗写得很明白,可以没有疑问了。确是没有疑问。

《后出塞》的主人公,在诗里并没有明白叙述他的家庭情况,我们一样可以知道他是农民。在唐代,士大夫地主家庭确乎是"名不隶征伐",他们只是过考、做官。杜甫认为这也是无须交代的。而且主人公后来逃归了,说着"故里但空村",说着"穷老无儿孙",那么同《垂老别》里的老头儿,同《无家别》里的乡里,完全是一样的。我们连带地还应该谈一件事,从《新安吏》、《垂老别》、《无家别》这些诗看来,当时农村里简直没有人丁,农民在军中,在阵亡,在逃亡,而且也决不象因为邺城吃了败仗就一下子弄成这个凄凉样子的。邺城之败在乾元二年春天,就在这个春天前的冬天,甚至就在同一春天,杜甫叙述了一些地主家庭,这些家庭同是在洛阳与潼关一带,如《冬末以事之东都,湖城东遇孟云卿,复归刘颢宅宿,宴饮散,因为醉歌》诗里,有"刘侯欢我携客来,置酒张灯促华馔。且将款曲终今夕,休语艰难尚酣战。照室红炉促曙光,萦窗素月垂文练"的描写,这同《无家别》里"寂寞天宝后,园庐但蒿藜。我里百余家,世乱各东西。存者无消息,死者为尘泥。贱子因阵败,归来寻旧蹊。久行见空巷,日瘦气惨凄"对比起来,虽然同在"艰难尚酣战"之中,何曾象一个空间一个时间里的事情!杜诗所反映的却都是现实。这证明中国历史上的民族战争之中,地主阶级照样地享受,过剥削生活。战场上的民族英雄是劳动人民。又如向来为人所传诵的《赠卫八处士》诗,毫无疑问是在三"吏"、三"别"同一春天写的,"焉知二十载,重上君子堂。昔别君未婚,男女忽成行,怡然敬父执,问我来何方。问答未及已,驱儿罗酒浆。夜雨剪春韭,新炊间黄粱。主称会面难,一举累十觞。……"这不很象安史之乱里的"世外桃源"吗?这却是唐代社会现实的反映。在这个地主家庭里的小孩子可不少,他们完全不参加战争,都在家里讲礼!而《新安吏》里所说的"县小更无丁","次选中男行","肥男有母送,瘦男独伶俜",明明是农民的儿子都选去了。我们连带地说了这些话,是要说明《后出塞》里的主人公也是农民。

《后出塞》主人公的性格,同《前出塞》主人公的性格不同,《前出塞》主人公的性格表示人民对国事还没有失望,人民还在要求自己努力,《后出塞》主人公的性格表示人民只有"愁思",国事已经弄得不可挽回,"边人不敢议,议者死路衢!"而人民自己对良心负责任,对历史负责任罢了。这两种性格,都是中国劳动人民当家作主的精神的表现,是中国历史的支柱(因为历史上中国常受异民族侵略),确乎只有杜甫能作记录。《后出塞》的主人公本来久在蓟北军队里,他不忍"坐见幽州骑,长驱河洛昏",他"中夜间道归"。在他回到故里的时候,"故里但空村",他说着"恶名幸脱免"。其实在一个空村里,没有人知道他,他当然不是怕人家指责他的"恶名",有什么脱免之"幸"呢?所以这是人民自己对良心负责,对历史负责,遭遇着异民族侵略中国的时候。

《后出塞》把初应募写得很热闹,"千金装马鞍,百金装刀头。闾里送我行,亲戚拥道周。斑白居上列,酒酣进庶羞。少年别有赠，含笑看吴钩。"这可能是实际情况。在杜甫后来写的《昔游》一诗里，叙他自己少年时与高适、李白同在一块儿的闻见："是时仓廪实，洞达寰区开。猛士思灭胡，将帅望三台。君王无所惜，驾驭英雄材。幽燕盛用武，供给亦劳哉！……"可见那时是有"猛士"要到幽燕去立功的。《后出塞》的主人公可能就是这一类的人物。杜甫的诗确乎不是为作诗而作诗，是反映现实的。

　　《后出塞》第二首，向来认为是有名的诗，"落日照大旗，马鸣风萧萧"，多么美丽的语言，多么伟大的场面。然而"悲笳数声动，壮士惨不骄"两句表现的是什么内容呢？似乎没有给以注意。应该注意这里的"笳"！这是说中国壮士听了胡笳数声，惨而不骄了。是的，惨而不骄，壮士心里引起了疑问。所以下一句就是"借问大将谁？"他认为应该是汉将，然而军中何以吹胡笳呢？接着说"恐是霍嫖姚"，意思就是："为什么用安禄山做大将呢？"《唐书》安禄山于唐玄宗天宝二年"进骠骑大将军"，所以诗里以汉朝的霍去病——骠骑将军来指他。千载下的读者，不是身临其境，当然是要隔膜些，作者则确实是非常体会他的同时代的主人公的感情的。杜甫在《自京窜至凤翔喜达行在所》里，曾说他自己沦陷在长安城中听见胡笳难过，便是这两句："愁思胡笳夕，凄凉汉苑春！"所以《后出塞》第二首"悲笳数声动，壮士惨不骄"是表现着唐朝人对安禄山之乱有预感的。

　　最后我们把鲍照的《东武吟》抄在这里作一个比较：

　　　　主人且勿喧，贱子歌一言。仆本寒乡士，出身蒙汉恩。始随张校尉，召募到河源。后逐李轻车，追虏穷塞垣。密途亘万里，宁岁犹七奔。肌力尽鞍甲，心思历凉温。将军既下世,部曲亦罕存。时事亦朝异,孤绩谁复论。少壮辞家去,穷老还入门。腰镰刈葵藿,倚仗牧鸡㹠。昔如鞲上鹰,今似槛中猿。徒结千载恨,空负百年怨。弃席思君幄,疲马恋君轩。愿垂晋主惠,不愧田子魂。

杜甫的《后出塞》也是写"少壮辞家去,穷老还入门",在句法上杜诗明明也有从鲍照的这首诗来的,然而《后出塞》的主题思想是人民当家作主,鲍照的诗则是"思君幄""恋君轩"的封建思想。杜甫的价值真是光芒万丈,到今日我们还要学习他的诗的伟大的创造性。

第三讲　关于三"吏"、三"别"

三"吏"、三"别"在中国文学史上的出现,又真是一件大事情。我们应如何评定杜甫的这一组诗的创造价值?

我们观察杜甫的诗,在他写某些诗的时候,他确乎自觉地怀着一种创造的意识。然而他的创造的意识最初可能只在诗的体裁上面,他要把诗的体裁扩大,他要诗能够无所不包,在诗里什么东西都写得下去,很自然所谓诗还指着五言古诗(包括乐府),从汉魏六朝以来一直发展着的主要的诗的形式。杜甫之所以怀着这种对五言古诗的创造意识,虽然他下笔时是着重于体裁,而逼得他非把体裁扩大不可的,又正由于他的诗的思想范围大,不是过去的简单的五言古诗所能包容得了。他的思想内容是他的时代要他反映的,他自己最初并没有意识着他的诗里表现的东西与前人有怎样的不同,——他还认为是"读书破万卷,下笔如有神"哩!他确乎只在诗的写法上注意了创造性,他认为应该把诗的体裁扩大。有一首是最特别的,就是《兵车行》,诚如旧日说诗的人所说"少陵不效四言,不仿离骚,不用乐府旧题,是此老胸中壁立处",也就是说杜甫写《兵车行》的时候并没有把古人的诗放在考虑里,他迫不及待地替人民说了话。若他写《赠韦左丞丈》的时候,便有意创造诗体了,他要把在散文里所能说的话在诗里都能说，而且说得更急迫。《自京赴奉先咏怀》体裁上属于《赠韦左丞丈》一类的有意的创造，内容上则是迫不及待，诗人自己并没有意识着中国封建社会到了唐代天宝之际应该有这样的反映，以及他为什么能够这样反映。到了写《北征》的时候，又有意把他的诗再扩大一步，想真正做到自由抒写无所不包，因此又有些有意写诗的痕迹。《前出塞》《后出塞》又是特别的，内容上是有意的创造，而且蓄意很久，故诗写得非常沉着。三"吏"、三"别"是有意识地创造诗体，同时又是有意识地创造诗的内容，换句话说杜甫要写他的新乐府了，诗人自觉地认识到诗要替人民说话，自觉地认识到写诗就是参加政治。我们应该这样评定三"吏"、三"别"的价值。

  人都说杜诗是"诗史"，再没有诗比杜甫的三"吏"、三"别"更显得诗是真的历史了，这个历史是替人民作记录的。记的是唐代社会遭了胡人安禄山之乱农村中的凄凉与被压迫的景象。诗人把他的时代的生活经过选择然而不是夸张地集中在这六首诗里。这里当然也是写典型，这里的典型却不是一般当中的概括，是诗人善于从突出的环境里写出一般的生活、一般的人物来。我们在这里所要的正是一般的生活、一般的人物，不是突出的生活、突出的人物。我们读了三"吏"、三"别"，把唐代天宝战后的农民生活，农民性格，知道得很广，知道得很深，而是通过非常不常有的环境知道的。战争当中的"别"，也就是应征的农民的离家，是一个典型环境，杜甫是写过这种典型的，这里则是战争当中"新婚"之别，"垂老"之别，"无家"之别，那么真是"黯然销魂者唯别而已矣"！一般的不常有的环境是不适宜于写典型的，因为难得有代表性，杜甫的《新婚别》《垂老别》《无家别》则足以为农民生活农民性格的代表,这是杜甫写典型的另一种方法。很分明,这个方法同《前出塞》、《后出塞》的写典型是不同的。我们应该辨别这一点。

我们在提出三"吏"、三"别"是真的历史的时候,还应该特别注意杜甫在同一路上同一春天写的另外一首诗,就是《赠卫八处士》。《赠卫八处士》里说"夜雨剪春韭",可见是春天的事情,就是唐肃宗乾元二年春天的事情,其时邺城吃了败仗,杜甫从洛阳回华州,一路上看见了战乱中的农村,认识了人民的凄凉的生活,被压迫的生活,因而写了他的新乐府,替人民说话,我们如果把这些宝贵的战时人民生活史同《赠卫八处士》诗里所反映的地主阶级战时的"隐逸"生活作一个对比,那就知道中国历史的全面,抵抗胡乱中两个阶级的生活。这个意思我们在讲《后出塞》的时候曾经说过,现在特再提起注意。

"新安吏"

杜甫一走到新安县,就看见路上都是小孩子的母亲,都是当作壮丁抽出的小孩子,而有母亲送的孩子还不算凄凉的,还算幸运儿!他们也就养得好一些。其余的是瘦男,是孤儿。这是杜甫当下眼中的光景。看见这个光景,诗人就提出了问题:"县小更无丁?"又提出问题:"小孩子何以守王城?"这些话当然都不是解决问题的,等于说了几句空话,然而也附带地说了"守王城"的重大任务。这个重大任务有良心的诗人只能附带地说出,这是现实的非常有意义的反映,国家抵御胡骑的重大责任是凄凉不堪的劳动人民的未成年的儿子担当!

起初是"喧呼",后来是"白水暮东流,青山犹哭声",这就是说小孩子都已走了,其时是日暮。府帖是"昨夜下"的。一天的工夫新安吏把"公事"办了。

在杜甫以前的中国文学,连《诗经》在内,没有这样真实具体的作品。杜甫的诗,就是在路上写的,题目分明是路上的题目。接着路上有一连串的题目哩!他确乎是把读破的"万卷书"都丢开了,他意识到他要创造真正的反映人民生活的诗,而且是为政治服务的。

我们看伟大的诗人的声音:"白水暮东流,青山犹哭声!莫自使眼枯,收汝泪纵横,眼枯即见骨,天地终无情!"这都是路上的话,在杜甫以前的诗里没有这样把眼前流水,眼前春山,同着失去儿子的母亲的老泪纵横写在一块儿向无情天地质问的!——天地当然无情,杜甫提出"无情"二字,是说不合理的社会的无情好象不可改变似的!从前说诗的人不明白"白水暮东流,青山犹哭声"是杜甫写当前的自然环境,说杜甫是用比喻,白水喻"行者",青山〈"〉喻("）居者",那是错误的。此时已是日暮,流水无情不管人间的苦还是那么流,母亲们的哭声则给青山留住了,青山故意给以回音似的,所以说"青山犹哭声"!诗人很难过,赶快说:"母亲们,不要哭罢!眼睛哭穿了没有人管的!"我们要明白,诗是杜甫在路上写的。往下杜甫还对母亲们说了许多话,话说得滔滔不绝,绝是政治宣传。而这是《新安吏》同《石壕吏》大不相同的地方,在《石壕吏》里杜甫一句话也没有说,简直是吞声不说!

"石壕吏"

奇怪,在《新安吏》里杜甫那么地爱说话,在《石壕吏》里为什么一句话也不说呵!《石壕吏》是一首伟大的诗,其所以伟大也正是这首诗表现了诗人杜甫,他在"有吏夜捉人"的当场之下,他一夜没有睡觉,他等于同压迫人民压迫到了极点的社会格斗,杜甫就等于一位水浒英雄,第二天清早姓名也不留就走了。诗人真是吞声无言。然而《石壕吏》这一首诗流传千古。

我们要这样认识《石壕吏》的作者作诗的精神。作者确乎是以这种最伟大的英雄好汉的精神写这首诗的。

因为外国的短篇小说和独幕剧介绍到中国来,于是许多人认为象杜甫的《石壕吏》便是短篇小说或者独幕剧的好标本,把故事展开得非常得要领,通过一个老妇人的说话,通过暮夜捉人,通过老翁逾墙几个紧张的动作,给人不可磨灭的印象。这话当然也是不错的。但这样说对诗人杜甫的伟大精神不能说是有了了解。杜甫确乎是没有想到这些文章作法的。他把事情都看见了,话都听见了,一直到深夜还听见人家哭,而他觉得他没有一句话可说,连说"天地终无情"都不肯说。"天明登前途,独与老翁别",可爱的杜甫呵!说不尽的话呵!

"潼关吏"

我们从《潼关吏》学习什么呢?我们要学习杜甫关心政治,而且参加政治,而且他在封建时代参加政治并不要朝廷给他什么"官"的。在杜甫以前的诗人,是没有这样以自觉的态度把实际的政治活动作为写诗的材料的。杜甫这年四十八岁,所以人家叫他叫"丈人",他看见士卒筑城防胡的辛苦,他下马,他走山,他学习战术,他考虑战略,他连忙想到应该吸取过去潼关一战失败的教训。"艰难奋长戟,万古用一夫!"这两句话又极其深刻地表现诗人对人民的热爱与确信,以及伟大祖国的历史对今日时事的鼓舞。是的,"艰难奋长戟",多么沉着的美丽的战士的形象,这个战士不是别的人,正是中国的劳动人民。"万古用一夫",这一个武装人员体现着千古的战略呵!中国历史是伟大的,中国地理中国诗人是应该熟悉的。

文艺应该为政治服务,文艺应该写工农兵,文艺工作者应该深入到工农兵中去,这是我们生在伟大的毛泽东时代的光荣任务。杜甫是一千多年以前的诗人,我们从他的写诗的精神,应该得着鼓舞的。

"新婚别"、"垂老别"、"无家别"

我们在讲《前出塞》、《后出塞》的时候曾说过,杜甫的诗的主要价值在于歌颂农民是正义的有良心的,惟有他们是国家的支持者。《前出塞》里那个士兵,《后出塞》里那个将校,都有着高度的爱国观念,在国家危急存亡之秋,都拿出自己的行动来报答祖国,他们是国家光荣的一面。无疑的,杜甫认为他对他的《前出塞》、《后出塞》的主人公是怀着歌颂的热情写的。写《新婚别》、《垂老别》、《无家别》是满腔的同情。他要把人民的生活痛苦记录下来,而最重要的,在哀我蒸黎的诗中也正显示了国家的希望,就是,人民是正义的,有良心的,在自己的生活毫无希望的情况之下(只有那个昨夜新婚的女子对个人存着希望!)人民还是爱国,劳动人民有悲愤,然而没有什么叫做"消极"。这是《新婚别》、《垂老别》、《无家别》三首诗的真正的意义,它们真实地反映了农民的伟大。

我们最好把杜甫另外的某些诗——也是"史",是杜甫有意讽刺朝廷的,把这些诗在这里先来作一个对比。杜甫虽是有意讽刺他的朝廷,(他当然不晓得这就叫做地主阶级!)如《有感五首》里"何以报皇天"的"将帅",《诸将五首》里"何以答升平"的"诸君",还有《洞房八首》〔《宿昔》〕说的"宫中行乐秘,少有外人知",还有最早写的《丽人行》里的"丞相",都是真人真事,这些真人真事真是一文钱不值,杜甫并不愿意刻画他们,而地主阶级的丑恶在有良心的诗人的笔下也就暴露出来了。诗人确乎是不愿意说得太明白、太利害的,稍为说一说也就够丑的了,无能、无耻。最有趣的还有一首《冬狩行》,同《丽人行》是一样的写法。《丽人行》开始很大的篇幅好象杜甫真正描写丽人似的,最后两句乃知道他是骂人,《冬狩行》开始好象恭维"东川节度兵马雄"似的,读到最后乃知道当时有权的"大将"是对人民对国家开玩笑,杜甫啼笑皆非地骂他道:"喜君士卒甚整肃,为我回辔擒西戎!草中狐兔尽何益?天子不在咸阳宫!朝廷虽无幽王祸,得不哀痛尘再蒙!呜呼,得不哀痛尘再蒙!"当时唐王朝,于安禄山打进长安之后,吐番又打进长安了。所以杜甫不愿意刻画他的本阶级,而他写出了地主阶级的无耻和无能。若杜甫写三"别",是用全力来写,他把他以前的文学都思考过了,他要写他的时代的"三百篇",他要创造唐代天宝乱中的新乐府,这就非常明显地表明一个事实:人民才是诗的主题。

在《新婚别》里把一个农家女子表现得多么真实,多么坚强!这个女子是处在封建社会里,可以说在未出嫁前在家里是不敢露头面的,不敢多说话的,所以说"父母养我时,日夜令我藏。"现在她把她的话完全说出来了,多么可爱的女子!她新婚然而尚未成婚,"暮婚晨告别",她天真地想到:"我这个女子将何以拜人家的父母作公婆?"她觉得她还是她自己。其实她是有愤恨的,从这两句话可以看出:"嫁女与征夫,不如弃路傍!"杜甫真是会写人物的性格,他这样写这个女子的愤恨,应该是当时环境所许可的,换句话说这样的愤恨是合乎人情的,这个新婚别的女子应该有这一句话:"你们把我嫁在这里,不是把我抛弃在路傍吗?"杜甫一开始就写这个女子的愤恨,封建社会的女子只能这样表示愤恨,——没有这样的愤恨就不是真正的"人"。往下又是真正的农家女子对着征夫的丈夫的真正的感情:"君今生死地,沉痛迫中肠!誓欲随君去,形势反苍黄,——勿为新婚念,努力事戎行!"这六句话里第一句应该作"生死地",作"今往死地"或"生往死地"是不对的,因为女子是有希望的心,是希望打胜仗的,是盼着丈夫回来的,"君今生死地,沉痛迫中肠",便表现着这样有希望的心的美丽的语言。"誓欲随君去,形势反苍黄"两句也正是新婚女子的心理,跟着丈夫去总是好的,想起"何以拜姑嫜"真有些难堪,所以说"誓欲随君去"。然而她知道不能去,因为"妇人在军中,兵气恐不扬",没有随军去的事情,也没有随军去的道理。那么"勿为新婚念,努力事戎行!"思想上的矛盾得到解决了,以战胜归来为第一。下面几句把贫家女子写得真可爱,简直可歌可泣:"自嗟贫家女,久致罗襦裳,罗襦不复施,对君洗红妆！"费多少时候在娘家好不容易才得来的嫁衣一下子换下不穿了，而且当面洗了红妆！"与君永相望！"多么复杂的心理过程，多么真实的性格，是真正的"人"。

《垂老别》里的一位年老的农民，性格太可爱，生活到了他这个样子，他还是那么幽默，那么地慷慨赴死。"子孙阵亡尽"，结果还要他这个"幸有牙齿存"的人去当兵，——他的牙没有完全落掉，这是旁人都看见的，他的身子骨的不行只有他自己才知道，所以他说了牙齿之后，连忙说"所悲骨髓干！"老年人多么善于言老，也就是诗人多么善于写老年人。"投杖出门去"，要他去要得多么快呵！我们读了《石壕吏》也可以知道催逼的情形。"同行为辛酸"，我们又知道同去的有许多人，大家都可怜这个老头儿，至于大家自己呢，倒没有什么似的，真是可爱的人民！"男儿既介胄，长揖别上官"，乃是此老的幽默，或者他看得大家同情他，大家都是同行者，他有意逗得大家一笑罢。这一戏剧性的动作，只有有丰富生活经验的老年人才会有的。难为诗人在这里用了"男儿"二字，难为诗人在这里作了"介胄之士"的描写。不，不是诗人的想象，任何人都不会这样想象的，是诗人在路上看见的。伟大的诗人，他记录了伟大的人民。这个老年人不但看见"子孙阵亡尽"，在他自己少时壮时也一定当过兵打过仗的，所以他做着"男儿既介胄"的姿势，所以下面他又说着"人生有离合，岂择衰老端？"他"忆昔少壮日，迟回竟长叹。"他长叹是叹与他的老妻今日之作别。"老妻卧路啼，岁暮衣裳单。孰（熟）知是死别，且复伤其寒！"真是天地无情的景象！在封建时代人民遭受压迫，老婆婆们倒卧在路上哭自己的儿子，因为儿子是壮丁被拉去了，这样的情形是普遍的，不是稀奇的，但现在是"老妻"卧路啼呵！从老夫妻看来到了死的日子有什么叫做"生离"，明明是死别呵！但生活是一刻也不容情的，卧在路上衣裳单薄，"且复伤其寒"！明明将是死无葬身之地，而"还闻劝加餐"！老头儿听了加餐之言，又幽默了，"土门壁甚坚，杏园度亦难，势异邺城下，纵死时犹宽。"这真是老年人的话，"纵死时犹宽"五个字。最后是走了，他这样说："万国尽征戍，烽火被冈峦，积尸草木腥，流血川原丹！何乡为乐土，安敢尚盘桓。弃绝蓬室居，塌然摧肺肝！"他的心胸很大，他想到的是整个的世乱。

"人生无家别，何以为蒸黎？"这两句诗真表现着一个好农民的感情。人民是有人民的义务的，就是说，再度别乡，是不辞的，但再度别乡而无家可别怎么叫做"人生"呢？人生是这个样子吗？在有阶级压迫的社会里人生是这个样子。剥削阶级就是剥削，就是享受。劳动人民就是被压迫，在抵抗异民族侵略中国的时候，他们是唯一的责任者，同时他们丝毫没有受过什么叫做"待遇"。杜甫的《无家别》里的这两句话说尽了中国封建社会农民的兵："存者无消息，死者为尘泥！"当这个幸而没有为尘泥的人因阵败又寻归旧乡的时候，真正是凄惨，他的村子里本来有百余家，这时只有"一二老寡妻"！自己的村子自己本来是熟悉的，应该一下子就摸到家，而他是"寻"，而且"久行"，"久行见空巷"！"日瘦气惨凄"呵！是快天黑时到家。狐与狸"竖毛怒我啼"呵！不进到家又往那里去？所以说"安辞——且穷栖！"这又是好农民的话。"方春独荷锄，日暮还灌畦"，这又表现着好农民，一个人在村子里荷锄，邺城吃败仗正是乾元二年的春天。而接着两句"县吏知我至，召令习鼓鞞"，显得这个吏比石壕吏夜里捉人更利害，更狠。而农民一句话也没得说的，只有去。"虽从本州役，内顾无所携,近行止一身,——远去终转迷!家乡既荡尽,远近理亦齐!"这几句话把这个无家而又再度别乡的好人写得多么天真可爱。不,不是杜甫写的,是杜甫听了他的话,这种话不出自好农民之口任何人不会想得出的。他还以本州役为侥幸,倘若家中有亲人的话,因为自己走得不远。然而现在近行又有什么好处呢?反正家中一个人也没有!——然而近去比远去总要强些!——唉,家乡既已荡尽,远走也是一样,近走也是一样!最后他告诉我们他母亲死了,"永痛长病母,五年委沟溪!"从唐玄宗天宝十四年到肃宗乾元二年是五年。

中国诗的发展的问题

最后我们应该在这里谈一谈中国诗的发展的问题,也就是文学的内容与形式怎样统一的问题,因为伟大的三"吏"、三"别"给我们提出了这个问题。

仇兆鳌杜诗注本在《新安吏》这首诗的后面引用陆时雍的话:"少陵五古,材力作用,本之汉魏居多,第出手稍钝,苦雕细琢,降为唐音。夫一往而至者情也,必然必不然者意也,意死而情活,意迹而情神,意近而情远,意伪而情真,情意之分,古今所由判矣。少陵精矣,刻矣,高矣,卓矣,然而未齐于古人者,以意胜也。假令以'古诗十九首'与少陵作,便是首首皆意。假令以《新安》《石壕》诸什与古人作,便首首皆有神往神来,不知而自至之妙。"这些话所表示的意见在旧日说诗人当中很有代表性,而且这些人都自信他们是懂得诗的。我们本着科学的文艺理论的观点,当然要批判这些话,说这些话的人当然不懂得什么叫做文学的时代性,什么叫做文学的思想性,他们笼统地叫做"意",仿佛"意"乃是排斥文学的重要的内容——作诗的感情似的。这种意见是非常错误的。但陆时雍的话里包含了一个事实,他指出了中国诗写到杜甫有古今之别。他特别指出了杜甫的《新安吏》与《石壕吏》。这个诗的古今之别确乎是存在的。从文艺科学的观点看来,这个古今之别正是伟大的现实主义传统的发展。把问题提得更明白些,更具体些,应该是这一句话:杜甫以前的诗(包括《诗经》和乐府)是人民口头创作,杜甫的《新安》《石壕》诸什是作家的创作。人民口头创作是反映现实,但在社会上经过长时的流传,不一定是某个时期里最急迫的东西,好比《孔雀东南飞》的悲剧,《木兰辞》的喜剧,虽是与产生它们的封建社会相适应的,究不能说有一定的时间性和地域性,而且显出长期口头流传的特点,无论在故事方面,在语言方面。中国封建社会发展到杜甫的时代,有着最急迫的社会现实,应该当下作记录的,应该由人民诗人就地作记录,记录出来便是杜甫的三"吏"、三"别",这就是少陵五古的"材力作用"。这个作用太大了,标志着现实主义传统要随着时代向前发展。陆时雍特别指出《新安吏》与《石壕吏》,从我们看来特别是《石壕吏》,这一首诗完全不象诗(它的价值却是那么高如我们所已说的),象短篇小说,更象我们今天的散文报道,只是用诗体写出来,它离人民口头创作太远了。而杜甫以前的记录人民生活的诗是人民口头创作,就是《诗经》,就是乐府。

随着时代的演进,社会现实复杂,古乐府不够用,新乐府也不够用,五言七言近体更不够用了,中国文学应该于诗歌的传统之外,创造新的文学形式,而这个新的形式一直到很久以后有平话戏剧小说的出世,——这些又正是从民间文学起头的。在戏剧小说出世以前,作家的诗便难说什么伟大的时代意义,只是在诗里兜圈子。在戏剧小说出世以后,作家还在那里做诗,象曹雪芹那么伟大的小说家做诗也做不出什么来了。所以中国的诗人,杜甫是伟大的,他是唐代社会要他写诗,他的诗是创造的。

第四讲 杜甫的律诗和他的伟大的抒情诗

我们在这里所讲的杜甫的律诗是指着一般包含八句的五言律和七言律,长律暂不讲。秦州律诗另外专讲,这里也不讲。

说到律诗,一般都认为它是特别讲究声律的,所以才叫做律诗。这只能说明大家对于律诗的注意之点,注意它的语音方面,在语音上没有严格的限制就不能叫做律诗。其实律诗之所以能够成立,根本原因还在乎语法。如果不是汉语语法的规律适合于做对偶,律诗问题根本谈不上了。我们举两件最显著的事情来说,即汉语连接词的规律同主语的规律。汉语的连接词,不是两个或几个东西之间一定要用的,与外国语法的连接词比较起来,汉语是以不用为原则。象陶渊明的"结庐在人境,而无车马喧",两句连起来中间加一个连接词"而",是很好的句子,然而这样加连接词的情况反而是很少的,普遍是不要这个东西,因此杜甫的"烽火连三月"乃能与"家书抵万金"对起来,如果同外国语法一样两句之间非加连接词不可,那就没有法子作对偶了。汉语的主语常常是不写出来的,象陶渊明的"众鸟欣有托,吾亦爱吾庐"两句都有主语,固然好,但"既耕亦已种,时还读我书"也是很好的,很明白的,很普遍的句子,主语用不着写出来。因为主语用不着写出来,乃能作对偶,杜甫乃能作他的八句有六句都对的《闻官军收河南河北》那首有名的律诗。——我们看,杜甫的这首诗的题目,"闻官军收河南河北",其中主语"我"用不着写出来,"河南""河北"之间用不着连接词,正是一个规范化的汉语的句子。律诗确乎是在这种语法规律之下发生作用。关于汉语语法的规律(因为它而能作对偶),不止我们在这里所说的两件事,我们不能多讲。我们只想指出来,中国的律诗之所以能够成立,汉语的语法是主要的事情。

律诗在杜甫的时候,还是刚刚起来,杜甫对于律诗的写作是很重视的,他说他自己"颇学阴何苦用心",他谈到李白说"李侯有佳句,往往似阴铿",正是说明写作律诗的经验,所以说着"佳句"的话。李白杜甫是从何逊阴铿推陈出新的,我们可以指出显明的痕迹,好比阴铿有"瞻云望鸟道,对柳忆家园"两句,李白有两句诗则更好:"拨云行古道,倚树听流泉。"何逊有"薄云岩际出,初月波中上"两句,在杜甫的笔下则是:"薄云岩际宿,孤月浪中翻。"我们说明这一点,是说李白杜甫正在创造律诗。杜甫的五言律、七言律又真是伟大的创造,最显得汉语的光彩,在中国文学史上不能不说是一个奇迹。

我们当然没有意思鼓吹人家做律诗。杜甫以律诗这个体裁写了他的最伟大的抒情诗,也是过去中国文学史上一首最伟大的抒情诗,就是七律《登楼》,确也是事实,古代说诗人也多有这样说的,我们应该说明其所以然。原因其实也很简单,就是作者的思想感情伟大,加以他充分地发挥汉语的长处。是的,汉语根据它的语法的规律,它最宜于作对偶,在缺乏思想感情的时候,它可以做八股,具有伟大的思想感情也可以写杜甫的律诗。

我们把杜甫的五律、七律在这里共选了十四首。我们是有我们的选择的标准的,就是要诗中语言是真实的反映,不能偏向于文字上的对偶相生。好比象"万里悲秋常作客,百年多病独登台",便是偏向于文字对偶一类的,我们则不选。

春　　望

国破山河在,城春草木深。感时花溅泪,恨别鸟惊心。烽火连三月,家书抵万金。白头搔更短,浑欲不胜簪。

这首诗是安禄山的兵占据了长安,杜甫陷在城中写的,其时正是春三月。到了这年(唐肃宗至德二载)四月里他乃好容易脱身西往凤翔了。身陷城中他写了一些诗,从这些诗里我们可以知道他的生活,有时到和尚庙里,所谓"既未免羁绊,时来憩奔走。"(《大云寺赞公房四首》)有时到人家家里,所谓"诸家忆所历,一饭迹便扫",(《雨过苏端》)大约一家只能吃一回饭。有时他"出郭眺西郊",看见麦子,看见"窈窕桃李花",说道:"春夏各有实,我饥岂无涯!"(《喜晴》)这很象危城中没有饭吃的人说的话,然而杜甫是乐观的气概。大家所熟知的《哀江头》一诗,首两句叙他自己"少陵野老吞声哭,春日潜行曲江曲",末两句"黄昏胡骑尘满城,欲往城南望城北",把在敌人包围之下的行动和心理写得十分逼真,哭要"吞声",走路要"潜行",曲江要到曲江"曲",往城南要望着城北。然而古今有名的还是我们现在选的五律《春望》。这个环境当然不能作为一个典型,因为国家的京城遭了敌寇的占领,是非常之事。既然有了这个非常之事,就应该有杜甫的这一首诗,这首诗在同一环境之中是写得最有概括性的了。诗题着"春望",便表示诗人是春天的心,哀愁虽深,而信心不失,生气勃勃,祖国不会有什么动摇的。但春天的城里没有多的人民,草木都长起来了,国确是给胡人攻破了,这不能同做梦一样!这是事实!所以杜甫极其清醒地写着:"国破山河在,城春草木深!"诗人把国难记得清清楚楚,自己站在祖国的山河上又确确实实,诗人在这里作着"春望"。这是非常的遭遇,伟大的感情。我们看,就在这一年八月里,他居然到了鄜州自己家里,见了妻子,"妻孥怪我在,惊定还拭泪","夜阑更秉烛,相对如梦寐!"(《羌村三首》第一首)这是人情之常,对好事不敢相信似的,象做梦似的,就是说惊喜不定。而在胡骑满长安的时候,自己正陷在城中的时候,则非常沉着地描写祖国的山河"在"!这一个"在"字确是中国诗人杜甫写的,打动了若干年代的中国人的心!附带地我们还应该讲一讲《一百五日夜对月》,也正是杜甫在这个环境中写的,表现杜甫对恢复山河的信心。一百五日夜就是清明前二日的夜里,就是"城春草木深"的夜里,在这夜里杜甫想着他的远在鄜州的爱人,两人在地下相隔犹如牛郎织女在天上不能见面。然而杜甫在他的诗里最后两句写道:"牛女漫愁思,秋期犹渡河!"就是说到秋天就可以见面的。就在这年八月里回家见了妻子,又写了"夜阑更秉烛,相对如梦寐"的话,不知还记得"一百五日夜对月"时怀着的希望否?大约未必记得,那也并不是"预言",只是杜甫对国事的信心确可以看得出。所以"国破山河在",一方面是哀国破,一方面是诗人在祖国的山河上走路,目中无"胡骑",正是"北极朝廷终不改"一类的感情。

司马光《诗话》说,"城春草木深"一句写得城中无人迹。接着"感时花溅泪,恨别鸟惊心"也见城中无人,才使人对花落泪,听鸟惊心。这些句子都不是一般的对偶,是真的生活。中国诗是从杜甫才有这种句子的,也就是杜甫过了这种生活。杜甫这年四十五、四十六岁,他总是说他白头,现在的情况下"白头搔更短,浑欲不胜簪",把这一个老年人的"搔首踟蹰"写得多么可爱!

自京窜至凤翔喜达行在所

西忆岐阳信,无人遂却回。眼穿当落日,心死著寒灰。茂树行相引,连山望忽开。所亲惊老瘦,辛苦贼中来。

愁思胡笳夕,凄凉汉苑春。生还今日事,间道暂时人。司隶章初睹,南阳气已新。喜心翻倒极,呜咽泪沾巾。

死去凭谁报,归来始自怜。犹瞻太白雪,喜遇武功天。影静千官里,心苏七校前。今朝汉社稷,新数中兴年。

这三首诗应该说是五言律诗最大的成功,就是就老杜说也应该说是"一鸣惊人",在这三首诗以前他还没有过这样的成功了。他自己也一定自觉着,他本着他今天的生活,他本着他今天的感情,他今天要写惊人的诗了,写出来就是这三首律诗。这三首律诗震动了古今读诗的人。他自己后来说"语不惊人死不休",象这三首诗真是拼命写的,乃写得那么好,把他的生活,把他的感情,把他的思想,同着人民的愿望,都写出来了。古来读诗的人爱读这三首诗,就是到我们今天它还不减它的吸引力量,这就说明什么叫做"美"。美是从真实的生活来的,美是生活的最好的典型。诗的典型性又借助于语言的规律。

我们还要赞叹一句,把律诗这样表现生活,换句话说生活这样象杜甫的律诗,不但是杜甫的可爱,也确乎是汉语的可爱。"眼穿当落日,心死著寒灰",把一个提心吊胆、时刻有性命危险、而又满怀希望的心的人,走路走到太阳快要落了,自己正是往太阳那个方向走,该写得多么真实,多么生动,同时是真实生动的语言的美,把不要的都精简了,要的便集中起来,——这不是汉语的特长吗?"茂树行相引,连山望忽开",写一路遇不见人(上句有"无人遂却回"),写一个人夏天(杜甫是四月里从长安脱身的)行路,路上有树,远望尽是山,忽然前面的山敞开了,也就是说在望眼欲穿之际展出希望来了,——谁能比杜甫的两句诗,十个字,写得更好?最后两句,"所亲惊老瘦,辛苦贼中来",也同"连山望忽开"的景色展开得那么快一样,把事情都说清楚了,不只是语言的精炼,精炼的语言乃是表现感情的集中。两句里面的"惊"字,"老瘦"字,"辛苦"字,"贼中"字,"来"字,首先还从上文想不到而突出以"所亲",这一个"亲"字来得多么神速!在这第一首诗里,一个典故没有,一个生字没有。"无人遂却回"的"却回"是当时口语,杜诗里常用,如《舍弟观归蓝田》首二句:"汝去迎妻子,高秋念却回",又如《热三首》第二首:"闭户人高卧,归林鸟却回"都是。

第二首的首句我们在讲《后出塞》的时候曾提起注意,就是爱国诗人杜甫笔下的"胡笳",我们千载下的读者容易读过去,在杜甫当时这个声音就代表"国破"。这在杜诗里确乎不是一次的记录,我们再看《洛阳》一诗里首二句:"清笳去宫阙,翠盖出关山",便是指胡兵走了,唐玄宗又从四川回长安。这些都看得出杜诗的现实意义。杜甫写唐肃宗中兴,用汉光武中兴的典故,就是"司隶章初睹,南阳气已新"两句,象这样用典故也同用比喻一样,在修辞上(尤其是作旧诗)应该是许可的,否则旧诗的叙事要遭到困难,简直就没有法子写。"喜心翻倒极,呜咽泪沾巾",这两句把今日生还者的形象都写出来了。杜甫的这个喜极的情形一生有两次,再一次就是后来蜀中闻官军收河南河北。

第三首也应完全算是白描。"犹瞻太白雪,喜遇武功天",当然与"武功太白,去天三百"的成语有联系,但是写实际环境。"影静千官里,心苏七校前"两句,是真真经过危险又真真再有安全感的人说的话,在自己人的行列之中,在自己的武装保卫之下。这时自己对自己的影子乃不致于惊惧了。

恨　　别

洛城一别四千里,胡骑长驱五六年。草木变衰行剑外,兵戈阻隔〔绝〕老江边。思家步月清宵立,忆弟看云白日眠。闻道河阳近乘胜,司徒急为破幽燕。

我们翻开杜集,象这样的七律,在以前是没有的了。诗人到了成都后,因为他的生活,因为他的思想感情,很自然地写了这种律诗,——就是老杜到成都后新的创造。这首诗里所用的词汇,只有"变衰"二字我们现在不用,其余的词汇到今天都是用的。就是"变衰"这两个字,我们如果翻译它,还是找不到适当的词汇的,可见杜甫当时从楚辞"草木摇落而变衰"这句话里选择了"变衰"这个词汇,是选得确切的。那么这一首诗完全合乎汉语的语法,虽然是唐朝人写的律诗,到今日还是可以作为汉语的标准,写得多么生动,真切,把诗人的生活,把历史事实都告诉我们了。其中"思家步月清宵立,忆弟看云白日眠"两句当然是因对偶而来的,但不是为对偶而对偶,反映情况反映得极真实,在极少的语言里有不少的动作。

寄杜位

近闻宽法离新州,想见归怀尚百忧。逐客虽皆万里去,悲君已是十年流。干戈况复尘随眼,鬓发还应雪满头。玉垒题书心绪乱,何时更得曲江游。

从前说诗的人说这首诗:"字字排空,却字字跻实,妙不可名状。"其实不是"妙不可名状",所谓"排空"就是语言生动自然,所谓"跻实"就是反映了生活的真实。这种诗也就是老杜写的《离骚》,不能说是个人的事情。通过这种诗我们可以看出,思想感情是最重要的,语言的技巧也是要学习的。

不　见

不见李生久,佯狂真可哀。世人皆欲杀,吾意独怜才。敏捷诗千首,飘零酒一杯。匡山读书处,头白好归来!

前一首《寄杜位》与这一首《不见》,我们不是因为这两首诗有什么连带的关系因而选出的,杜甫写这两首诗完全是各不相关的。不过这两首诗连起来读也很有意思,是杜甫的同一方面的思想感情的表现。我们则是本着杜甫的律诗是表现真实这一个前提而选出的。

闻官军收河南河北

　　剑外忽传收蓟北,初闻涕泪满衣裳。却看妻子愁何在,漫卷诗书喜欲狂。白首放歌须纵酒,青春作伴好还乡。即从巴峡穿巫峡,便下襄阳向洛阳!

　　这首诗第五句作"白首放歌"是对的,作"白日放歌"不对,因为杜甫这首诗确实是"白首放歌",也就是他最狂喜的一首《白头吟》。唐代宗广德元年正月,史朝义缢死,其将皆降,便是诗里说的"收蓟北",历史上的安史之乱到这时告一结束了。所以杜甫的"青春作伴好还乡"是写这年春天的真实的愿望。"白首放歌须纵酒"也正是这个老年人狂喜的实际情形。这两句不是一般的文字上的对偶,是真正地写出了生活。其余的句子都是真正地写出了生活,写出了生活的愿望,更是不用说的了。"律诗"在伟大诗人的笔下不能叫做"束缚"罢,内容决定形式,这首诗应该算是一个例证罢。不承认格律的人正如看不见火车的轨道,火车正是在它的轨道上奔驰。

登　　楼

　　花近高楼伤客心,万方多难此登临。锦江春色来天地,玉垒浮云变古今。北极朝廷终不改,西山寇盗莫相侵!可怜后主还祠庙,日暮聊为梁甫吟。

　　这首诗作于唐代宗广德二年春。广德元年冬,吐番陷长安,唐朝的皇帝逃了，郭子仪连忙又收复了长安，故诗曰"北极朝廷终不改"。在长安收复之同时，吐番陷松维保三州，剑南西山诸州亦入于吐番，故诗里表现着诗人的愿望："西山寇盗莫相侵！"

　　我们认为这首诗是杜甫最伟大的抒情诗，也是过去中国文学史上最伟大的抒情诗。异民族侵略中国是中国历史上最大的事情，这件事情激动着爱祖国的诗人的思想感情，这件事情又暴露了中国长期封建统治的腐败与无能，通过对侵略的抵抗又表现了中国广大人民的坚强的爱国力量。由于统治阶级的腐败与无能，人民的力量不能发挥作用，结果神圣的国土屡遭异族的践踏，人民的生活到了蹂躏不堪的地步。所有这些，都反映在杜甫的诗里，如我们所已讲过的。而诗人对祖国前途无限的信心，以及对封建统治没法寄以希望的苦闷，见之于这一首《登楼》。多么美丽的春天的诗呵！"花近高楼伤客心"，这一句是非常直接的，是杜甫当下的泪，当下的泪就是无言的花，一连几年以来总是如此，所谓"感时花溅泪"，所谓"春来花鸟莫深愁"，今日高楼一上仿佛把伤心的原故说得非常明白似的！其实一点逻辑没有。所以诗人接着必得说明"花近高楼伤客心"的所以然给我们听。有了一个"客"字本来算是说了一点，但爱祖国爱人民的杜甫不能是因作客而伤心，——是因为"万方多难此登临。"于是我们就不免同情诗人，诗人一个人在这里确是寂寞，然而诗人却替我们画出一幅热闹的世界来，完全不是玄学地设想，是唯物地认识问题："锦江春色来天地，玉垒浮云变古今。"连忙就用了最强烈的语言（非常之能代表汉语的语言！）道出最强烈的感情："北极朝廷终不改，西山寇盗莫相侵！"强烈的感情又有脆弱的因素，怕封建中国抵不住强寇侵略似的，——封建中国的历史正是如此！唐以后中国受了辽金元清的侵略，近百年又有帝国主义。只有今日伟大的中国人民在伟大的中国共产党领导之下把中国历史完全换了新的一页，历史上中国爱国诗人的感情格外显着光辉。

"可怜后主还祠庙，日暮聊为梁父吟。"这两句诗又真是素朴，真是美丽，表现着杜甫的感情同中国古今一般老百姓的感情是一致的。中国老百姓都是同情蜀汉的，蜀汉后主虽然懦弱无能，在成都老百姓还替他设了有庙，杜甫对这件事也觉得苦闷，——因为他是亡了国之君呵！故曰"可怜后主还祠庙"。然而杜甫是坚强的，是有信心的，尤其是涉及国家盛衰兴亡之事，故他不觉日暮而为梁甫吟。

咏怀古迹之一

群山万壑赴荆门，生长明妃尚有村。一去紫台连朔漠，独留青冢向黄昏。画图省识春风面，环佩空归夜月魂。千载琵琶作胡语，分明怨恨曲中论。

象这一首诗，真显得老杜会写，学习写作的人可以从这里找窍门。然而首先还是要作者在选择语言时富有感情，善于形象化。好比这首诗的首两句只是说在荆门那里有昭君村，这样说就太不生动了，在杜甫的笔下则江流直下，群山竞秀，仿佛令我们看见了昭君村在那里，而昭君村就是昭君生长的地方了，仿佛没有看见昭君的人也可以想象昭君似的。接着底下两句真不容易写，难为老杜大笔一挥："一去紫台连朔漠，独留青冢向黄昏。"我们看这一十四个字分作两句，一个对子，写了多么大的空间距离与时间间隔！空间是从汉宫一直到匈奴，时间是从古到今，从古到今而以"青冢"与"黄昏"的形象表出之。这就叫做会写。只有律诗才能达到这样的目的。接着"画图省识春风面，环佩空归夜月魂"又是非常有形象的，把故纸堆中的故事拿来这样利用，说得上"怅望千秋一洒泪"！总之同一般的空对对子太不同了。"省识"的"省"字与"空归"的"空"字相对，不是肯定的意义，是否定的意义，就是叹息，为什么你以为看画就看见了真人呵！悲剧从此产生，咱们中国的好女子结果在塞外外国"青冢向黄昏"了，这比起"美人为黄土"来又太悲痛了。所以最后说："千载琵琶作胡语，分明怨恨曲中论。"这两句最表示杜甫懂得音乐，你在那里弹琵琶，他以为你在那里说话儿，他听得很难过！把这两句诗翻译出来就是："千载下为什么还奏这一曲胡音呵！昭君当时听了怎么样呵！这分明是怨恨在曲中传！""作胡语"的"语"字就是"永夜角声悲自语"的"语"字，因此"曲中论"的"论"字就是"传"字的意思，杜甫太懂得音乐的精神了。

瞿唐两崖

三峡传何处？双崖壮此门。入天犹石色，穿水忽云根。猱玃须髯古，蛟龙窟宅尊。羲和冬驭近，愁畏日车翻。

杜甫入同谷写的诗，如《泥功山》，是古今罕见的，见诗人的伟大。现在写三峡的这一首律诗，也是古今罕见的，见诗人的伟大。这真配得上叫做"图经"。向天上望，天上是石头，因为峡高，峡狭。而向底下望，水里也是石头，因为峡深，峡狭。"猱玃须髯古"，无意间给杜甫看见了，那个一脸的胡公，他知道世上几千年呵！连忙叫人想到，那些人迹不敢至的深洞里，不是蛟龙所居吗？再看天上的冬天的日头，离石头太近了，羲和你不怕翻车吗？

寄杜位

寒日经檐短，穷猿失木悲。峡中为客久，江上忆君时。天地身何在，风尘病敢辞！封书两行泪，沾洒裹新诗。

这首诗同"愁畏日车翻"的诗是在一个冬天写的。"天地身何在"就是飘流的意思。飘流不由己，而风尘之中病落在你的身上了，你辞得掉吗？杜甫当时的生活确是太可怜，一直飘流到楚湘，飘流到死。

东屯北崦

盗贼浮生困，诛求异俗贫。空村唯见鸟，落日未逢人。步壑风吹面，看松露滴身。远山回白首，战地有黄尘。

我们可以把这首诗同《恨别》那首对看，那时初到成都，现在快离夔州，相隔有七八年。那时是"兵戈阻绝"，现在还是"盗贼浮生困"。第二句指当地农民不堪赋税。接着四句写地方环境的凄凉。最后两句"远山回白首，战地有黄尘"，真非杜甫不能写，又最显得汉语之长。此老一个人徘徊于祖国很远很远的偏僻的山边,他这时意识到自己鬓发"雪白头"了,把这头抬起来向战地一望罢,当然望不见,然而"战地有黄尘",不难想见的。他看见的战地太多了。作诗的时候是唐代宗大历二年秋,吐番寇邠州灵州。在这首诗后同是在东屯写的诗里有"野哭初闻战"之句,可见"战地有黄尘"确与当地人民不是没有关系的,虽然不是当地的战争。我们千载下的读者真有感于当时"远山回白首"的杜甫翁。

登岳阳楼

昔闻洞庭水,今上岳阳楼。吴楚东南坼,乾坤日夜浮。亲朋无一字,老病有孤舟。戎马关山北,凭轩涕泗流。

这首诗是唐代宗大历三年冬杜甫漂流到湖南作的。过两年诗人就在这漂流之中死了。从来都认为这首诗写得极其阔大、自然、深厚,而且令人有一个整体感,——是的,整体感还是有名的《春望》所缺少的东西,《春望》给读者的印象要散些。《登岳阳楼》应是老杜会写的标准诗。

写登山临水游古迹一类的诗,应该有不可移易的地方。好比登泰山,我们将写些什么,仿佛大家可以有共同的思想感情因而有相似的语言似的,登泰山的诗就决不是登别的山的诗,就是孟夫子"登泰山而小天下"的话也确乎只能是登泰山而说的话了。杜甫最早的时候写了一首《望岳》,我们设想他应如何下笔?他写道:"岱宗夫如何?"仿佛问候千古的泰山似的。确是应该有这样一问,这样问真说出了祖国人对有历史意义的泰山的感情。

接着就道:"齐鲁青未了!"这一句又真回答得好,不成问题,今日的泰山仍是齐鲁时的山色了。杜甫是爱国诗人,爱国诗人就处处见祖国之可爱,祖国是有悠久的历史的。可惜的是这一句好诗给许多说诗的人说错了,他们把"齐鲁青未了"不当着时间的青未了,而当着泰山占的地域之大,包括齐和鲁。我们连带地讲两句《望岳》的诗,是为得讲《登岳阳楼》。诗人善于说出我们心之所同然的话。杜甫登岳阳楼本来是第一次登上的,然而洞庭水谁都是听说的,今日一上,正如小说上一句说不清楚两句又显得重复的话:"闻名不如见面,见面胜似闻名!"杜诗则说得很清楚:"昔闻洞庭水,今上岳阳楼"。我们人人都要这样说,倘若第一次登岳阳楼。接着两句真是伟大的诗:"吴楚东南坼,乾坤日夜浮。"有人说这象写海,其实写海不能如此,海不能是"浮",这乃是写洞庭湖,比海要显得动荡些。杜甫的这两句诗又并不是写景,这两句诗象征国家的不安定,杜甫见着洞庭湖乃一口说出"乾坤日夜浮"的形象了。这五个字又很象小孩子说的话,小孩子可能是这样认识大湖的。伟大的诗人每每是以童心说话,我们可以再举一例,好比杜诗里写边地这样写:"弱水应无地,阳关已近天",(《送人从军》)仿佛弱水阳关就到了地尽处,天边头,很能给人一个"远"的形象。洞庭湖则给人一个"乾坤日夜浮"的形象。接着四句,《杜臆》解得很好:"三四已尽大观,后来诗人何处措手。下四只写情,(方)是做自己诗,非泛咏岳阳楼也。"不过杜甫"做自己诗"总不属于个人范围。

第五讲　秦州诗风格

　　杜甫在秦洲〔州〕写的诗,集中在五言律,给人以一种新的风格之感。这种风格,应该是关塞诗所特有的。杜甫后来到夔州后曾有著名的诗句道:"庾信生平最萧瑟,暮年诗赋动江关。"杜甫的秦州律诗确乎就是杜甫生平最萧瑟的诗,应该是受了庾信的影响。杜甫一生最后的一首诗又曾说他"哀伤同庾信",(《风疾伏枕书怀》)他的秦州律诗便最有同乎庾信的哀伤,用庾信的话就是"关山则风月凄怆,陇水则肝肠断绝。"不过庾信哀伤固是哀伤已极,同时他从哀伤中得到陶醉,他把这种生活写得很"美",好比在我们这里引的他的两句话之下接着就是这么两句:"龟言此地之寒,鹤讶今年之雪,"就描写冰天雪地说不能有更好的形象,他用着典故借一只大龟来说秦地寒冷,让鹤来表示今年雪下得大,读者读着就爱好这个形象,为庾信的文章所吸引了,庾信自己确乎在这些形象里忘记了哀伤。庾信的文章都是这样,好比他写逃难的生活:"兽食无草,禽巢无木,于时无惧而栗,不寒而战,胡马哀吟,羗笛凄啭,亲友离绝,妻孥流转,"这应该是现实的,令人感到逃难的痛苦,然而庾信不止于此,他总要把这种生活"想象"化,仿佛别有天地非人间似的,用典故来达到这个目的,所以他很喜欢这样写:"石望夫而逾远(因为有望夫石这个典故,走起路来这块石头愈望愈远),山望子而逾多"(因为有望子陵的典故,走路当中山自然是愈望愈多),"班超生而望返,温序死而思归,李陵之双凫永去,苏武之一雁空飞"。读者读起来也就陶醉了。我们再抄他描写被俘入秦的一段文章:"冤霜夏零,愤泉秋沸。城崩杞妇之哭,竹染湘妃之泪。水毒秦泾,山高赵陉。十里五里,长亭短亭。饥随蛰燕,暗逐流萤。秦中水黑,关上泥青。于时瓦解冰泮,风飞电〔雹〕散。浑然千里,淄渑一乱。雪暗如沙,冰横似岸。逢赴洛之陆机,见离家之王粲,莫不闻陇水而掩泣,向关山而长叹。"论痛苦是最痛苦的生活,论形象是最形象的文章,把千里路的事情都写出来了,然而这样的人只配作俘虏,说"冤"说"愤"都是典故,实生活都变成了想象,也就是"忘却",毫无斗争意志。这与作者的阶级出身有关系,就是没落的贵族阶级。他的语言确是"清新",杜甫所谓"清新庾开府",他的风格确是"萧瑟",——安得不如此?因为生活,如他的诗所说的,"终为关外人!""安知死羡生?"杜甫同情他的哀伤,也确乎受了他的"萧瑟"的影响,一到秦州,所谓"浩荡及关愁",就不知不觉地写出自己的关塞诗来了。他后来到夔州后乃意识着,可是就诗的风格说,只有秦州诗与庾信的"动江关"的诗赋相似,而且更有意义,因为杜诗总是表现着积极的精神,诗人总是希望国家强盛的,个人的生活总是有充分的斗争意志的。所以我们对于杜甫的秦州诗应该给以极大的注意,我们就说秦州律诗是杜甫最出色的作品,是有理由的。

杜甫于唐肃宗乾元二年七月从华州往秦州,主要是生活的困难,所以《秦州杂诗》第一首便说:"满目悲生事,因人作远游。"同一首诗末二句是:"西征问烽火,心折此淹留。"便是说想在秦州住下去又怕住不下去了。秦州西出吐番,胡汉杂处,如《秦州杂诗》第三首说的,"驿道出流沙","降虏兼千帐"。杜甫在这里天天听"胡笳",看"羌童",还有"烽火"、"驿使",都是与国家安危有关的事。个人的生活在这里也没有办法,史称"负薪采橡栗自给"。七月从华州来,十月里又离秦州往同谷去了。在这一秋里,在祖国的西边疆作了淹留,结果给千载下的读者留下了难忘的诗篇。下面我们讲秦州诗十首,都是五言律诗。

秦州杂诗(录四首)

　　萧萧古塞冷,漠漠秋云低。黄鹄翅垂雨,苍鹰饥啄泥。蓟门谁自北?汉将独征西。不意书生耳,临衰厌鼓鼙。

　　首两句用极少的语言(十个字)把古塞的秋天的形象完全传给没有到过古塞的人了。中国诗向来是以少写多,令人不觉其少,只觉得话都给它说尽了,说尽了而又余音不绝,能令千载下的读者回咏不已,像《易水歌》"风萧萧兮易水寒,壮士一去兮不复返"便是的。杜甫的"萧萧古塞冷,漠漠秋云低"也是一样,看他写边塞的冷,写边塞的秋天满布着雨云,能用了几个形容词?其实是最大的人工。人工里包括了语言的规律,包括了文学的传统。我们说"漠漠秋云低"是满布着雨云,诗人从哪里叫我们看见秦州雨呢?他取了一个典型的形象,他把雨从雨中飞的黄鹄的翅膀上垂下来(正如同在我们家里雨从瓦檐上垂下来一样),因为这时天上飞的这只鸟儿不能不被风吹雨打的。在中国诗词里又常常以小写大(比如把雨声写在芭蕉里,把夕阳写在雁背上),老话叫做"境界",其实在我们今天看来就是看你所取的形象恰当不恰当,自然不自然,真实不真实,美丽不美丽,而且通过这个形象看不看得出作者的积极精神、战斗意志。杜甫的"黄鹄翅垂雨,苍鹰饥啄泥"便是恰当的,自然的,真实的,美丽的,不只是写景的诗,而是抒情的诗,表现了杜甫的积极精神、战斗意志。这起首四句给人多么萧瑟的情调呵!接着两句又真是整个杜甫精神的表现,就是无论如何不忘记国家,在祖国的西疆更容易想到祖国的北疆,"蓟门谁自北?汉将独征西。"这时史思明尚占据河北,诗人记起"出自蓟北门"这一句古诗,就连忙说一句话道:"蓟门谁自北"呢?中国人谁在那里走路呢?杜甫自己则在秦州这里,这里正在抵御吐番,所以又说"汉将独征西"。"征西将军"是汉朝的史实,借这个典故表明唐朝在西境设有将军。杜甫的秦州诗里另有一首《日暮》,末二句"将军别换马,夜出拥雕戈",可见确实是有一个将军的。律诗写成一个有机体真不容易,也就是作诗的人除掌握技巧之外本来就难得有一个整个的思想感情,杜甫的整个的思想感情则给我们看得清清楚楚,他是爱国,他个人是流落在国家的极西的地方,他触景生情,在他下笔之先我们可以推见他并没有想到要写"蓟北"的,他可能是看见了雨中的飞鸿〔鹄〕,看见饥鹰啄泥,(这两个形象就象征诗人高贵的品质,艰难的生活!)然而一落笔就写到蓟北去了,这难道不是因为平日忧国之深吗?杜甫秦州律诗的特色真是"天衣无缝",是诗人思想感情的整体的表现。这首诗的最后两句,"不意书生耳,临衰厌鼓鼙",又是真实的感情,我们应该同情他。这种感情在秦州诗里还有,如《寓目》所说,"自伤迟暮眼,丧乱饱经过。"他确是经过的太多了。他只有些厌战,但他的坚强的心一点也不衰,我们看秦州诗里另有一首《蕃剑》,最后两句是,"风尘苦未息,持汝奉明王!"此外表现坚强感情的诗还很多。在这里听见鼓鞞,感到厌听,他认为有些不应该,所以说着"不意",说着"书生耳",因为这里是国防之地。

凤林戈未息,鱼海路常难。候火云峰峻,悬军幕井干。风连西极动,月过北庭寒。故老思飞将,何时议筑坛!

这种诗,技巧上很象庾信的文章,"凤林"跟"鱼海","风连西极"与"月过北庭",真是"清新",真是"萧瑟",然而杜甫在这里不象庾信是用典故,他写的是当时实际环境,凤林、鱼海都是边境地名,北庭是唐朝的西疆,设有北庭都护府,西极也就是极西之地。"幕井"的"幕"字,是军中饮水之井遮之以幕,故井用"幕"来形容,现在这个井里的水要干了,这是严重的事情。上一句"候火云峰峻"也是一个警惕的形象,烽火在山上点起来了。所以诗的现实性非常之强,给人以一种艰难奋斗的感觉,不象庾信陶醉在一种想象里,庾信说着"草无忘忧之意,花无长乐之心",实在是把忧"忘"了。我们再看杜甫的这两句:"故老思飞将,何时议筑坛!"这充分表现诗的政治性。前面诗人说他"临衰厌鼓鞞",并且承认自己是"书生"的耳朵,那确是一时的伤感。这里则自命为"故老",向国家建议应该再用郭子仪做大将。旧日说诗的人对这两句这样解释是对的。就在杜甫入秦州这年,唐肃宗听信谗言把郭子仪罢免了,故杜甫以"故老"自命,说出他的意见。后来的局势确是导致吐番入秦陇,陷长安,恢复长安的是郭子仪的功劳。杜甫真是爱国诗人。我们看这首诗紧接着的下一首，首两句道："唐尧真自圣，野老复何知！"诗人的愤慨是显然的，"野老复何知"就跟着"故老思飞将"来，"野老"是自谓，"故老"也正是自命。

  山头南郭寺，水号北流泉。老树空庭得，清渠一邑传。秋花危石底，晚景（影）卧钟边。俯仰悲身世，溪风为飒然。

  象这样描写景物的诗，在中国诗里也是少有的，在杜甫自己的诗里也是少有的，真是"清新"，真是"萧瑟"。同庾信的诗比起来完全不靠字面生感情，同王维的"明月松间照，清泉石上流"比起来又真真是有个人与时代的艰难困苦，而语言是一样的明净，景物是一样的天成。首两句山上的庙给人看见了，立在那里了，而水也就在人眼下流出去了。接着就看见在古庙里有一棵老树，同时又不忘记清溪的印象，这一流泉传注于一邑。这时是秋天，是日暮，杜甫看见花，花长在危石底下，看见钟卧着，可见寺的荒废了，而这个钟旁仿佛故意跟着一个影子似的，晚照之下也很有生气了。杜甫在这个山上很望了一下，所以他说"俯仰"。他的"悲身世"决不只是个人的感情。而溪风为之飒然而至。这便叫做"文章本天成"，这是难得的律诗。

  东柯好崖谷，不与众峰群。落日邀双鸟，晴天卷片云。野人矜绝险，水竹会平分。采药吾将老，儿童未遣闻。

这是一首清新的诗，在秦州以前的诗里没有见过，在秦州以后的诗里亦不可再得。就这首诗所表现的对生活的态度说，杜甫对生活的态度，也就是说他将取一个什么方式来生活，是真真没有人及得上他，比起陶潜来杜甫更接近人民得多，因为他丝毫没有"隐逸"气，没有特别的士人的身分，他只是到了没法生活的地步，只好准备选择卖药这个途径。他对于这个职业是有些内行的，当他在长安的时候就卖过药，如他在《进三大礼赋表》内所说的。至于"采药吾将老"之后是不是一样关心国事，关心人民的生活，替人民说话，那当然一样是关心的，他本来就不是存心来做一个"避俗翁"，如他所说陶潜的。其实卖药也只是一个理想，这样又何能生活得下去，我们看他终于离秦州而去同谷，到了同谷生活就濒于绝望便可知道。以老老实实的生活态度写出这么有风趣的诗来，是这首诗的特点。

东柯谷在秦州东南五十里，杜甫的侄儿杜佐居住在这里，这可能是杜甫也想在这里住下去的原因。"东柯好崖谷，不与众峰群"，两句写东柯是众山外的一个山，常常有这样的山，于众峰之外独立一峰，因之它特别引起人看它，如陶渊明说树一样，"连林人不觉，独树众乃奇。"若它与众峰连起来，它的可居住的条件便少了。我们不能因这两句诗联想到杜甫脱离群众，说他是一个很蹩扭的人。不能这样说。杜甫只是一眼觉得东柯谷好，"不与众峰群"是它处的地位，不是它的"性格"。杜甫本人的性格也确乎不是不喜与人为群的，当然他也不会敷衍人，他自己说得明白："不爱入州府，畏人嫌我真。及乎归茅宇，旁舍未曾嗔。"(《暇日小园散病》)可见他同群众的关系是好的。"落日邀双鸟，晴天卷片云",这两句又写出多么一种和平的空气,他在后来写的诗总是"片云天共远,永夜月同孤"一类的情调,显出生活的孤单到了无法挽回的地步,在秦州时仿佛还有希望,至少不绝望,——他万万想不到结果要由陇入蜀,由蜀出峡,一直漂流楚湘而死!秦州诗的清新可爱,在杜诗里确实是偶尔得之。从这两句,我们又可以看出古人在选择语言方面的推陈出新,杜句与王勃的"落霞与孤鹜齐飞,秋水共长天一色"有关,而王勃的两句与庾信的"落花与芝盖同飞,杨柳共春旗一色"有关。庾信是杜甫所谓"清新庾开府",王勃要显得不自然些,而"落日邀双鸟,晴天卷片云",太自然了,太天真了,仿佛小孩子的感情似的,一点也不是故作工巧。我们说"不与众峰群"不是东柯谷故意脱离群众,从"落日邀双鸟"的空气也看得出,大家都是很和谐的。接着"野人矜绝险,水竹会平分"也是和谐的,大约杜甫看见有一个人在悬崖绝壁上行其所无事地攀折什么东西,他故意用一个"矜"字,羡慕那人真有本领。其实那人不是"矜",是如履平地。诗人连忙自己解嘲:"我不能象你那样走高险之处,水和竹我们两人可以平分罢?"在另外一首咏东柯谷的诗里杜甫曾说此地"映竹水穿沙",可见水竹之可爱。

最后两句,"采药吾将老,儿童未遣闻",便是杜甫告诉我们,他将就在东柯住下去,以采药卖为生活,不过他还没有把这个计划告诉家里的小孩子知道罢了。他这话说得很有点幽默,是模仿《左传》上记载的鲁隐公将授位于桓公所说的话,那话是:"使营菟裘,吾将老焉。"一家人寄居于此,是准备过穷苦日子的,故这样幽默着说。仇兆鳌注云:"采药二句即晚唐诗山下问童子言师采药去所本。"这是非常错误的话,完全不懂得杜甫的意思。

杜甫哪里有一丝一毫这种道士气味呢？同在《秦州杂诗》里不还有"晒药能无妇,应门亦有儿"的话吗？那不正是"采药吾将老"的注释？

月夜忆舍弟

戍鼓断人行,边秋一雁声。露从今夜白,月是故乡明。有弟皆分散,无家问死生。寄书长不达,况乃未休兵。

我们读杜集,各时期的诗是分得很清楚的,从诗的内容很容易辨得出,风格也显然各有不同,正如同春夏秋冬各个季节令人一接触到就知道时候变换了一样。秦州诗如我们已讲过的四首,我们说是"清新",说是"萧瑟",表现着秦州以前的诗所没有的风格。再读这一首《月夜忆舍弟》,又必觉得新鲜,好象第一次读到这样的诗似的,倘若你第一次读杜集的话。是的,这首诗里有"露从今夜白"这一句,这一句打动我们的耳目和心灵仿佛它是最难得的语言,其实再一想是平常话表现平常事,乡下人谁都知道有白露节,这一整首诗打动我们也正如此。我们读杜集第一次有这样的诗感到新鲜,同时也因为我们在杜甫以前的别人的集子里也没有碰到,毫没有面熟之感。这样的东西对我们是最容易接受的,只是难得给我们见面罢了。在杜诗以后的篇章里这样的东西还有,但也不多见,如怀念李白而写的那首《不见》便属于这一类。

"有弟皆分散,无家问死生",一看知道是杜甫的诗,是杜甫最动感情也最容易动读者的感情的句子,这种句子也从《月夜忆舍弟》开始有。

寓 目

一县葡萄熟,秋山苜蓿多。关云常带雨,塞水不成河。羌女轻烽燧,胡儿掣骆驼。自伤迟暮眼,丧乱饱经过。

这是把所见所感都直接地写出来的诗。凡属直接地写出来的东西,未必令人如你有同感,如你身临其境有同见,因为你所写的未必是有代表性的东西,可能是个人的偶感偶见。杜甫的这首《寓目》则非常地感动人,原因又很明白,杜甫自己已经说了,他是"丧乱饱经过"的人,他很容易触目惊心了。他在这个"寓目"的题目之下,预感到从祖国西疆将又有祸事起来。我们引朱鹤龄的话:"此诗当与'州图领同谷'一首参看,关塞无阻,羌胡杂居,乃世变之深可虑者,公故感而叹之。未几,秦陇果为吐番所陷。"这话是不错的。杜甫真真是爱国诗人,他这首诗简直象鸟鸣,从这个声音里能告人以季节了。诗写得非常之真,同时又非常之美,但这里的美感同庾信的文章所引起的不一样,庾信引起人的陶醉,叫人忘却,杜诗确乎是给人以忧伤警惕之感。看见这么多的葡萄,看见这么多的苜蓿,就令人感觉这里不是中国内地。"关云常带雨,塞水不成河",是真真地会写,写得真实,能够诗中有画,而毫不风景迷人! 这是杜甫最伟大的地方。庾信就是迷人。这是他的没落之故。我们学习马克思列宁主义的人在这里尽有原故可以思考。这里有关乎马克思主义美学的原则。"羌女轻烽燧,胡儿掣骆驼",把边地上羌女、胡儿都写出来了,写得很形象,表现着羌女、胡儿强梁的个性,而诗人在这里就受了刺激,所以接着就说"自伤迟暮眼,丧乱饱经过。"朱鹤龄说到"当与'州图领同谷'一首参看",我们确是应该参看,前面已经引了这首诗的两句,全诗是:"州图领同谷,驿道出流沙。降虏兼千帐,居人有万家。马骄朱汗落,胡舞白题斜。年少临洮子,西来亦自夸!"马骄胡舞二句写秦州降虏正同《留花门》一首诗里写留在京室的回纥是"天骄子"是一样,诗人以为可虑,而"年少临洮子,西来亦自夸!"就是说不懂事的中国少年反而要插足于胡舞之中,这是很危险的!你将以为边防不足虞了!

遣　怀

愁眼看霜露,寒城菊自花。天风随断柳,客泪堕清笳。水静楼阴直,山昏塞日斜。夜来归鸟尽,啼杀后栖鸦。

这首诗写的事情很多,霜,露,菊,风,柳,泪,笳,水,楼,山,日,鸟,还特别提到鸦。写了这么多的事情,而毫没有令读者的注意力分散,令读者一气读下去,诚如向来说诗人说的,"读之令人欲涕。"这表示杜甫在秦州的日子虽然只有一个短短的秋天,边秋的生活却把他包裹住了。他感受得太深,霜,露,菊,风,柳,泪,笳,水,楼,山,日,鸟,以及暮鸦,样样都是秦州的,对他起了什么影响,他能够写出来同样地影响我们了。他后来在蜀中写的诗,如七律《登高》,起二句"风急天高猿啸哀,渚清沙白鸟飞回",写的事情也是很多的,向来说诗人评为"一句中三层",是的,两句是六层,这里的"层"字很可注意,可能是做诗做出"三层"来,不及秦州诗《遣怀》写许多事情而令读者毫不感觉到作者是故意加进来的。在这个意义上,秦州诗的价值是特别值得提出的。"庾信生平最萧瑟,暮年诗赋动江关",确实应该拿来移赠于杜甫的秦州诗。当然,我们已经说过,这是就诗的风格说,若就写诗的精神说,从这一首《遣怀》也就看得出,杜甫是正视现实,以积极的态度记录正在过着的这个生活,对前途是奋斗着去。庾信则是忘却现实,陶醉于故纸堆中的想象。

这首诗所表现的时间是从"日斜"到夜。二、三、四、五、六、七、八,共七句,是在日斜到夜这段时间内,如仇注所云"句句是咏景,句句是言情",不外"边塞凄凉,触景伤怀"。首句"愁眼看霜露"则不属于这段时间内的事情,是诗人看见菊花,爱这个花在这个地方开得好看,仿佛霜露不足以摧残它似的,而自己每天则不免以"愁眼"看此地霜露,所以可爱"寒城菊自花!"这一句诗真是好,杜甫是冲口而出的,比起陶渊明的"寒华徒自荣"来要显得杜甫是生活的战士,他不觉而爱寒城中的菊花开,陶渊明尚有些孤芳自尝〔赏〕。"寒华徒自荣"就表现陶渊明的人格,他不怕穷,他能自得。杜甫的人格要两句诗一齐表现,即是"愁眼看霜露,寒城菊自花"十个字,"霜露"好比不属于个人范围艰难的生活,"愁眼"表示自己感到的苦,这里当然也有人民的苦,而"寒城菊自花"正是在他的时代当中诗人有他的美丽的诗篇。我们再说一句,这两句诗杜甫是冲口而出的,他想不到"寒城菊自花"似的,因为他确乎记得他每天"愁眼看霜露",而现在眼前开着这可爱的秋花了。往下六句都是眼前的景,当下的情,把边塞写尽了。天风吹柳,清笳堕泪,楼影是"万里流沙道,西行过此门"(《东楼》)的楼,这个楼下有水,此时"水静楼阴直"了,而远处"山昏塞日斜"。"夜来归鸟静,啼杀后栖鸦",这里的"啼杀"二字真是啼杀,比起陶渊明的"万族各有托,孤云独无依"来杜甫痛苦的喊声大得多了。

夕　烽

> 夕烽来不近,每日报平安。塞上传光小,云边落点残。照秦通警急,过陇自艰难。闻道蓬莱殿,千门立马看。

杜甫在秦州诗里屡次说到烽火,如《秦州杂诗》第一首说"西征问烽火",第十八首"警急烽常报",第十九首"候火云峰峻",《寓目》里又说"羌女轻烽燧",这里是以"夕烽"为题专写烽火。我们可以推想,他是从内地来的人,而且"丧乱饱经过",在与吐番接壤的秦州,每日看着平安火,或者看见报警急的火,是不能不引起心事的。这一首《夕烽》是望见平安火从西方传来,所以说"夕烽来不近,每日报平安。"因为是平安火(凡属平安火只用一炬)故接着描写两句:"塞上传光小,云边落点残。"虽然是平安火,但杜甫的心里总是感觉着国家多难的,所以接着四句就写他安不忘危,诗人的忧国忧民的精神完全传给我们了,我们看他的心怎样地和这一炬火一样,照秦照陇一直照到长安!"照秦通警急,过陇自艰难",这里的"艰难"二字应该同《潼关吏》里的"艰难奋长戟,万古用一夫"的"艰难"同样体会,杜甫最懂得"艰难"的意义。末后两句"闻道蓬莱殿,千门立马看"对整个诗的作用是很大的,没有这两句则这首诗就缺乏形象性了。当然,《夕烽》诗的形象是非常生动的,集中的,是最后两句把它集中起来了。

日　暮

日暮风亦起,城头乌尾讹。黄云高未动,白水已扬波。羌妇语还笑,胡儿行且歌。将军别换马,夜出拥雕戈。

这首诗把杜甫在边塞上一种警惕的心写得非常逼真。许许多多并不相关联的形象(只是在一个时间里)通过诗人的心灵都联起来了,一幅可忧的秦州画面。首四句,两联,里面有三个副词,"亦","未","已",最是善于作心理描写,写一个人在边城远近上下四顾。应是先有第二句的事情,即是说城上一只乌的尾巴动("讹"就是动,从《诗经》一群牛或羊在那里"或寝或讹"学得来的),给诗人注意了,连忙乃觉到"日暮风亦起",这里的"亦"字传神。"黄云高未动,白水已扬波"也是一样,是先看见白水扬波,然后再向天上望望,黄云并没有怎么动了。写出云层之重,而日暮风亦不大。"羌妇语还笑,胡儿行且歌",杜甫又写秦州的羌胡,虽然是妇女儿童,(当然是妇女儿童,否则不已经是敌寇了吗?)然而在中国边城里仿佛只有他们格外露头面似的,同《寓目》里"羌女轻烽燧,胡儿掣骆驼"两句是一样的用意。"语还笑"的"还"字,"行且歌"的"且"字,也都是副词传神。最后两句写中国的将军,也是两个副词起作用,即是"别换马"的"别"字,"夜出"的"夜"字——在这里是副词的功用。将军在夜里另外换一匹马骑着出来,不是表示要小心一些吗?所以综观全诗,是杜甫忧边。

空　　囊

　　翠柏苦犹食,明霞高可餐。世人共卤莽,吾道属艰难。不爨井晨冻,无衣床夜寒。囊空恐羞涩,留得一钱看。

杜甫写穷的诗很多,一般是大喊大叫,(我们赞成大喊大叫!)如《同谷七歌》,如《茅屋为秋风所破歌》,都是叫破了喉咙的。独有这一首《空囊》显得很象一个"高人"似的,象起首的两句"翠柏苦犹食,明霞高可餐",在杜诗里真只有这一次碰见。杜甫绝没有屈原"朝饮木兰之坠露兮〔兮〕,夕餐秋菊之落英"一类的想象。他总是同老百姓一样诉苦。因此,在杜集里,对于这一首《空囊》,我们要另眼相看了。我们还应该这样想,倘若我们画这一位伟大的现实主义的诗人的画象,他的"明霞高可餐"的精神也是要体会进去的。中国诗人,陶渊明也是最切实的,他的《咏贫士》的诗,不说一句"明霞高可餐"的话,不是说没有衣穿,就是说没有饭吃,象杜甫的"不爨井晨冻,无衣床夜寒"一样。然而杜甫的"世人共卤莽,吾道属艰难"的思想感情陶渊明就可以说没有,陶渊明是"人皆尽获宜,拙生失其方",是说自己不适于生存,所以杜甫称他为"避俗翁"确是有道理的。杜甫这里用了"卤莽"二字斥责"世人"(当然没有把人民群众包括进去),是愤慨国家的事情只有由他们搞的,卤莽灭裂,任意胡为。有良心的少数人就混不进去,所以"吾道属艰难"。最后两句"囊空恐羞涩,留得一钱看",可能与陶诗与《诗经》有关联。《诗经》有"瓶之罄矣,惟罍之耻"的话,陶渊明也说"尘爵耻虚罍",这充分表现士大夫阶级对贫穷的幽默,在家里没有酒喝的时候,不肯大发牢骚,对着空杯子和空瓶子看,杯子和瓶子说笑话:"是你没有酒,所以显得我可耻了!"杜甫"囊空恐羞涩"的"羞涩",可能是从《诗经》和陶诗的"耻"字学来的。

第六讲　入蜀诗的变化

　　杜甫在秦州没有法子生活下去,就到同谷去,在同谷生活就更没有法子,十月里从秦州来,十二月里又从同谷经剑门入蜀,到成都府,于是就在成都住下去,历史上乃有有名的浣花溪草堂。在杜集里,从《发秦州》这首诗起,我们读下去,很容易地感觉得诗的空气又变了,关塞诗的萧瑟空气一变而为险峻恐惧的空气,同时作者勇猛的、克服困难的精神溢露于纸上。所有这些诗篇,对于研究杜甫,都是重要的。我们把这些诗篇,一首一首地读,一直读到《成都府》,忽然地又感到诗的空气变了,——这个变化我们又觉得是很自然的,原来杜甫已到了成都府,他好容易把险地都走过了,到了成都府就应该有这一首脱艰险而见名都的诗,我们看见他的心忽然开朗了。《成都府》这一首诗,便标志着杜甫入蜀诗的变化,便是开朗化。从《发秦州》到《成都府》,共三十一首诗(《同谷歌》七首算在内),我们不能都提出来讲,其中有两首,《赤谷》同《泥功山》,我们认为属于杜诗中最成功的诗篇之列,应在这里作一介绍。《赤谷》一首写得很象陶诗,但是写杜甫自己的生活,因此是杜甫的创造,不是模仿陶渊明。在陶渊明以后,学陶者不少,象杜甫这样不是表面上的模仿,是形式与内容的统一,确实是难得的。懂得陶诗的人就应该欣赏杜甫的

《赤谷》真写得好。诗云：

> 天寒霜雪繁，游子有所之。岂但岁月暮，重来未有期！晨发赤谷亭，险艰方自兹。乱石无改辙，我车已载脂。山深苦多风，落日童稚饥。悄然村墟迥，烟火何由追？贫病转零落，故乡不可思！常恐死道路，永为高人嗤。

这是从秦州远行，刚历艰险（赤谷在秦州西南七十里）说的话。杜甫后来经历的生活，这首诗都作了预言似的。这首诗的语言是真不易及，把真实的思想感情表现得没有一点隔阂，陶渊明的长处就是如此。我们再抄《泥功山》：

> 朝行青泥上，暮在青泥中。泥泞非一时，版筑劳人功。不畏道途远，乃将汩〔汨〕没同。白马为铁骊，小儿成老翁。哀猿透却坠，死鹿力所穷。寄语北来人，后来莫匆匆。

这首诗首两句是从三峡谣"朝发黄牛，暮宿黄牛，三朝三暮，黄牛如故"里面的句法来的，写泥功山的难走，早晨在这个青泥中走，夜暮也还在这个青泥中走。从这些地方我们可以学习古人怎样会运用语言，不但泥泞中跋足不动的形象正好用朝行暮在的句法来表现，而且诗里艰险的空气也同过三峡相似，读着很有一种互相传染的作用。这首诗真真表现了杜甫性格的一个方面，走到绝望的境地他格外能昂头天外似的，诗兴格外浓厚起来,没有困难能叫他低头了。这首诗简直象一篇童话,其中有许多令人好笑的形象,——而是最苦的生活!最后两句真说得声嘶力竭:"寄语北来人,后来莫匆匆!"《赤谷》和《泥功山》我们是附带地讲一讲,我们生怕丢掉了杜甫最好的诗。我们在本章所要讲的主要目的是杜甫入蜀诗的变化,即是奇险后的开朗化。因为生活环境有一个大变化,所以心理上也有一个大变化,作起诗来也就显然变化了。在出剑门到鹿头山离成都还有百五十里的时候,杜甫就已经破惧为喜,所以《鹿头山》诗说:"连山西南断,俯见千里豁。游子出京华,剑门不可越,及兹险阻尽,始见原野阔。"这是他开始告诉我们他的歌声要变了。到了成都果然就变了,《成都府》诗云:

  翳翳桑榆日,照我征衣裳。我行山川异,忽在天一方。但逢新人民,未卜见故乡。大江东流去,游子日月长。曾(层)城填华屋,季冬树木苍。喧然名都会,吹箫间笙簧。信美无与适,侧身望川梁。鸟雀夜各归,中原杳茫茫。初月出不高,众星尚争光。自古有羁旅,我何苦哀伤。

我们前说《赤谷》一首象陶渊明,而是杜诗中最好的诗篇之一。这一首《成都府》,也是杜诗中最好的诗篇之一,与前代的古诗比起来,却是比陶渊明还要古,比阮籍也还要古,有古诗十九首那么古,而表现着杜甫的最令我们亲近的思想感情。我们当然不是崇拜"古",但就古诗这个体裁说,"古"字却包含一定的艺术意义,正同一件有价值的古代艺术品一样,它的价值就是它是不可模仿的东西。杜甫的《成都府》，写起来一定是很容易的，才能那么自然，那么朴质，所以然则非常不简单，如他自己说的，他读破了万卷书，他吸收了前人的许多长处，然而最主要的还是生活，我们看他走了多少路呵！我们简直可以说他从天宝十四年自京赴奉先以后就没有休息过，一直是在路上走，走的尽是险地，——没有这些原故，就不可能写这一首可爱的《成都府》，令古今读杜集的人至此豁然开朗。这一首诗真是千载一时之机，杜甫以后没有别人有这样的诗，杜甫自己也再不能来第二篇了。这首古诗所表现的开朗的空气，接着都表现在七律上面。我们在讲杜甫的律诗的时候曾选了《恨别》，并说这种诗是老杜到成都后新的创造，杜甫于写了《成都府》之后，分明地有意挥写他的入蜀的律诗了，就是杜诗经过萧瑟与奇险后的开朗化。下面我们讲五首成都的七律。

卜　居

浣花溪水水西头，主人为卜林塘幽。已知出郭少尘事，更有澄江销客愁。无数蜻蜓齐上下，一双𪄳𪃹对沉浮。东行万里堪乘兴，须向山阴入小舟。

他在头一年十二月里来到成都，次年（唐肃宗上元元年）春天开始经营草堂，首先就写了这一首《卜居》。这种诗的好处很可以用孟夫子"若决江河沛然莫之能御"的话来形容，生气非常之大，这种生气一般的"卜林塘幽"的名士派是万万没有的，这种生气就是"销客愁"的"愁"。杜甫的"愁"就表示他的生气。他一方面说"卜居"，一方面就想到走，"东行万里堪乘兴，须向山阴入小舟",真是令人可爱。这种话不是做诗偶然做得出来的,是一个伟大的灵魂自然的流露。在杜甫的思想感情里有几个不可移动的因素,应该就是国家,人民,再还有故乡,弟妹,而他的生活是漂流,国家是不安定,人民是苦难,因此他的诗是"愁",他的美丽是"春来花鸟莫深愁",而他的"卜居"的本意是"更有澄江销客愁"。他一生的生活证明他不能在一个地方"居"得下去,而诗人到处是生气勃勃,刚说"卜居"的时候又感到"东行万里堪乘兴,须向山阴入小舟。"这种变化得很快的思想感情最不好表现,而这首诗的这两句表现得最好,最自然。他现在住的地方的东边有一个"万里桥",所谓"万里桥西一草堂"。他青年时曾东游吴越,后来在夔州时还说"为问淮南米贵贱,老夫乘兴欲东游。"现在由万里桥想到东游,又想到王子猷居山阴雪夜乘船的故事,故很容易而且很快地写了这两句诗。我们应该总结一句话,我们读诗的人跟着杜甫从秦州一路而来,读到《卜居》,谁都感到空气大大地不同了。

堂　成

背郭堂成荫白茅,缘江路熟俯青郊。桤林碍日吟风叶,笼竹和烟滴露梢。暂止飞鸟将数子,频来语燕定新巢。旁人错比扬雄宅,懒惰无心作解嘲。

这首诗明明是说了许多话,自夸住的地方多么好,而令人读着不肯停留,就是说没有意思留连这些风景(风景又确实写得不错),一直要读到"旁人错比扬雄宅,懒惰无心作解嘲"才肯罢休。读罢这两句又觉得他(当然因为我们读了他的许多诗)有许多话不肯说,他不是"懒惰",他只是要休息一下。确实是如此。这一首《堂成》就是解嘲。他不是为"卜居"而"卜居"。杜甫这个人真是坚强得很,凡属他写风景的诗,只是见他的兴趣好,表现他精神积极,如他年纪更老身体更坏的时候还写着"落日心犹壮,秋风病欲苏"(《江汉》)就是最好的说明。不但王维"晚年惟好静,万事不关心"不能与杜甫相比,就是"有志不获骋"的陶渊明也确乎是不及的,因为陶渊明总有"不亦乐乎"的神气。杜甫的诗没有这个神气。

狂　　夫

　　万里桥西一草堂,百花潭水即沧浪。风含翠筱娟娟净,雨裛红蕖冉冉香。厚禄故人书断绝,恒饥稚子色凄凉。欲填沟壑惟疏放,自笑狂夫老更狂。

这首诗是这年夏天写的,所以"雨裛红蕖"。杜甫在成都经营草堂,以及一家人的生活,是靠亲戚朋友的帮助,如他有诗写他的表弟遗营草堂资云:"忧我营茅栋,携钱过野桥。他乡惟表弟,还往莫辞遥。"高适当时为彭州刺史,对杜甫时有所赠,故初到成都《酬高使君相赠》诗云"故人分禄米",这年秋天有寄高一绝,"百年已过半,秋至转饥寒。为问彭州牧,何时救急难。"现在这首诗里也说"恒饥稚子色凄凉"。明年有一首《百忧集行》,有云:"强将笑语供主人,悲见生涯百忧集。入门依旧四壁空,老妻睹我颜色同(就是说两人相顾同为饥饿之色)。痴儿不知父子礼,叫怒索饭啼门东。"从这些可看出他的生活的困难情形。我们说杜甫到成都诗是有一种开朗的空气,也就是这首诗里诗人自己所说的"疏放"的精神的表现,就是"狂"的表现,可爱的这"狂夫老更狂",这是很不容易的。

江　村

　　清江一曲抱村流,长夏江村事事幽。自去自来梁上燕,相亲相近水中鸥。老妻画纸为棋局,稚子敲针作钓钩。多病所须惟药物,微躯此外更何求。

这种诗在杜诗里是仅有的诗,然而也还是杜诗,是老杜初在成都的诗。仇兆鳌注云:"盖多年匍匐,至此始得少休也。"这话是很对的。因此我们应该格外爱惜它。杜甫很少替他的老妻写一件快乐的事,就是在最喜的时候也还是"却看妻子愁何在",只有今天说"老妻画纸为棋局",另外稍后写的《进艇》我们又知道他"昼引老妻乘小艇",算是百花潭上的佳话。至于杜甫写小孩,那应该向来是会写的,写出小孩的形象,写出小孩的性格,可说惟妙惟肖。如我们前面所引的《百忧集行》写小孩子饿了嚷着要饭吃,"痴儿不知父子礼,叫怒索饭啼门东",真把父子两人写得好。在长安的时候写天宝十二年长安下六十天的雨,"反锁衡门守环堵,老夫不出长蓬蒿,稚子无忧走风雨",老少对比写小孩子极生动。在《羌村》里写小孩子对出门已久忽然归来的父亲的神气:"娇儿不离膝,畏我复却去。"真写得象。在《北征》里更是放笔写,写男孩:"见耶背面啼,垢腻脚不袜。"写女孩:"床前两小女,补缀才过膝。海图拆波涛,旧绣移曲折,天吴及紫凤,颠倒在短褐。"接着更是:"瘦妻面复光,痴女头自栉,学母无不为,晓妆随手抹,移时施朱铅,狼籍画眉阔。"今天"稚子敲针作钓钩",《进艇》里又是"晴看稚子浴清江",正是成都诗的空气。我们认为仇兆鳌"多年匍匐,至此始得少休"的话是能说明实质的。同时仇注本对《江村》诗引了申涵光的话:"此诗起二句,尚是少陵本色,其余便是《千家诗》声口。选《千家诗》者,于茫茫杜集中,特简此首出来,亦是奇事。"申涵光自己是三家村学究的见解。懂得茫茫杜集中成都诗的变化及其意义,才懂得什么是"少陵本色"。

江上值水如海势聊短述

> 为人性僻耽佳句,语不惊人死不休。老去诗篇浑漫与,春来花鸟莫深愁。新添水槛供垂钓,故(旧)著浮槎替入舟。焉得思如陶谢手,令渠述作与同游。

这也正是杜甫"多年匍匐,至此始得稍休"的诗。这首诗应该作于到成都之次年的春天,所以说"新添水槛"。他自己意识到他现在的诗是信笔写,便是"浑漫与",我们所讲的这些律诗便是证明。虽是信笔写,也还是"佳句",不过在"语不惊人死不休"的精神之下确是表现着"漫与"的力量了。"春来花鸟莫深愁"也是真的,因此比起以前的诗来才有"自去自来梁上燕,相亲相近水中鸥"的空气。因为是匍匐后的休息,这些空气才真是和平,绝不是"萧洒送日月"的名士风流。从这首诗看来,草堂有了垂钓之槛,但没有船,只是想着"入舟"。另外有两首《春水生》的绝句,第二首云:"一夜水高二尺强,数日不可更禁当。南市津头有船卖,无钱即买系篱旁。"可见家里不能预定一只船以备水患。但接着有《进艇》的诗,有"昼引老妻乘小艇"的话,我们想杜甫也还不是自己有船,可能正是"南市津头有船卖"的船,他一面看着稚子(当然就是他的"恒饥稚子")在清江浴水,一面老夫妇二人乘一乘小艇罢了。这应该是老杜一生最快乐的生活,然而我们要知道这个船上并不是一对阔人,老妻就是"老妻睹我颜色同"的老妻。我们交代这些话的意思是说杜甫决不是名士,他配得上盼咐花鸟莫深愁,因为我们知道了他的生活,我们读了他以前为人民写了许多诗,而且以后也为人民写了许多诗,一直到死。现在这首诗的题目就可爱,"江上值水如海势聊短述",我们想着他该有多少长篇大论!"焉得思如陶谢手,令渠述作与同游",这两句里的"思"字很有意思,接着一个命令陶谢的"令"字也很有意思,他不是一般的做诗,他的诗是表现他应接不暇的思想,由自己的思想又想到前人生气勃勃的诗,(陶渊明不用说,谢灵运也是生气勃勃的!)而前人的诗又决不足以代表自己,"令渠述作与同游!"

是的,"老去诗篇浑漫与,春来花鸟莫深愁",这两句诗可以说明杜甫入蜀诗的变化。

以上是讲成都七律。杜甫成都诗的变化同样也表现在五律上面。这些五律都写在到成都后的次年,七律的风吹在先,五律与七律比起来是风后的雨。下面我们讲成都五律十首。

遣意二首

啭枝黄鸟近,泛渚白鸥轻。一径野花落,孤村春水生。衰年催酿黍,细雨更移橙。渐喜交游绝,幽居不用名。

檐影微微落,津流脉脉斜。野船明细火,宿鹭起圆沙。云掩初弦月,香传小树花。邻人有美酒,稚子也能赊。

仇兆鳌注云:"诗云'春水生',又云'更移橙',当是草堂成后,逢春而作,盖上元二年也。"确实是在成都休息了一年之后的诗。这种诗便是思如陶谢、"令渠述作与同游"的诗。一般人总以为这是唐诗,是王维一类的唐诗,从律诗佳句说仿佛是如此,若论杜甫成都诗的精神,句句是实际环境,篇篇见生活态度,是"老去诗篇浑漫与",是"春来花鸟莫深愁",是律诗当中的陶潜,不是王维。王维的佳句是主观的意境,杜甫这类诗之不同于王维,正同秦州诗不同于庾信。

漫成二首

野日荒荒白,春流泯泯清。渚蒲随地有,村径逐门成。只作披衣惯,常从漉酒生。眼边无俗物,多病也身轻。

江皋已仲春,花下复清晨。仰面贪看鸟,回头错应人。读书难字过,对酒满壶频。近识峨嵋老,知余懒是真。

同《遣意二首》一样,杜甫这类诗把主观与客观写成一片,诗就是个人在这个环境当中的生活。他的生活态度是奋斗的,他不是王维的趋向,那是"静者",那是"高人",他"渐喜交游绝,幽居不用名",是他好容易同"俗物"不见面了。他对士大夫阶级是憎恶的。"只作披衣惯,常从漉酒生",这表示他与陶渊明同调,两位诗人同士大夫处不来,同农民倒过得很好。陶诗云:"农务各自归,闲暇辄相思,相思则披衣,言笑无厌时。"杜甫的"只作披衣惯"是指这件事,把一幅生活图画写得生动已极,一相思披起衣来就去了,农村中彼此相距本不远。这也就是杜甫同陶渊明的"真",杜甫所谓"不爱入州府,畏人嫌我真"的"真"。陶渊明的"漉我新熟酒,只鸡招近局"又是一幅生活图画,杜甫也是心向往之,所以他在《可惜》一诗里又说:"此意陶潜解,吾生后汝期!","常从漉酒生"的"生",应该就是这"吾生"之"生"。这个"生"字很可能还同陶潜《饮酒》诗"笑傲东轩下,聊复得此生"两句里面的"生"字有关联。有抱负的诗人们在酒中并不是"醉",倒是"醒",所谓"举世皆醉而我独醒",所以陶潜在"一觞虽独进"之下连忙说着"聊复得此生"的话。《漫成二首》第二首最后两句"近识峨嵋老,知余懒是真"是什么意思?我们看这同陶渊明不肯留莲社攒眉而去是一样的。陶渊明不喜欢和尚,杜甫对学道也没有兴趣。大约"峨嵋老"告诉他许多话,他不高兴听,所以说"近识峨嵋老,知余懒是真。"

还有,"读书难字过"这一句,从前解诗的人意见不一,有的说碰到难识之字就让它过去,不复考查;有的说经眼之字难于轻过,要好好地研究;有的说"读书难于字过,老年眼钝也。"我们看还是第一说是正确的,不过杜甫在这里表示的态度并不是"懒",乃是积极的,是"读书破万卷"的人说的一句最有教育意义的话,就是,语言是大家公用的工具,好的语言要用普通的词汇,"难字"是什么玩意儿呢?学习古典文学的青年们,每每怕读汉赋,那上面的难字太多,要知道,并不是我们今天认为是难字,老杜也认为是难字哩,从"读书难字过"这一句诗他告诉我们了。我们在讲《自京赴奉先咏怀》时曾说到好的诗好的语言不应该有难字,确是颠扑不破的道理。"难字"是古人文章的毛病,是古人给我们的困难,至少要这样说。

《遣意二首》《漫成二首》,这四首诗里一个难字没有,只有"漉酒"与"披衣"算是典故(其实对农村生活有了解的人知道这两句正表现着具体的生活),其余的句子都不是勉强作对偶,太自然了。所谓"自然",就是生活的复制,换句话说生活的复制最不容易自然。"啭枝黄鸟近,泛渚白鸥轻",把近听与远见该写得多么神速,多么恰当,在一侧耳与转眼之间。"一径野花落,孤村春水生",花是多,水是满,而都在一见之下,而"一径"与"孤村"正相当于外国文的指件字的功用,是画龙点睛,否则你就看不见春水似的,你也就不觉得野花落。"衰年催酿黍"接一句"细雨更移橙",格外给人以具体生活的感觉,这当然是会写,懂得怎样吸引人,也因为生活确实是如此,作者舍不得不把真实告诉人,所以读者也就受其传染了。"云掩初弦月,香传小树花"也是一样,真正复制了生活,是当时两件具体的事情,不由于文字的对偶。"渚浦随地有,村径逐门成",真是太好,在生活当中还容易不觉得生活,艺术所复制的生活令人感觉得生活真是如此了。"江皋已仲春,花下复清晨",把一个人感到是春天又感到是清早写得极有生气。

春夜喜雨

好雨知时节,当春乃发生。随风潜入夜,润物细无声。野径云俱黑,江船火独明。晓看红湿处,花重锦官城。

陶渊明诗云:"微雨从东来,好风与之俱。"这是写江南孟夏好雨,只写两句,但写得好。杜甫《春夜喜雨》整首诗写春夜雨,一直写到明天早晨,把江城的雨天以及人们喜雨的神气写出来了。一般咏物的诗,总是一味地刻划,弄巧成拙,令人生厌,杜甫的《春夜喜雨》则表现一种春天的精神,愈读愈见精神,不是死板的刻划,是真真难得。我们遇见好雨时不觉喜笑颜开,要互相告诉一句话,这话应该就是"好雨知时节"这么一句,所以老杜第一句就替我们说了。再说一句"当春乃发生"又是当然要说的。接着四句把春天夜里什么都写了,真是什么都包括得尽,比夜里故意点一盏灯还要象一幅黑夜图。而最难写的,也就是杜甫概括得最好的是明天早晨"花重锦官城"这么一句,比说清早太阳出来了要显得形象性大得多。杜甫本来住在成都城外,他的诗所取的形象都属于江村的范围,独有这"晓看红湿处"乃放在锦官城,这就叫做善于突出,——如果在乡村,"红"就不显得那么"重"了,仿佛昨夜的春天的雨没有什么大变化似的。

春　　水

三月桃花浪,江流复旧痕。朝来没沙尾,碧色动柴门。接缕垂芳饵,连筒灌小园。已添无数鸟,争浴故相喧。

这种诗象小孩子一样富有生气,令人感觉到生活是应接不暇新鲜可爱。真没有诗象杜甫这样表现着生命力,而他所写的都是眼面前的生活,也就是对生活感兴趣,不是中国诗里特别占优势的对文字感兴趣,对主观意境感兴趣。如庾信《对酒歌》,其实并没有看见水,而他首先写着"春水望桃花,春洲藉芳杜",只不过从相传的"桃花水"这一个名词生出的幻想。到了真正"泛江",他又这样写:"春江下白帝,画舸向黄牛",同样是幻想。这便叫做文字禅。堕入文字禅的人的特点就是逃避现实。杜甫不是这样的,他说"三月桃花浪",对于"桃花"一点没有幻想,他只是用了相传下来的词汇说明桃花季节的水,就是春水。他所要记录下来的是一连串的实际生活,住在南边江边的人都是熟悉的,在冬天里水渴时沙岸上有水深时的痕迹,这时水忽然过了那个痕迹了,所以老杜写着"江流复旧痕",说了我们心里要说的话。有时昨天夜里明明还看见江中那个沙尾,今天早晨一起来忽然不看见了,诗里乃有"朝来没沙尾"这一句。"碧色动柴门"把门前水到写得非常之好,可能小孩子最喜欢,诗人杜甫也高兴。所以接着"接缕垂芳饵,连筒灌小园",忙得很。"接缕"、"连筒"真是写得好,实际本来是如此,这时钓丝必得接起来,灌水是连着灌,因为水就在手下了。"芳饵"一词也用得很有意思,并不是显得自己同公子哥儿一样动不动要什么"芳尘"、"芳草",钓鱼之饵而曰"芳",正是儿童心理,也正懂得钓鱼。所以接缕垂芳,与连筒灌园,同样是俗事,也就是生活,不是表现"雅人"。"已添无数鸟,争浴故相喧",鸟儿真来得快,杜甫真会写他们。

独　　酌

步履深林晚,开樽独酌迟。仰蜂粘落絮,行蚁上枯梨。薄劣惭真隐,幽偏得自怡。本无轩冕意,不是傲当时。

从前陶渊明喝酒也曾经个人到树底下喝,所以他的诗说:"提壶挂寒柯,远望时复为。"很象小孩子一样,把酒壶挂在树上。我们也可以说诗人有时同水浒英雄一样,喝了酒格外地表现他的精神,他确乎总是一面喝酒一面思想的。杜甫这一首《独酌》也很象陶渊明,偏偏个人要到树林里去开樽,而且要在樽前发表自己的思想。"薄劣惭真隐",这是他理想中有一种自食其力的人,也就是《自京赴奉先咏怀》里说的"终愧巢与由,未能易其节。""幽偏得自怡",便是他现在在成都的生活。"本无轩冕意"深深道出了他的灵魂,有时也"干谒",求官做,地主阶级的人当然是如此,但"官定后"便是"去矣行",一生的生活证明他是如此。"本无轩冕意,不是傲当时"两句连起来把一个复杂的思想表示得天真直率,其实正是"傲当时"。同陶渊明比起来,他还真真了解人民的痛苦,在任何时候替人民作了记录,——这种记录在成都诗里也就不少,因为不是本讲重点之所在,所以我们不讲了。

作诗也同作小说一样,要展开一些描写,要写出环境来,令读者相信你写的是实生活,不是个人在那里凭空独白。杜甫《独酌》里的"仰蜂粘落絮,行蚁上枯梨"两句便有这样的作用,因为这两句整首诗的话都是生活,不是说教了。我们确是为他所吸引,相信他这一段生活。这便是善于作细节的描写。这两句的描写是眼前的事,粘着落絮的蜂就是"仰",爬上枯梨的蚁定成"行"。

徐　步

　　整履步青芜,荒庭日欲晡。芹泥随燕觜,花蕊上蜂须。把酒从衣湿,吟诗信杖扶。敢论才见忌,实有醉如愚。

　　这首诗当然可同《独酌》作一样的分析。我们简单地说几句。老作家的语言,哪怕是一个字,它来得毫不费力,要代替它就令人搜索枯肠,即如"荒庭日欲晡"的"欲"字,写太阳下去对人们心理的状况该是多么恰当。"敢论才见忌,实有醉如愚",可见他有许多话要说,一定都是关于国家政治、人民生活痛苦的。"如愚"是孔夫子说一天的话而颜回一句话也不说,孔子说他"如愚"。

寒　食

　　寒食江村路,风花高下飞。汀烟轻冉冉,竹日静晖晖。田父要皆去,邻家问(赠)不违(不违而受之)。地偏相识尽,鸡犬亦忘归。

　　我们现代的鲁迅,在他的小说《风波》的前面有两段关于临河的村子的描写,我们抄在下面:

　　　临河的土场上,太阳渐渐的收了他的通黄的光线了。场面靠河的乌桕树叶,干巴巴的才喘过气来,几个花脚蚊子在下面哼着飞舞。面河的农家的烟突里,逐渐减少了炊烟,女人孩子们都在自己门口的土场上泼些水、放下小桌子和矮凳;人知道,这已经是晚饭时候了。

　　老人男人坐在矮凳上,摇着大芭蕉扇闲谈。孩子飞也似的跑,或者蹲在乌桕树下赌玩石子。女人端出乌黑的蒸干菜和松花黄的米饭,热蓬蓬冒烟。河里驶过文人的酒船,文豪见了,大发诗兴,说,"无忧无虑,这真是田家乐呵!"

凡属尝〔赏〕鉴"田家乐"的文人都是不足取的,这种尝〔赏〕鉴就是地主阶级的烙印。与之同时,我们并不反对描写农村的景物,不过伟大的现实主义作家决不以一味地描写为能事。这些都是事实。鲁迅的描写文章就是可爱的。所有杜甫对江村的描写,都不属于文豪一类,是他的"不爱入州府,畏人嫌我真,及乎归茅宇,农舍未曾嗔"的注脚。

晚　　晴

　　村晚惊风度,庭幽过雨沾。夕阳薰细草,江色映疏帘。书乱谁能帙,杯干自可添。时闻有余论,未怪老夫潜。

这首诗后四句表现老杜真不是读死书的人,是一个豪杰之士。"书乱谁能帙",并不是说他懒,是表示他心中不平,所以很是一个气愤的语气,不然把几本书收拾一下有什么谁能或不能呢? 酒当然是要喝的,所以"杯干自可添"。"时闻有余论,未怪老夫潜"(王符有《潜夫论》),这个老夫不象陶潜,倒象鲁迅。陶潜有时对着人不说话,象《饮酒》诗说的,"觞来为之尽,是谘无不塞。有时不肯言,岂不在伐国?仁者用其心,何尝失显默"。可见陶潜虽然心里有数,他还显得不是不屑于。杜甫确实是傲当时,他的"潜",象鲁迅的"不说"。"何以不说之故,也不说。"鲁迅的这句文章,就象杜甫"未怪老夫潜"这句诗。

最后我们讲两首成都七绝,作本讲的结束,一方面从绝句也见诗人的"老去诗篇浑漫与",一方面又见"春来花鸟莫深愁"并不容易办到。七言绝句,杜甫在成都以前只写过一首,就是高叫李白"飞扬跋扈为谁雄?"现在他在成都,逢着第二年春天,忽然一天飞扬跋扈起来了,我们看他的《绝句漫兴九首》第一首:

  眼见客愁愁不醒,无赖春色到江亭,即遣花开深造次,便教莺语太丁宁!

这简直是拉着春光吵架,我们还没有看见有谁象这样发急,比起李白的"举杯销愁愁更愁"来要利害得多。这到了一种颠狂状态。在《江畔独步寻花七绝句》第一首里就说出了"颠狂",我们再把这一首抄下来:

  江上被花恼不彻,无处告诉只颠狂!走觅南邻爱酒伴,经旬出饮独空床。

"无处告诉只颠狂",我们完全相信他的感情。从"卜居"到这时有一年的时间,头一个春天是好容易得到休息,故诗里呈现着和平的空气,到了第二个春天就有这样抑制不住的颠狂状态,从此我们也可以看出杜甫的思想感情是热烈的,他不象王维、孟浩然能在一个安静的角落里闲居得下去。

第七讲　夔州诗

杜甫于唐肃宗乾元二年十二月来到成都，卜居草堂，到代宗永泰元年五月离开，首尾是七年，实际的时间不到六年，这六年中还有在梓州、阆州一年多的生活，最后乃从成都离开。离开成都时，他写了《去蜀》这一首诗：

>　　五载客蜀郡，一年居梓州。如何关塞阻，转作潇湘游。万事已黄发，残生随白鸥。安危大臣在，不必泪长流。

这是说北归不得，只好往南到湖南去。在去蜀以前诗里计划去蜀的事情不止一次，如《桃竹杖引》里面说，"杖兮杖兮，尔之生也甚正直，慎勿见水踊跃学变化为龙，使我不得尔之扶持，灭迹于君山湖上之青峰！"这里面也提到君山，同"转作潇湘游"是一样的意思。《奉待严大夫》里面说，"欲辞巴徼啼莺合，远下荆门去鹢催，"这是计划下荆门。另外还有"将适吴楚"、"将适荆南"等留别的诗。等到他真正去蜀，却不是笔直下荆门、转潇湘，路上有停留，而在夔州住了两年。到了离夔州，下荆楚，转潇湘，乃是他一生最后三年的事了。这当然都是因为生活的关系，他的生活依赖别人的帮助，同他入秦州时所说"满目悲生事，因人作远游"的情况是一样的。杜甫在夔州的两年，是他一生中过的安闲的日子，写了四百几十篇诗，占杜集的七分之二，不但数量多，向来的评价也是很高的。在过去，有许多人，一提起杜诗，首先就是《秋兴八首》了。杜甫夔州诗，在中国文学史上确实代表着一个东西。我们必须正确地对待杜甫的夔州诗。

我们讲秦州诗的诗〔时〕候，认为秦州诗，把杜甫同庾信比较，杜诗是现实主义最出色的作品，而庾信在杜甫看来"暮年诗赋动江关"。杜甫这样称美庾信的话，却是他自己在夔州"咏怀"（诗题是"咏怀古迹"）说的。可见杜甫自己是把他的夔州诗同庾信的暮年诗赋联系起来。这样联系，对不对呢？对的。这是一个方面。另一个方面，后来人都说晚唐诗人李商隐是学杜，冯至在他的《杜甫传》里对《秋兴》等篇也笼统地说着"由此而产生李商隐的唯美的诗"的话，这种看法对不对呢？也是对的。庾信、李商隐都有他们的独特的艺术成就，然而杜甫是中国诗人当中最有斗争意志的人，（这一点象古代屈原，象现代鲁迅！）他的诗以国家的命运、人民的生活为主要的题材，一旦承庾而启李，是什么原故呢？其关系既表现在夔州诗里，我们一定得分析出所以然来。是的，简单地说是这几件事：夔州诗情调是悲哀的，想象是丰富的，生活是在回忆中，不在斗争的现实中，因此而有文字的陶醉。下面我们就加以说明。

从我们讲秦州诗、入蜀诗所举的诗篇看来，杜甫的语言岂不美丽？都是美丽的。但比起夔州诗来，那些诗没有一句是文字禅，生活是第一，语言（不是字面）是用来表现生活。至若三"吏"、三"别"、《前出塞》、《后出塞》等篇更不用说，伟大的语言是因为写出伟大的人民的思想感情和生活。夔州诗才开始突出了老杜的文字禅（庾信、李商隐是这方面的能手），就是说从写诗的字面上大逞其想象，从典故和故事上大逞其想象，如我们一读到《上白帝城》就碰到这样的诗句："江流思夏后，风至忆襄王。""天欲今朝雨，山归万古春。"我们必须辨别清楚，这不是生活，这倒是逃避生活的倾向，因为这样是把实际生活粉饰化，也就是主观。当然，杜甫这一步并没有走得顶远，但确是跨进了边缘，他可能很有些欣尝〔赏〕这个主观的世界，所以他曾有"晚节渐于诗律细"（《遣闷戏呈路十九曹长》）的自我称许。我们必须多举例。《滟滪堆》诗云："沉牛答云雨，如马戒舟航。"这是从"滟滪如象，瞿唐莫上，滟滪如马，瞿唐莫下"的话而引起的联想，滟滪堆象马的时候不能行舟，下雨下大的时候滟滪堆就象水牛（沉牛）浮在那里了。因为雨后水涨，把堆淹没了一些，所以这个堆的样子是回答云雨似的。"答云雨"的"云雨"当然又与宋玉的《高唐赋》有关系，便是巫山云雨，从那里产生这两个字的字面。象这一类的东西不能属于文学的"形象"的范畴，只能算是文字禅，是作者个人的意境，虽然它也是生动的，同用死典故不同。后来李商隐的"此日六军同驻马，当时七夕笑牵牛"，"如〔于〕今腐草无萤火，终古垂杨有暮鸦"都属于这一类。本来汉字因容易作对偶的原故最容易起联想，以白描著名的陶渊明有时也有这种表现法："造夕思鸡鸣，及晨愿乌迁。"但陶诗是偶尔为之，而且他的整篇诗生活气息太重，他的"乌迁"应该属于童话一类。到了文字禅，它一泛滥起来，真容易把生活淹没了，是很危险的。我们再看杜甫《雨晴》诗里的这两句："有猿挥泪尽，无犬附书频。"其中"猿"是现实，"犬"是联想，从黄犬寄书的故事来的，这样的表现法同我们已经讲过的《登岳阳楼》的"亲朋无一字,老病有孤舟"便不同,一是抒写意境,一是表现生活。表现生活是生活上的这件事非表现出来不可,当然要求表现得好,便是要语言好。抒写意境,当然也不能离开生活,但不属于主题思想范围内的事,是从文字安排出来的,很容易拿一个"美丽"的空想迷失生活的现实性了,——情调可能是很哀伤的,同时它的陶醉作用确实大。又如《雨》里有这样几句:"骤看浮峡过,密作渡江来。牛马行无色,蛟龙斗不开。"并不真是江边有牛或马雨中看不见,乃是由庄周脑中的图画又转变而为杜甫诗中的字面,因为庄子《秋水》篇说"秋水时至,百川灌河,泾流之大,两涘渚崖之间不辩牛马。"庄子的文章这样描写水形象性是很大的,杜甫的"牛马行无色"则是文字禅,所以接着又空想一句"蛟龙斗不开"了。又如《西阁口号》写风雪的句子:"雪崖才变石,风幔不依楼。"这也完全是李商隐的写法,这里面没有典故,没有词藻,而一样是把客观主观化,一句话就是主观。上面是五言诗举例。再举七言诗,如《雨不绝》里这样的句子:"舞石旋应将乳子,行云莫自湿仙衣。"这放在李商隐的诗中简直没有分别。舞石是从石燕的故事来,零陵石燕,遇着雨就象燕子一样飞舞起来,雨止则止,这是一个传说。另一个传说,燕山有石,大石象大燕子,小石象小燕子,雷雨之下,小随大而飞,若母之将子。杜甫的《雨不绝》本是实生活当中的雨不绝,乃把故纸当中的石燕浮动起来,是文字禅。"行云莫自湿仙衣"从《高唐赋》来,怕巫山神女在为云为雨之际把自己的衣服弄湿了。我们如果借一个故事来表达自己的思想,如鲁迅的《故事新篇》〔编〕那样,也是现实主义的一种创作方法,李商隐的咏嫦娥的绝句"云母屏风烛影深,长河渐落晓星沉,嫦娥应悔偷灵药,碧海青天夜夜心"属于这一类。若李诗咏武侯庙古柏"叶凋湘燕雨,枝拆海鹏风",咏楚宫"暮雨自归山峭峭,秋河不动夜厌厌",便是文字禅了,学会这一套本领,语言不是用来反映现实,而是在文字中"别有天地非人间"。我们再看杜甫的《秋兴》,无疑的,杜甫所谓"晚节渐于诗律细"是指这一类的诗了,总括一句这类诗情调是悲哀的,兴致是饱满的,而生活不能不说是贫乏的。一个人如果专门做这些诗,结果终日只有吟咏的分,就是《秋兴八首》最后一句说的"白头吟望苦低垂"的状态,其实也应该说是无病呻吟。象"江间波浪兼天涌"这一句,写长江是写得生动的,但由"天"要对出"地"来,因而对一句"塞上风云接地阴",就不能算是杜甫个人的"性僻耽佳句",是一般做律诗的通病,而由杜甫开其端。"丛菊两开他日泪,孤舟一系故园心","听猿实下三声泪,奉使虚随八月槎",都是一味地雕琢,因而晦涩。晦涩就是主观,不是有目共见的东西,是作者个人脑子里隐藏的一点东西。好比"奉使虚随八月槎",指的是什么呢?很可能是两句连起来说,听猿下泪是实有的事,若故事所传张骞乘槎上天哪有可能呢?就是"每依北斗望京华"的感伤,望而不能到。这该是如何的晦涩!象《咏怀古迹》里"三峡楼台淹日月,五溪衣服共云山"的句子,是同样晦涩的表现,而在作者的脑子里可能是很生动的,或者山居之中与少数民族同游,留有印象,或者因为"五溪蛮"好五色衣是书上有的话,作者就幻想起来也未可知,总之是想法子与"三峡楼台淹日月"作一对句,好容易对一个"五溪衣服共云山"。这都叫做文字禅。《秋兴八首》第七首最后两句"关塞极天惟鸟道,江湖满地一渔翁",一句写山,一句写水,仿佛写得很形象,然而是作者的意境,是绞脑汁绞出来的,绞出来以后就一定自己满足，自己把自己封在这个想象的王国里，离开了生活。杜甫对"鸟道"这两字常常利用，可见他很感兴趣，如《谒先主庙》里"虚檐交鸟道，枯木半龙鳞"，《南极》里"近身皆鸟道，殊俗自人群"，都是字面上的把戏。杜甫夔州诗确乎有它的趋向，上面我们都是从一首诗里挑出句子来说明这个趋向，现在我们再挑出一篇诗来，从整首诗来看这个趋向，我们挑的诗是七律《吹笛》，诗云：

吹笛秋山风月清，谁家巧作断肠声？风飘律吕相和切，月傍关山几处明？胡骑中宵堪北走，武陵一曲想南征！故园杨柳今摇落，何得愁中却尽生？

这真是杜甫"巧作断肠声"！我们读着确乎感到它的情调是很悲伤的，但这种写诗的方法真危险，离开杜甫，就要成为八股了。从前说诗的人说："千条万绪，用巧而不见，乃为大家。"有什么"千条万绪"呢？就靠典故做蜘蛛网。为什么"用巧而不见"呢？乃是诗人杜甫诚如庾信《伤心赋》所说"唯觉伤心"，江淹《恨赋》所说"仆本恨人"，他这个人本来是感情厚的，过去的生活又是丰富的，所以不见其巧。如果再往前走一步专门成为"大家"就要不行了。确切地说，诗人不接近人民，不从人民生活取得诗的泉源，他的诗的材料就要窘竭，他就要向故纸堆中去乞怜，他就要向逝去的光阴去讨生活，杜甫在夔州两年，因为生活单调，又比较地安闲，一方面是一组一组的往事回忆(《诸将》、《八哀》、《秋兴八首》、《洞房》等八首、《往在》、《昔游》、《壮游》、还有《夔州百韵》)，一方面就有《吹笛》这样的吟风弄月，确乎是吟风弄月！从第四句起，没有一句是写生活，都是联想。因为乐府有《关山月》这个曲名,是伤离别的,所以风月凄清之夜杜甫听了谁家吹笛之声,就想到"月傍关山几处明?"又想到古人有受胡骑的包围者,乘月登楼,中夜奏胡笳,吹得胡人有怀土之思,弃围奔走,所以第五句就有"胡骑中宵堪北走"。又想到马援南征,作了《武溪深》之曲,故曰"武陵一曲想南征"。又《折杨柳》是最哀怨的调子,所以唐诗有有名的句子,"此夜曲中闻折柳,何人不起故园情?"杜甫现在是当着秋山风月而闻笛,故曰"故园杨柳今摇落,何得愁中却尽生?"就是说,家乡的杨柳此时都落掉了,如何愁中生长起来而再折之呢?象这样就叫做"吟",就叫做"弄"。我们讲夔州诗,应该认识到夔州诗的趋向是危险的。主要的问题是生活,杜甫在夔州孤独而安闲的生活,使得他的诗离不开"风"和"月",而杜甫必然地要离开这种生活了,他在夔州住了两年,终于把"田园"放弃了,又去过飘流的生活,——能说他的飘流是更有所求吗?他所求的只不过是"故园",他知道,他的故园是飘流所得不到的。一句话,杜甫要离开夔州罢了。

但夔州诗毕竟是中国文学史上有特殊面目的产品,我们随便拈出它一首来,它不是成都诗,不是秦州诗,它是杜甫晚年的雕刻。而且它对后来李商隐的影响,是真花,不是假色,应该属于咱们民族文化里面的佳话,不能一笔抹杀的。因为这个原故,我们从杜甫的夔州诗里选出七首诗来作为代表。下面分别讲这七首诗。

古柏行

　　孔明庙前有老柏,柯如青铜根如石,霜皮溜雨四十围,黛色参天二千尺。君臣已与时际会,树木犹为人爱惜。云来气接巫峡长,月出寒通雪山白。忆昨路绕锦亭东,先主武侯同閟宫,崔嵬枝干郊原古,窈窕丹青户牖空。落落盘踞虽得地,冥冥孤高多烈风。扶持自是神明力,正直原因造化功。大厦如倾要梁栋,万牛回首丘山重。不露文章世已惊,未辞剪伐谁能送?苦心岂免容蝼蚁,香叶终经宿鸾凤。志士幽人莫怨嗟,古来材大难为用。

杜甫一到成都就去寻"丞相祠堂",看见了"锦官城外柏森森"。现在一到夔州又歌颂孔明庙前的老柏。他很有一般老百姓对孔明的感情。这首古诗,读起来完全是感情作用,并不一定是合乎事实、合乎逻辑的。诗是纪念夔州柏,而把成都柏也连起来纪念,所以有"气接巫峡"、"寒通雪山"的话,巫峡指夔州而言,雪山指成都而言。"忆昨"四句是成都柏的回忆,"落落盘踞虽得地"以后当然回到眼前"孔明庙前有老柏"来,然而回忆中的成都柏也包括在一起说,都不外"君臣已与时际会,树木犹为人爱惜","扶持自是神明力,正直原因造化功"等等。"万牛回首丘山重"一句是晦涩的,这种晦涩是夔州诗所特有的,同《咏怀古迹》的"五溪衣服共云山"句子一样,对读者不明白,诗人脑海深处确有生动的形象。很可能是象庄周文章的夸大,写树之大,有丘山之重,万头牛想运载出去,回首认为不可能了。所以下面说"未辞剪伐"但"谁能送"呢?"苦心岂免容蝼蚁,香叶终经宿鸾凤",正是夔州诗的巧句见之于古体诗里。通篇都是想象之辞,然而都是感情的流露,是夔州诗的特色。

夜

露下天高秋气清,空山独夜旅魂惊。疏灯自照孤帆宿,新月犹悬双杵鸣。南菊再逢人卧病,北书不至雁无情。步檐倚杖看牛斗,银汉遥应接凤城。

我们选这一首《夜》,可以代替《秋兴八首》。因为《秋兴》向来那么地有名,我们实在想从那八首里面去选,结果选不出。那八首确是杜甫铺张成篇,辞句多而意义不大,没有什么可取的了。这一首《夜》有《秋兴》之长而无其短,是杜甫夔州七律的代表作,我们选了它可以没有遗憾。《杜诗镜铨》在这首诗上面批道:"清丽亦开义山"。这话是很有见地的。不但清丽,而且响亮,把一种普遍的感情移到许多形象上去描写,而且令人读着不觉得作者是在那里雕琢字面,仿佛一气呵成,李商隐最好的律诗是如此,杜甫的《夜》乃是这类诗当中最具有普遍性的了。

"露下天高秋气清",这种写秋的语言真是好,而最不容易的是首先两个字告人以"露下",本来是开门见山,把秋说出来了,把夜写出来了,而你毫不觉得这里有什么文章作法,只感到这两个字突然而至,意思的明白是不成问题了,这是老杜一贯的"语不惊人死不休"的本领。"空山"两个字是常用的,但杜甫在这里把"空山"与"独夜"对举,"空山"的形象便非常地突出于作者与读者的思想意识,同时"独夜"也不是如"独夜不成寐"那样一般的意义,一般的意义是说一个人在夜里罢了,杜甫的"空山独夜旅魂惊"是把"山"当作一个东西,它的性质在秋天是"空"这个形容词;"夜"又是一个东西,如果把它当作整体来看,它确是一个独物了,所以说它是"独夜";在白露高天空山独夜之下,于是乃有"旅魂惊"。杜甫是这样写的。"疏灯自照孤帆宿"是一件事,同成都诗里"野船明细火","江船火独明"一样指江里的船,(我们于此也可以看出成都诗与夔州诗的形象思维有怎样的不同!)"新月犹悬双杵鸣"则是两件事,天上明月与水边两个女子捣衣,而这两件事当然可以一起看,所以"新月犹悬双杵鸣"。"南菊再逢人卧病,北书不至雁无情",就是我们所说的把一种普遍的感情转移到形象上去描写,在这种表现方法当中,杜甫这里的两句是最自然的,到了"丛菊两开他日泪,孤舟一系故园心","殊方日落玄猿哭,故国霜前白雁来"等,便雕琢了,语言里的感情就显得不够。"步檐倚杖看牛斗,银汉遥应接凤城",都令人读着感到自然,感到亲切,不觉得是在字面上用功夫,虽然用了"牛斗",用了"凤城"。

江 月

江月光于水,高楼思杀人。天边长作客,老去一沾巾。玉露洿清影,银河没半轮。谁家挑锦字,烛灭翠眉颦。

这种诗的语言,是夔州诗的特色,在以前的诗里是没有的。最后两句"谁家挑锦字,烛灭翠眉颦",不但杜甫自己以前的诗里没有,在古诗里,在唐诗里也没有(李商隐的诗里有)。象曹植的"明月照高楼,流光正徘徊,上有愁思妇,悲叹有余哀……"用全篇来描写女子的事情是有的,同我们现在写小说一样,写一个女性的故事,杜甫的"烛灭翠眉颦"则是从诗人自己的生活日历上忽然想到"谁家"那方面去,确实少有。我们于此可以看出杜甫在夔州的生活状况,思想状况,生活缺少内容,思想上乃呈出空想的现象来。

月

四更山吐月,残夜水明楼。尘匣元开镜,风帘自上钩。兔应疑鹤发,蟾亦恋貂裘。斟酌嫦娥寡,天寒奈九秋。

这同《江月》诗一样,都是杜甫在夔州楼上、月下、江边写的诗。无疑的,他是在楼上夜里睡不着,四更天起来,刚好看见下弦月出来了。这种诗完全是李商隐的写法,只是显得老气一些,李商隐不会写"兔应疑鹤发,蟾亦恋貂裘"。我们对这两句也有点疑问,鹤发杜甫是有的,他哪里会有"貂裘"呢,而且秋天就穿它,因此使得月中蟾蜍也羡慕他?看样子是真的,因为他另外有《江上》一首诗,说着"江上日多雨,萧萧荆楚秋,高风下木叶,永夜揽貂裘"的话。推想起来,江边的秋天的天气是寒冷的。

"斟酌嫦娥寡,天寒奈九秋",这两句就是李商隐式的思想,杜甫是其先导,我们应该加一番说明。中国有嫦娥奔月的故事,又传说月亮里面有桂树,这两件事在杜甫的诗里都有表现,到了李商隐就成了他的重要的题材,把民间故事渲染以诗人个人的想象。在封建士大夫的思想意识支配文学的旧时代,对民间传说不能欣尝〔赏〕,对诗人的诗也多有误会,好比杜甫的《一百五日夜对月》一般就不得其解,诗是:"无家对寒食,有泪如金波。斫却月中桂,清光应更多。仳离放红蕊,想象颦青娥。牛女漫愁思,秋期犹渡河。"里面的"仳离"二字从《诗经》"有女仳离"来,就是我们现在所讲的"斟酌嫦娥寡"的"寡"字的意思。嫦娥在寡居之下,而丹桂大放其花,想象(就是"斟酌嫦娥寡"的"斟酌"的意思)起来,她应该是"翠眉颦"罢。所以我们现在所讲的这一首《月》同《一百五日夜对月》是可以相互印证的。封建文人对杜甫的想象不能理解,对李商隐的想象就更莫名其妙,好比李商隐有一首《月》云:"过水穿楼触处明,藏人带树远含清。初生欲缺虚惆怅,未必圆时即有情。"首两句是说月照到哪里哪里就亮,而它自己里面却捉迷藏似的藏着了一个人即嫦娥和一棵树即月中桂树。这很象一篇童话,而封建文人却批之曰"不成语"。封建文人开口闭口说李商隐学杜,他们知道李商隐究竟学了杜甫的什么呢?所谓"学",应该不是模仿,各人有各人的时代背景,从民族传统之中,有时对某一点继承相似而发挥不同罢了。嫦娥的故事,吸引了杜甫,更吸引了李商隐,(李商隐的时代,妇女有出家做女道士的风气,故嫦娥奔月的故事打动了他的思想)我们应该特为指出。

我们在前面曾说杜甫夔州诗想象多而生活少,这个判断的正确性,把他在长安沦陷时写的《一百五日夜对月》同《月》这一首里"斟酌嫦娥寡,天寒奈九秋"比较一下,就可能更加明白。这是有着重大意义的事,我们就在这里费一点考察。原来《一百五日夜对月》是对月而拿月的故事与自己的生活作对照,自己与自己的爱人今夕不能相见,把她想象为孤独的嫦娥,这个形象很新鲜,更望今年秋天又如牛郎织女终能见面,这个愿望又确是有生气,有力量,所以这个写法是修辞上一般所说的比喻法,是借故事写实生活,读者读着感得诗里的生活气息逼人。"四更山吐月……"则不然,通篇完全是想象,其不落于一般的咏月的滥调是几希的!旧日说诗的人对这首诗说:"叠用镜、钩、蟾、兔、嫦娥,他人且入目生厌矣,一经公笔,顾反耐思,由其命意深而出语秀也。"这话不够科学,确是说出了一个现象。我们的话应该是这样说:诗人如缺乏生活,伟大的现实主义作家如杜甫,亦不免空想了。

我们还应该作补充,缺乏生活内容的诗容易流为空想,中国旧诗里用典故写的诗并不就缺乏生活内容,杜甫的《一百五日夜对月》就是例证。最有趣的例证应莫过于李商隐的一首《东南》,我们把它附在这里讲一讲。诗是七言绝句:"东南一望日中乌,欲逐羲和去得无?且向秦楼棠树下,每朝先觅照罗敷!"李商隐这时在徐州,他的爱人远在北方家里,他怀念她,所以嚷着"东南一望日中乌,欲逐羲和去得无?"真是天涯一望断人肠的样子。所望的太阳当然是夕阳,一定是急似下坡车,知道追逐不了,连忙就送给她一个朝阳,明天早晨照着她起来!用旧诗写就是李商隐的"觅照"两句。这种诗读者读着总接触到它的生活气息,因为它所表现的内容甚丰富,同杜甫的《一百五日夜对月》是一样。若"斟酌嫦嫦〔娥〕寡,天寒奈九秋",乃老杜之空想而已耳。

雨(四首之一)

> 楚雨石苔滋,京华消息迟。山寒青兕叫,江晚白鸥饥。神女花钿落,鲛人织杼悲。繁忧不自整,终日洒如丝。

这首诗也正是夔州诗,在忧伤的情调之下把实境与空想对写。"神女花钿落,鲛人织杼悲",两个故事连写起来,比"斟酌嫦娥寡,天寒奈九秋"又显得繁复一些了。到了李商隐则联想更多,我们且抄他的《听雨梦后作》:"初梦龙宫宝焰燃,瑞霞明丽满晴天。旋成醉倚蓬莱树,有个仙人拍我肩。少顷远闻吹细管,闻声不见隔飞烟。逡巡又过潇湘雨,雨打湘灵五十弦。瞥见冯夷殊怅望,鲛绡休卖海为田!亦逢毛女无憀极,龙伯擎将华岳莲。恍惚无倪明又暗,低迷不已断还连。觉来正是平阶雨,独背寒灯枕手眠。"

课小竖锄斫果林(三首之一)

众蛰生寒早,长林卷雾齐。青虫悬就日,朱果落封泥。薄俗防人面,全身学马蹄。吟诗重回首,随意葛巾低。

最后我们选出这首《课小竖锄斫果林》和下面的一首《有叹》,亦足以把杜甫夔州诗所表现的生活和思想感情与以前的诗所表现的作一比较。这里"青虫悬就日,朱果落封泥"的描写不很象成都诗"仰蜂粘落絮,行蚁上枯梨"的描写吗?然而诗的情调不同,在那里杜甫还是"傲当时",还是"醉如愚",这里是"全身学马蹄",生活显得凄凉多了。"随意葛巾低"也是借陶潜的生活来写自己,但比起"焉得思如陶谢手,令渠述作与同游"的激昂情绪来,是"随意"得多了。"马蹄"的字面用来作对偶,更是夔州诗。庄周的思想与文章对旧日中国文人是很有传统势力的,他的《马蹄》篇便足以为一种思想的代表,所以杜甫"薄俗防人面,全身学马蹄"的句子一般都认为"如此用事,真出神入化矣。"这样从古书上的题目生出个人脑海里的形象来,以前有庾信的"至乐则贤乎秋水,欢笑则胜上春台。"不过一是欢乐,一是感伤。

有 叹

壮心久零落,白首寄人间。天下兵常斗,江东客未还。穷猿号雨雪,老马怯关山。武德开元际,苍生岂重攀!

这属于杜甫"随意"写的一首诗,见他晚年的生活和思想感情。从现实生活的"穷猿"对出"老马怯关山"(就是说回家的关山之路他不敢再走)的一匹"老马"来,正是夔州诗的表现方法。他过去对国家确实存有希望,常认真地把唐太宗搬出来,"煌煌太宗业,树立甚宏达",现在极无意兴地说一句"武德开元际",因为生活经验太多了。

第八讲　杜甫的歌行

我们在讲杜甫秦州诗的风格的时候,说杜甫的关塞诗不同于庾信,这个意义我们认为是重要的,我们要分辨什么是积极的东西,什么是消极的东西,什么是表现斗争意志的东西,什么是自我陶醉、对环境妥协的东西,这些都关系到美学的观点,我们必须训练我们的嗅觉。

我们在讲杜甫入蜀诗的变化的时候,又曾说到杜甫在初入蜀时写的那些五言律不同于王维的律诗,这个意义也极重要,只是我们的话说得太简单了。今天在这里想作一点补充。杜甫的那些五言律都是表现生活,表现作者的生命力,表现他对所处的自然环境有极大的兴趣,同时又总流露出他对时事的愤慨,他不是一个逃避现实的人。这些话,从我们所讲的杜甫的那些五言律诗看来,我们认为是明白的。王维不然,王维是逃避现实。而王维的五言律诗向来得的评价非常高。从旧日观点来看,又确不能不说王维是写得好,原因是他的主观意境非常纯熟,他的诗的文字又非常之适合他的主观意境,这两样宝贝结合起来,就使得他"万事不关心""胜事空自如"了。我们举王维的两首五言律诗来看,一首是《山居秋暝》,诗云:"空山新雨后,天气晚来秋。明月松间照,清泉石上流。竹喧归浣女,莲动下渔舟。随意春芳歇，王孙自可留。"一首是《晚春严少尹与诸公见过》，诗云："松菊荒三径，图书共五车。烹葵邀上客，看竹到贫家。鹊乳先春草，莺啼过落花。自怜黄发暮，一倍惜年华。"这样的诗，都不是作者把眼前的生活复制下来，有那么一个在社会上活动着的人在这一段生活当中，不是的，作者是积累了许多主观意境，或者是平时某一刹那对风景的享受，或者是古人的享受从故纸堆中移留到他自己的脑里。如单就"明月松间照，清泉石上流"两句看，是把自然环境表现得好的，但是不是王维写诗的时候举头看见明月，侧耳听见清泉呢？我们看不一定，很可能是"高人"王右丞平日静观得来的东西，成功了自己的意境，是个人的享受之物，此刻乃活跃在纸上。我们从"竹喧归浣女，莲动下渔舟"两句可以肯定我们上面的话不错，因为没有这么的巧合，这时就有妇女洗完了衣服从竹林里回家，挤得竹子响动，更有弄鱼的人移船下水，搞得荷叶动，都给诗人听见了。王维完全不是眼见，是耳听！其实也不是耳听，是心里在那里想了，也就是他善于推敲。这难道还不明白吗？到了"松菊荒三径，图书共五车"，还有什么"看竹到贫家"，就完全是用典故，至少是把古人的生活同自己的生活合为一体了，就是逃避现实。"鹊乳先春草，莺啼过落花"，同"竹喧归浣女，莲动下渔舟"是一样的惯技，我们无须多谈。我们把我们对王维这两首诗的分析同讲杜甫初入蜀时那些五言律诗的话比较一下，确实能够明白什么是消极的东西，什么是积极的东西，杜甫这类诗之不同于王维，正同秦州诗不同于庾信。

然而，我们现在这一讲的目的是想说明杜甫的古体诗不同于六朝用乐府旧题的拟古，甚至也不同于他同时代的李白。杜甫用古体诗所写的都是生活上最急迫的东西，关乎时事，关乎人民的痛苦,也有对自己痛苦的大喊大叫。本来这一层非常明白,仇兆鳌注本在《兵车行》后就引了蔡宽夫的话:"齐梁以来,文士喜为乐府词,往往失其命题本意,……虽李太白亦不免此。惟老杜《兵车行》《悲青坂》《无家别》等篇,皆因时事自出己意立题,略不更蹈前人陈迹,真豪杰也。"这虽然还离不开诗的题目的问题说话,总也足以证明杜甫古体诗的特点是尽人皆知的。我们的讲稿首先要讲的就是《自京赴奉先咏怀》、前后"出塞"、三"吏"、三"别",都是前无古人的现实主义的杰作,是整个杜甫的灵魂,那些诗都是五言古诗。我们现在考虑到,还应该把杜甫运用所谓古体而且给以极巨大的现实意义这件事特别提出来作为一讲,很自然地就讲到他的七言歌行。

最早的有《兵车行》:

车辚辚,马萧萧,行人弓箭各在腰。耶娘妻子走相送,尘埃不见咸阳桥。牵衣顿足拦道哭,哭声直上干云霄。道旁过者问行人,行人但云点行频。或从十五北防河,便至四十西营田。去时里正与裹头,归来头白还戍边。边庭流血成海水,武皇开边意未已。君不闻汉家山东二百州,千村万落生荆杞。纵有健妇把锄犁,禾生陇亩无东西。况复秦兵耐苦战,被驱不异犬与鸡。长者虽有问,役夫敢伸恨?且如今年冬,未休关西卒。县官急索租,租税从何出?信知生男恶,反是生女好。生女犹得嫁比邻,生男埋没随百草。君不见青海头,古来白骨无人收。新鬼烦冤旧鬼哭,天阴雨湿声啾啾!

这首诗里虽然用了"武皇",用了"汉家"的字面,好像是拟古,不是控诉当代,但本质完全是控诉当代,谁都〔读〕了都能感觉杜甫不是在这里做题目。只有诗的末尾"信知生男恶,……天阴雨湿声啾啾"近乎一般的对戍卒的抒情,而这个感情是真实的,文不胜质。其余的字句无一不是杜甫写唐代天宝年间的事。唐代农民应征,都是自备武器,所以离家时就是"行人弓箭各在腰"。这里写的是长安附近的农民应征,便是"被驱不异犬与鸡"的"秦兵"!所以一开始就写明"耶娘妻子走相送,尘埃不见咸阳桥"。"尘埃不见咸阳桥"这一句该写得多么形象,在咸阳大道上,一座大桥都给一阵一阵的人马所践起的灰尘遮掩得看不见了。于大队的人马之外,还有"耶娘妻子走相送",就正是从家里出来走得不远。我们还应该注意一件事,就是杜甫自己这时正是处于"骑驴十三载,旅食京华春"的贫困之下,没有一官半职,长安附近就到处有诗人的游踪。"牵衣顿足拦道哭,哭声直上干云霄",都是他耳闻目见的事了,写下来就是《兵车行》。在李白的诗里也没有这样的诗,更何论乎李白口中所说的"自从建安来,绮丽不足珍"。"道旁过者问行人"的道旁过者就是杜甫。从他后来的三"吏"、三"别"以及其他许多诗看来,他总是道旁过者。伟大的诗人!伟大的诗!这个"行人"是"点行频"的行人,就是说他一生总是应征,"或从十五北防河,便至四十西营田。去时里正与裹头,归来头白还戍边。"所以这个人是年纪老的,如今头白还要戍边。杜甫的这首诗的内容就是写杜甫同这个老年人的问答,主要的当然是答。答虽限于一人,而人势是非常之多,有走的人,有送的人,所以诗的开始是"车辚辚……哭声直上干云霄"。而〈杜甫问他他〉答话的人可能还没有亲人送。他是"头

165

白还戍边",他是对生活有经验的人,所以杜甫同他说话,他也就把他的"恨"都说出来了,虽然他说他役夫不敢伸恨。他的恨不限于他个人,我们看这四句:"且如今年冬,未休关西卒。县官急索租,租税从何出?"而这四(句)又与前面的"纵有健妇把锄犁,禾生陇亩无东西"有关联的,就是男子当兵了,妇女在家耕田,在家交租。而地主阶级是"生常免租税,名不隶征伐"。"且如今年冬",我们今天读了当然不知道是哪一年冬天的事情,所以我们从《兵车行》就可以看出杜甫的歌行是他的伟大的创造,当得起说是"时代的呼声"。若李白就不见有对古乐府作拟题一类的篇什。

与《兵车行》同时期写的有《丽人行》:

三月三日天气新,长安水边多丽人。态浓意远淑且真,肌理细腻骨肉匀。绣罗衣裳照暮春,蹙金孔雀银麒麟。头上何所有?翠微盍叶垂鬓唇。背后何所见?珠压腰衱稳称身。就中云幕椒房亲,赐名大国虢与秦。紫驼之峰出翠釜,水精之盘行素鳞。犀箸厌饫久未下,鸾刀缕切空纷纶。黄门飞鞚不动尘,御厨络绎送八珍。箫鼓哀吟感鬼神,宾从杂遝实要津。后来鞍马何逡巡,当轩下马入锦茵。杨花雪落覆白蘋,青鸟飞去衔红巾。炙手可热势绝伦,慎莫近前丞相嗔!

我们在讲三"别"的时候曾经附带说过,就语言的形象性说,《丽人行》这种诗不是给读者以形象的,它并不是真在那里描写丽人,杜甫自己首先就没有印象,他不曾注意丽人"头上何所有?"也不是记不清楚"背后何所见?"实在是一篇苦闷的文章,只是要把"赐名大国虢与秦"揭露出来,把"黄门飞鞚不动尘"揭露出来,把"慎莫近前丞相嗔"揭露出来。总而言之,《丽人行》这种诗充分说明杜甫写诗的良心为前所未有,就是要暴露统治者的丑恶,到今天还令我们佩服,若诗的效果,也就是艺术的形象并没有给读者什么。我(们)不能因此认为这是《丽人行》的失败,这正是杜甫的七言"歌行"的伟大的现实主义的价值,我们必当有此认识。

与《丽人行》可以相提并论的有后来在蜀中写的《冬狩行》,就是诗不在诗的形象而是诗人对其时事的极大的苦闷,因此令我们有特别注意的价值。《冬狩行》的全文是:

> 君不见东川节度兵马雄,校猎亦似观成功。夜发猛士三千人,清晨合围步骤同。禽兽已毙十七八,杀声落日回苍穹。幕前生致九青兕,骆驼垒崒垂玄熊。东西南北百里间,仿佛蹴踏寒山空。有鸟名鸲鹆,力不能高飞逐走蓬。肉味不足登鼎俎,何为见羁虞罗中。春搜冬狩侯得同,使君五马一马骢。况今摄行大将权,号令颇有前贤风。飘然时危一老翁,十年厌见旌旗红。喜君士卒甚整肃,为我回辔擒西戎。草中狐兔尽何益,天子不在咸阳宫。朝廷虽无幽王祸,得不哀痛尘再蒙。呜呼!得不哀痛尘再蒙!

这种诗确实足以说明杜甫的七言歌行的精神,就艺术的形象说,并没有写出什么来,而杜甫写诗的精神动人!

我们读杜甫陷在长安城中见证了官军四万多人为胡人惨败于陈陶泽因而写的《悲陈陶》：

孟冬十郡良家子，血作陈陶泽中水。野旷天清无战声，四万义军同日死。群胡归来血洗箭，仍唱胡歌饮都市。都人回面向北啼，日夜更望官军至。

这几句诗里该写出了多少东西！恐怕在任何古人的集子里找不到！同时写的还有《悲青坂》：

我军青坂在东门，天寒饮马太白窟。黄头奚儿日向西，数骑弯弓敢驰突。山雪河冰野萧瑟，青是烽烟白是骨。焉得附书与我军，忍待明年莫仓卒。

悲陈陶，又悲青坂，写官军是"天寒饮马太白（山名）窟"，写胡骑是"黄头奚儿日向西，数骑弯弓敢驰突"，可见敌强我弱了。战后是"山雪河冰野萧瑟，青是烽烟白是骨！""焉得附书与我军，忍耐（待）明年莫仓卒！"诗人是多么坚强。

我们读《大麦行》：

大麦干枯小麦黄，妇女行泣夫走藏。东至集壁西梁洋，问谁腰镰胡与羌。岂无蜀兵三千人，部领辛苦江山长。安得如鸟有羽翅，托身白云还故乡。

这首诗是在蜀中写的，写胡羌劫掠麦子的情形。妇女怕受污辱,丈夫怕遭杀害,"妇女行泣夫走藏"七个字可以说是旧日中国历史的写照,遭受异民族侵略,无能的统治者不能领导人民抵抗。"问谁腰镰胡与羌"这七个字一句包含一问一答,问者是看见人跑知道又是腰镰(可见看惯了!)来强劫麦子了,不觉还要问惊慌者:"谁呀?谁呀?""胡与羌!胡与羌!"就是跑者答得快。"安得如鸟有羽翅,托身白云还故乡。"这两句是杜甫的自伤,他当然不能有翅膀,又当然不能身如白云,就是世乱无处归了。像这样的诗都是写得非常急迫的,足以令读者接触到杜甫写时的脉搏。

同《大麦行》相类似的有《天边行》:

> 天边老人归未得,日暮东临大江哭。陇右河源不种田,胡骑羌兵入巴蜀。洪涛滔天风拔木,前飞秃鹙后鸿鹄。九度附书向洛阳,十年骨肉无消息。

《大麦行》大约在成都写的,《天边行》则是稍后一点时间在阆州写的。"日暮东临大江哭",这个大江仅指嘉陵江。杜甫是真正地"日暮东临大江哭",所以就写了这么一句,这么一句就非常动人。诗里所写的事情,都是唐代宗广德元年的事实,秋天里吐蕃攻陷河、陇,冬天里又陷巴蜀。东临大江,江并不是平静的,是"洪涛滔天"。江以外也不是平静的,是"风拔木"。在〈在〉这样气候之下,只有大鸟才能飞,所以"前飞秃鹙后鸿鹄"。"九度附书向洛阳,十年骨肉无消息",十年之中杜甫大约共写了九次信给他的在洛阳的兄弟。这种诗的语言该有多么美,是"语不惊人死不休",惊人的语言正是生活的集中表现。

我们再抄一首杜甫最后瓢流到岳州的时候写的《岁晏行》：

> 岁云暮矣多北风，潇湘洞庭白雪中。渔父天寒网罟冻，莫徭射雁鸣桑弓。去年米贵阙军粮，今年米贱大伤农。高马达官厌酒肉，此辈杼轴茅茨空。楚人重鱼不重鸟，汝休枉杀南飞鸿。况闻处处鬻男女，割慈忍爱还租庸。往日用钱捉私铸，今许铅锡和青铜。刻泥为之最易得，好恶不合长相蒙。万国城头吹画角，此曲哀怨何时终。

这一首同《兵车行》等的写法不一样，它完全是一种歌唱，真是"此曲哀怨何时终"！《兵车行》等都是迫不及待地把所见所闻所感赶快记录下来，是最重要的一件事，没有第二件事。这种诗在别人的诗集里简直可以说是找不到的。《岁晏行》是杜甫晚年的苍老之作，其哀怨之声响彻古今，是的，与中国的封建社会相始终！在别人的集子里也难有这样的真实的气息。首四句是写眼前的事，五至八句便是想到别的许多事。"此辈杼轴茅茨空"本来应该就接"况闻处处鬻男女"，是一大串的时事，而中间忽然插进"楚人重鱼不重鸟，汝休枉杀南飞鸿"两句，真有手挥五弦目送飞鸿之势，给诗添了无限的生气。是诗人杜甫看见天上南飞的鸟，连忙叫你一声"不要射他了！""汝休枉杀"的"汝"，就指着第四句"莫徭射雁鸣桑弓"的"莫徭"而叫喊的。莫徭是当时住在湘的少数民族。

在这一讲最后我们讲两个题目，是杜甫对自己的痛苦的大喊大叫。一个题目是《乾元中寓居同谷县作歌七首》，一个便是在成都写的《茅屋为秋风所破歌》。先讲同谷歌七首：

有客有客字子美,白头乱发垂过耳。岁拾橡栗随狙公,天寒日暮山谷里。中原无书归不得,手脚冻皴皮肉死。呜呼一歌兮歌已哀,悲风为我从天来。

长镵长镵白木柄,我生托子以为命。黄独无苗山雪盛,短衣数挽不掩胫。此时与子空归来,男呻女吟四壁静。呜呼二歌兮歌始放,邻里为我色惆怅。

有弟有弟在远方,三人各瘦何人强。生别展转不相见,胡尘暗天道路长。东飞鴐鹅后鹙鸧,安得送我置汝旁。呜呼三歌兮歌三发,汝归何处收兄骨。

有妹有妹在钟离,良人早殁诸孤痴。长淮浪高蛟龙怒,十年不见来何时。扁舟欲往箭满眼,杳杳南国多旌旗。呜呼四歌兮歌四奏,林猿为我啼清昼。

四山多风溪水急,寒雨飒飒枯树湿。黄蒿古城云不开,白狐跳梁黄狐立。我生何为在穷谷,中夜起坐万感集。呜呼五歌兮歌正长,魂招不来归故乡。

南有龙兮在山湫,古木巃嵷枝相樛。木叶黄落龙正蛰,蝮蛇东来水上游。我行怪此安敢出,拔剑欲斩且复休。呜呼六歌兮歌思迟,溪壑为我回春姿。

男儿生不成名身已老，三年饥走荒山道。长安卿相多少年，富贵应须致身早。山中儒生旧相识，但话宿昔伤怀抱。呜呼七歌兮悄终曲，仰视皇天白日速。

这七首歌，都是写实生活，一点也没有从屈原以来的诗人的诗里总多少倚赖词藻倚靠想象的成分。在从前或许认为这是杜甫的伧父气，从马克思主义的美学观点看来，我们认为杜甫给我们树立了一个榜样，杜甫的语言就是表现生活，首先因为他不粉饰生活，他认为他所过的生活不合理！这真是杜甫的价值。我们最好还是拿陶潜来比较。陶潜也是贫穷的，他的环境可能比杜甫在同谷时要好一些，但他也是乞过食，而且写了一首《乞食》的诗歌，他是"叩门拙言辞"，而且一饱之后便说"衔戢知何谢，冥报以相贻"。他太没有愤慨了。他自己饿的时候便想到从前的人也饿，又想到后世也总有人要饿，所以他在他的诗里说，"馁也已矣夫，在昔余多师！""不赖固穷节，百世当谁传？"这样的人最容易满足现状，从孔子颜回以来便创造了一个"乐"字，陶渊明正是如此，所以他"采菊东篱下，悠然见南山！""五六月中，北窗下卧，遇凉风暂至，自谓是羲皇上人！"我们曾说杜甫的诗里没有陶渊明"酣觞赋诗以乐其志"的"乐"字，杜甫是"此志常觊豁"，"豁"便是要达到目的，要满足，要没有一点遗憾的意思。杜甫的同谷七歌，确实有他的生活态度做基础的，他才能把他的痛苦痛快地倾吐出来。我们还应该特别注意他的生活态度是积极的，是战斗的，便不对本阶级原谅，所以有愤慨。因为对本阶级愤慨，而对人民便同情。杜甫正是如此，在《自京赴奉先咏怀》里便说"生常免租税,名不隶征伐。抚迹犹酸辛,平人固骚屑",到晚年流落到湖南时看见官吏剥削,民不聊生,自己倒并没有到无衣无食的地步,所以在《谴遇》一诗里他说"自喜遂生理,花时甘缊袍"。"缊袍"便表现他这时的生活可怜得很。同人民的痛楚比起来他应该"甘"。总而言之,我们今日要打破"温柔敦厚"诗教的观点,从杜甫的诗同杜甫的生活态度可以提供马克思主义美学的材料,同谷七歌是最显著的例子。

七歌的前五歌不用多讲,意义如日月之明白,语言如江流之直下,直下之中当然又包括一波未平,一波又起。我们把六、七两歌讲一讲。我们认为六歌也是杜甫的直抒胸臆,并没有什么寓意。在同谷诗里另外有一首《万丈潭》,传说潭里面有龙,"南有龙兮在山湫"指的就是这里。杜甫走到这里,当然看不见龙,所以说"木叶黄落龙正蛰"。但看见那边水上来了一条大蛇,所以说"蝮蛇东来水上游"。"我行怪此安敢出,拔剑欲斩且复休",正是他自己当时的思想,奇怪,为什么这个蛇敢出来?他动了拔剑欲斩之思,又觉得这也未免太像煞有介事了,又算了。在这一迟疑之下,歌思就迟了,所以接着两句是"呜呼六歌兮歌思迟,溪壑为我回春姿"。这两句也非常之表现出诗人杜甫来,杜甫在任何困难之下是坚强的,富有朝气的,看见水上的蛇欲斩复休之顷,又注意了这个水的可爱,所以说"溪壑为我回春姿"。杜甫在同谷是乾元二年十一月,而水则是"春姿"了,而且是从诗人的眼里看出来的,所以说"为我"而回春姿。此呜呼六歌之难得!再说七歌,朱熹对七歌说了一些腐话,什么"叹老嗟卑,则志要〔亦〕陋矣,人可以不闻道哉?"照朱熹看来,像陶渊明那样"贫而无怨""贫而乐"就叫作"闻道",其实这正是地主阶级的上层建筑,号召大家"安贫乐道",就一点也没有反抗的意思了。杜甫在这第七歌所表现的思想感情是愤慨,并不是"叹老嗟卑"。看他起首两句:"男儿生不成名身已老,三年饥走荒山道!"写得很有气魄,"男儿"两个字便是出色的语言,表现着壮志雄心。像杜甫这样的人,当然是"生不成名身已老","三年饥走荒山道"也是不足怪的。所以在四〔五〕歌里也说"我生何为在穷谷,中夜起坐万感集","万感集"不是愤慨吗?难道羡慕"长安卿相"吗?要做官少年就可以做官的,所以说"富贵应须致身早",像杜甫则是他自己早年在长安时说过,"自断此身休问天,杜曲幸有桑麻田,看射猛虎终残年",今日又是"呜呼七歌兮悄终曲,仰视皇天白日速"了。一般所谓"闻道"的人,并不敢暴露自己的思想,杜甫暴露自己思想的时候则很有,因为他才是勇敢的人,他不怕说自己的丑话(这一点我们有机会再谈),只是在同谷七歌则决无"叹老嗟卑"的气息。"山中儒生旧相识,但话夙〔宿〕昔伤怀抱"两句也正写得明白,为什么这位老朋友"但话夙〔宿〕昔"呢,这有啥用处呢?

再读《茅屋为秋风所破歌》:

　　八月秋高风怒号,卷我屋上三重茅。茅飞渡江洒江郊,高者挂罥长林梢,下者飘转沉塘坳。南村群童欺我老无力,忍能对面为盗贼,公然抱茅入竹去。唇焦口燥呼不得,归来倚杖自叹息。俄顷风定云墨色,秋天漠漠向昏黑。布衾多年冷似铁,娇儿恶卧踏里裂。床头屋漏无干处,雨脚如麻未断绝。自经丧乱少睡眠,长夜沾湿何由彻!安得广厦千万间,大庇天下寒士俱欢颜,风雨不动安如山。呜呼!何时眼前突兀见此屋,吾庐独破受冻死亦足!

这里风是怒号,杜甫的诗也是怒号。到了今天我们应该格外肯定杜甫的怒号的价值,他的怒号确不是偶然的,我们可以从他许多诗里看出他对生活的态度。他总是从个人的痛苦而怒号到别人的痛苦上面去,有时越过本阶级,便成就伟大的富有人民性的诗篇。这一首《茅屋为秋风所破歌》却没有越过本阶级,"安得广厦千万间,大庇天下寒士尽〔俱〕欢颜,风雨不动安如山",是由自己而想到天下的"寒士",就是穷苦的士人。屋破雨漏是一般书生所最难堪的事情,难怪杜甫想不到天下老百姓而想到寒士。没有劳动能力的人见了屋上卷去了三重茅,大约最容易恼火,所以杜甫看见南村群童公然抱他的茅草而往竹林里跑,他便大怒,大骂起"盗贼"来,老杜就未免可笑了,不知道"盗贼"本儿童,而且都是"村童",很可能是穷农民的孩子!我们在此不必为老杜讳,他这个感情是所有观念太重,只是可以原谅罢了,因为他确是老而无力。他后来在夔州的时候有园有田,他也并不留意,说走就都抛弃了,至死之日是"天地身何在,风尘病敢辞"。而且大家熟悉他的"堂前扑枣任西邻,无食无儿一妇人"的。人道主义精神,他的优点本来是多的,在讲他的诗的时候也不必牵强附会,有许多人硬要说"大庇天下寒士"是想到本阶级以外的老百姓,诗的本意不如此。

第九讲　杜甫的绝句

我们现在讲杜甫的绝句。我们确实发现杜甫的诗的主要精神在他的绝句里一样地表现着,他的绝句也都写得很急迫的,或者等于写信,自己在生活上非写这一封信不可,或者等于一页日记,或者是对时事的呼号,或者是关于文学批评上的争论,或者是地方谈一类性质的东西。我们把杜甫集里一百三十几首五、七言绝句排比起来看,确实如此。他的绝句也有写风景的,但他的写风景不是王维的"独坐幽篁里,弹琴复长啸。深林人不知,明月来相照"。两下比较着非常明显地看出两人写诗的精神不同,因之诗的形象不同。

从前人也都注意到这个事实,就是杜甫的绝句同王维、李白的绝句存在着差异,而且说杜甫的绝句不算诗的正宗,绝句要以王维、李白为最高标准。他们骨子里是说杜甫会写古诗,会写律诗,但不会写绝句。这是一种形式主义的说法。我们也承认王维、李白的绝句是写得令人可爱的,足以表明唐诗的语言风格,但杜甫为什么"不会写绝句"呢?是杜甫在这里比王维、李白缺少了什么吗?我们认为相反,不是杜甫缺少了什么,正是杜甫诗所表现的现实主义比任何人要多!我们拿李白来同他比一比。李白《送孟浩然之广陵》这一首七绝向来是有名的,诗如下:

故人西辞黄鹤楼,烟花三月下扬州。孤帆远影碧空尽,惟见长江天际流。

我们到今天也还是承认这首诗的艺术价值,把事情写得非常明白,诗人的送别之感也与人共见,所以流传千古。杜甫的题作《解闷》的十二首里也有一首送人下扬州的诗,诗如下:

商胡离别下扬州,忆上西陵故驿楼。为问淮南米贵贱,老夫乘兴欲东游。

杜甫的这首诗初同读者见面比李白的《送孟浩然之广陵》要费解一些,必须加些注解。诗是杜甫在夔州写的,"商胡"是当时经商的胡人,杜甫同他(或他们)认识,现在由夔州下扬州去。杜甫因为胡商东下,想到自己从前上过西陵(在今浙江萧山县)的古驿楼。现在自己在夔州很闷,(他无论在哪里总是很闷,但又总满怀着远游的生气,如我们在成都《卜居》诗里所讲过的)看见商胡走,自己也想走,但关心的是那方面的米价,因为自己谋生困难。李白的送孟浩然下扬州就完全不需要注解,诗里把在什么地方送,什么时候送到什么地方用两句话都告诉我们了,剩下"孤帆远影碧空尽,惟见长江天际流"两句古今人在长江上见过帆船就同有此经验。这是不是诗的概括性高呢?我们认为不是的,这里并没有概括什么复杂的东西,只是诗所包含的思想感情极其简单。杜甫的解"闷"则不能说是简单,虽然写出来是一首简单的诗。它包含着杜甫为什么"闷"?他此刻为什么住在夔州？生活怎么样？（生活倒是地主的生活，不愁米贵贱的！）为什么又要东游？为什么想到当年的壮游？为什么必须问淮南米贵贱？所有杜甫的绝句都是这样写出来的，它们表现的现实主义比一般唐诗的抒情绝句更有生活的真实性、具体性，因之从表现上、语言上看来好像不普通，向来就认为它不是绝句的正宗了。我们必须明白，杜甫的绝句同他的五言古(诗)、七言歌行是本着一样的精神写的，他的律诗有时有一般写律诗的习惯，只用文字来引逗感情。

　　用文字来引逗感情，本来不失为一种抒情的方法，如果文不胜质，便容易引起读者的共鸣；同时也容易对生活起麻痹作用，因为文字的美感使得你陶醉起来了。我们今日读古人的诗必须注意此点。我们再举李白的绝句，如有名的《黄鹤楼闻笛》：

　　　　一为迁客去长沙，西望长安不见家。黄鹤楼中吹玉笛，江城五月落梅花。

　　这种诗在旧日是家喻户晓的，真有吸引力。尤其是"江城五月落梅花"一句，为唐人惯技，用乐曲的名字联想到实物，用来打动人的感情，如王之涣的"羌笛何须怨扬柳，春风不度玉门关"，李白写的"此夜曲中闻折柳，何人不起故园情"都是的。这种诗就是老牌的"正宗"。这种诗就是"哀而不伤"。为什么呢？"江城五月落梅花"就足以使李白自己陶醉，正同庾信的"草无忘忧之意，花无长乐之心"一样，生活上的忧应该是不忘的，作起诗写起赋来得了佳句就忘了。作者自己陶醉，读者当然也就跟着陶醉，不会作诗也会吟。从马克思主义的美学观点，我们来研究杜甫的绝句,杜甫则是哀而伤。"哀而不伤,乐而不淫"是孔夫子的文艺标准。其实,在那个社会里面为什么不应该伤呢?同时,剥削阶级在男女关系方面,"乐"没有不是淫的!若劳动人民,乐就表现生活的健康,没有什么叫做"淫"。那种社会本来是伤人的,我们为什么不伤呢?它简直使人无容身之地,能够把自己的痛苦完完全全地实实在在地表达出来才是"美"。读杜甫的《归雁》:

东来万里客,乱定几年归?肠断江城雁,高高向北飞。

这种诗确有人不如鸟的痛苦,千载下的读者还替杜甫感到痛苦,感到杜甫是哀而伤,无法改变他的生活,而他要求改变他的生活。二十个字把他所有的话都说出来,真是美。已经说了"乱定"又加三个字"几年归",家又那么远,可见就不仅仅因为"乱"而不能归,所以不能归的事情一定很多。作者这时在"江城",看见高高北飞的雁,真是肠断,肠断不是一句空话,同"江城五月落梅花"不一样。我们再读这一首:

江碧鸟逾白,山青花欲燃。今春看又过,何日是归年?

首两句好像是描写风景,但杜甫不是描写风景,他是把他所在的地方观之有年,对着这自然环境,诗人的生气也极大,连忙就感到"今春看又过,何日是归年"呢?多么痛苦!我们说杜甫要求改变他的生活,的确不是随便说的一句话。杜甫常用"招魂"两个字,又常用身在的"在"字,我们不可随便读过,他不能改变他的存在的现实,他感到他的"魂"与他分离了一样!就是杜甫哀而伤。杜甫的绝句不用天分深,没有空想,完全是生活的白描,但因为绝句文字少的关系,好像是一枝秃笔写的似的!向来人接触到这件事实就认为不合口味了。我们今日必须说明这里也正是杜甫的现实主义的表现。

下面我们选几首杜甫的绝句来讲一讲。我们在讲"入蜀诗的变化"的时候,最后曾讲到《绝句漫兴九首》第一首和《江畔独步寻花七绝句》第一首,并说这两首诗比李白的"举杯销愁愁更愁"要来得利害得多,我们的意思就是想说明杜甫的绝句所表现的思想感情很急迫。现在最好把那两首绝句联系起来看。我们又讲过杜甫在到成都以前只写过一首绝句,就是赠李白的一首。到成都后,他营草堂,要栽树,向人觅树秧子栽,就写了几首绝句,我们抄《凭何十一少府邕觅桤木栽》一首:

草堂堑西无树林,非子谁复见幽心。饱闻桤木三年大,与致溪边十亩阴。

这就是写诗等于写信,我们今日读了犹感到如闻其语,如见其人。

我们在讲"入蜀诗的变化"的时候,又曾经附带地讲过杜甫初到成都那年的秋天写给高适的一首五言绝句,那是等于写一封求朋友救急的信。在成都的后期又有《王录事许修草堂赀不到聊小诘》一绝:

> 为嗔王录事,不寄草堂赀。昨属愁春雨,能忘欲漏时!

这种诗真表现杜甫的"真",诗人感情的真实,生活的真实。《春水生二绝》,我们已附带地讲过第二首,现在抄第一首:

> 二月六夜春水生,门前小滩浑欲平。鸂鶒鸂鹅莫漫喜,吾与汝曹俱眼明。

这首诗是杜甫到成都第二年春天写的。第四句是写欢喜还是写忧愁?仇兆鳌认为是"见春水而喜",我们看不一定,水太大了,结果无处可走,不见得是可喜的事。当然,诗人杜甫乍见水涨的时候也不是不觉可喜,像水边的鸟儿一样,像儿童一样,是见水喜的。但"吾与汝曹俱眼明"不完全是喜的话,里面有忧愁。"眼明"就有失掉陆地的恐惧感,人有,因此推想禽亦有。所以第二首就有"一夜水高二尺强,数日不可更禁当"的话。我们讲这些诗,真感到杜甫的生气,生活作用重,文字作用少。

《绝句漫兴九首》再选三首:

> 熟知茅斋绝低小,江上燕子故来频。衔泥点污琴书内,更接飞虫打著人。

> 糁径杨花铺白毡,点溪荷叶叠青钱。笋根雉子无人见,沙上凫雏傍母眠。

这种诗好像"山阴道上，应接不暇"的样子，然而杜甫一点也不是留连风景，他是艰难苦恨的生活总不能压得他减少生气。陶渊明《责子一首》描写自己的小孩们，"雍端年十三，不识'六'与'七'。通子垂九龄，但觅梨与栗"，诗情幽默，而与魏晋风流不同，是贫苦家庭真实生活的反映，杜甫写景物的诗不同一般写景物的唐诗亦如此。

　　二月已破三月来，渐老逢春能几回。莫思身外无穷事，且尽生前有限杯。

这首诗，尤其是三、四两句，很不像杜甫写的，是杜甫仅有的诗，我们觉得很可爱。正因为是把他所有的诗比较起来，也把他的诗同别人的诗比较起来。他说着"莫思身外无穷事"，真是一句有力量的话，有感情的话，同一般人的空话不一样，他欲"莫思"而不可能，"且尽生前有限杯"，他所谓无穷事，正是一身以外的世事。其实"生前"、"有限"都不是他的词汇，"杯"对他也不像对陶渊明有那么大的引诱力，陶渊明将死之日还说"但恨在世时，饮酒不得足"，杜甫到后来则是"艰难苦恨繁霜鬓，潦倒新停浊酒杯"。他并曾经笑过阮籍，"至今阮籍等，熟醉为身谋"，可能正是笑李白一流的酒仙哩。

有题《绝句四首》我们选两首：

　　两个黄鹂鸣翠柳，一行白鹭上青天。窗含西岭千秋雪，门泊东吴万里船。

这首诗很豪放,非常鲜明,但同"笋根雉子无人见,沙上凫雏傍母眠"是一枝笔写的,一个是杜甫低眼仔细看,一个是杜甫抬头望得高了,他当时的神情给我看得很清楚。诗是成都草堂写的,西岭即雪岭,窗外可以望见雪岭的雪。雪而曰千秋!因为千秋的雪都是如此,正如望见山上青色而曰"山归万古春"。"门泊东吴万里船"者,我们也曾经讲过,他住的地方有万里木高,由此有船入吴。

  药条药甲润青青,色过棕亭入草亭。苗满空山惭取誉,根居隙地怯成形。

杜甫在其所居尝种药,他对药本来是很内行的。这首诗如仇注所说,"种药在两亭之间,故青色叠映"。三、四两句的形象极好,药草出在山上,不同一般的艺术,给人求贤访隐似的,所以杜甫说"苗满空山惭取誉"。同样,以根为用的药很难长成,也不容易管理,像人参便是,所以说"根居隙地怯成形"。杜甫的诗,表现他对于药确实有劳动的过程,认识的过程。所有杜甫这类写景物的诗,比起王维的《辋川集》来,里面确实多了生活。关于文学鉴赏,我们必须训练我们的辨别力。

我们读《三绝句》:

  前年渝州杀刺史,今年开州杀刺史。群盗相随剧虎狼,食人更肯留妻子。

> 二十一家同入蜀,惟残一人出骆谷。自说二女啮臂时,回头却向秦云哭。

> 殿前兵马虽骁雄,纵暴略与羌浑同。闻道杀人汉水上,妇女多在官军中。

这三首诗是多么难得的诗史,都是写蜀中所见所闻,而为史书所不记载。杜甫在广德二年从阆州归成都时曾写了一首《归来》(《草堂》),写徐知道在成都乱杀的情形,"谈笑行杀戮,溅血满长衢",这里所说"前年渝州杀刺史,今年开州杀刺史"可能是一类的事情。"群盗相随剧虎狼,食人更肯留妻子","食人"两个字真用得好,"更肯留妻子"又更用得好,虎狼吃人,当然不会吃到在家中的妻子,仿佛它肯替人留妻子似的,"群盗相随剧虎狼"是说妻子也都杀了。这是杜甫总会把事情写得深刻。

第二首,我们看数目字,"二十一家","惟残一人",写得多么具体。杜甫所听的话该有多少,用不着都说而都说了。从前同入蜀,现在这一人出骆谷回陕西去。"二女啮臂"当然是逃难,母女不能相顾,而此"一人"一定是妇人,杜甫都告诉我们了。三、四两句写这个妇人,太悲痛了。

第三首,写官军,杜甫太愤怒了。别人有这样的诗吗?

其他如《戏为六绝句》是关于文学批评上的争论,夔州绝句写夔州风土人情,《承闻河北诸道入朝口号绝句十二首》、《喜闻盗贼总退口号五首》都是写时事,我们不一一讲了。

第十讲　诗的语言问题

在"诗的语言问题"这个题目之下,是要把中国诗里用典故这个问题解决。我们之所以提出这个问题来,是因为要讲杜甫的五言长律,五言长律是离不开用典故的。我们当然也不是为讲长律而讲长律,不是因为杜甫所写的各样体裁的诗都讲过了,还剩下他的长律没有讲,所以必得讲一下,不是的,乃是杜甫的有些长律有极其充实的思想感情,我们非讲不可。一讲就应当连带解决中国诗里用典故这个问题。

语言好就是形象好,证之于所有的古代文学、现代文学都是如此。典故和僻字当然是对形象造成了障碍,就是隔了一层,谈不上一个"好"。有时我们说某个古典作家某个典故用得好,那是说他在安置障碍物的情况之下显得有技巧,不是说表现形象的语言必将有这个障碍物不可。因为旧诗这种体裁的关系,障碍物有时又确有必要,好比律诗一共只有八句,要把事情都说清楚,来一个典故(因为它本来是向知识分子说话的,不怕他们不懂得典故)就可以代替许多叙述。杜甫的《喜达行在所》第二首用的"司隶章初睹,南阳气已新"便是例证,否则他要叙述唐肃宗中兴的历史就困难了。至于僻字,是作者故意用来遮眼的,有时也是因为困难,受了整齐句子的限制,找不到适当的字。说老实话,典故僻字不但使得读者伤脑筋,要查出处,就作者自己也是查书查出来的,所以李商隐写诗的状况被称之为"獭祭鱼",这三个字就是把一册一册的书都摆在面前的形象。陶渊明说他"好读书,不求甚解",我们推想,他写起诗来,就从不去查书。到了杜甫说着"读书难字过"的话,就明明是告诉我们,像汉赋那一类的东西,堆了许许多多的难字,我们简直应该置之不理!这是老前辈的经验之谈,辛苦之言。一个非常显明的例子,谢灵运的诗比起陶渊明来是有难字的,而从来就把他的"池塘生春草"五个字当作好语言。相传他是从梦中得来。这里面有什么奥妙呢?这个奥妙就是说,语言技巧最难的是不用典故僻字,用眼前现成的东西。中国的古典文学,像《诗经》和楚辞,是干干净净没有典故僻字的,我们今天读起来仿佛处处是典故,处处有不认得的字。那是时代久远,方言差异,故事传说差异有很大的变化。在《诗经》、楚辞当时是普通的词汇,或者家喻户晓一个人或物的名字,到今天对我们说就需要注解。我们推想,在《诗经》里只是词汇丰富,今在我们有许多是不认得的,正同听不懂同时代的方言一样,楚辞里则多的是古代流行的神话故事。《诗经》里一定没有后代文人所谓的"典故",这是容易承认的,因为在它以前有什么汗牛充栋的东西供给它用呢?它主要的是口头创作。楚辞的语言,我们是指屈原的作品说,我们发现它没有《诗经》里面片言只语的痕迹,这一点同后代的文章比起来大可注意,这就帮助我们说明屈原的作品里面也很难找出后代文人所谓的"典故"。屈原以后的作家,像陶渊明,向来以白描著称,在陶诗里没有后代文人以古典代今事的表现方法(故意晦涩的诗如《述酒》是例外),但陶渊明的诗同屈原的作品有显著的不同之处,就是陶诗的词汇很多是因袭所谓六经上面的东西,特别是《诗经》。我们认为这是陶渊明作诗时遇到的困难,或者也正是很古以来一般文人的习惯,不如此就不行似的。我们可以从陶诗里举些例子,陶渊明《挽歌》有"在昔无酒饮,今但湛空觞"两句,另外四言诗《停云》的序有"樽湛新醪"的句子,这里的"湛"字是从《诗经》来的,《诗经》有"或湛乐饮酒"、"荒湛于酒"的句子,"湛"就是贪酒喝。"今但湛空觞"这一句有陶渊明的幽默的感情,爱喝酒的人,生前因为家里穷想酒喝而不得,死了自己的灵前还一定摆有空杯子(指祭奠)!所以这句诗本是有形象的,要用五个字一句表现出来,缺乏的是一个动词,于是陶渊明只好从《诗经》里找一个"湛"字,后代人就认为这样的用字是"典雅",不知道这是词汇的贫乏。陶渊明也有用代字的例,如以"不惑"代替四十岁,以"立年"代替三十岁,以"曰富"代替酒,以"悬车"代替太阳,这种用代字的方法在旧诗里是顶多的,顶不好的,陶诗里好在不多,如果多起来就不成其为陶诗的了,因为陶诗之佳大家公认为是他的语言的质朴。陶诗里的四言诗模仿《诗经》很明显,如"薄言东郊"的"薄言"二字,是把《诗经》时代的方言硬搬来凑四个字一句的数,其他如"邈邈遐景,载饮载瞩"里面的两个"载"字也是的。又如"衡门之下,有琴有书,载弹载咏,爰得我娱"四句,头一句完全是照《诗经》的四个字写下来,三句两个"载"字,四句又有一个"爰"字。我们认为这只能算是陶渊明的习作,他向《诗经》习作,决不是陶诗的价值。但陶渊明没有以古典代今事的例,所以陶诗是属于白描一类。以古典代今事属于后代用典故最大的范围,而这种用典故的方法庾信的《哀江南赋》集其大成。杜甫的五言长律我们认为是从庾信的赋学来的,写的都是时事,用的都是典故，《哀江南赋》正是如此。如果这两个人不用典故，——当然不能要求他们像《水浒》、《红楼梦》一样用白话，只要求他们用《左传》、《史记》那样的语言，把他们一生的遭遇（个人的、国家的、社会的）写起长篇来，就写长篇的韵文罢，那不知应该写出一种什么社会的出色的东西，因为他们二人确实是语言形象化的能手，虽然思想感情上庾信、杜甫有消极与积极的显著的差异。现在他们二人，一个写哀江南那样的长赋，一个写秦州夔州的长律，方法完全是用典故，他们自己当然算得是"西施"，后来的文人确乎是丑妇效颦，学做赋，学做排律，于是与古文八股合拢一起，谬种流传，乌烟瘴气，要不是民间文学给中国文学史吹动了生气，不断地产生了新的局面，中国的文坛都给这类排偶的货色（不用典故的八股同样也是排偶）占据地位了，"典故"成了中国剥削阶级文学的恶霸！是的，确实是恶霸，到今天它还容易吓唬人，尤其是吓唬青年，生怕自己读书不多，没有"学问"。其实，文学语言的道理非常简单，语言好就是形象好。形象与典故僻字有什么共同之点呢？我们把《诗经》、楚辞、陶渊明、庾信、杜甫的情况都指出来，其中底细不过如此，我们便可以断定今后中国的文学没有用典故这件事了。关于庾赋、杜律的用典故，我们在后文详谈，因为我们这一讲的目的是讲杜甫的长律的，连带的要讲庾信的赋。现在我们且插进来谈一谈庾信、杜甫以后李商隐和黄庭坚这两个代表人物，这两个人不属于丑妇一类，是著名的"美人"。这两个人又开了一条用典的门径，把他们两人用典的把戏给揭穿，然后我们对中国文学史上用典故的能事全盘掌握住了，从而知道未来的文学不需要这个东西，未来的共产主义的文学是属于劳动人民的，诚如毛主席指示我们的那样"一张白纸,没有负担,好写最新最美的文字,好画最新最美的图画"。

李商隐、黄庭坚写诗的语言是有形象的,但他们的形象不是直接从生活中来,是从书里的典故上来。他们对生活也有他们的态度,就是逃避,脱离对现实生活的反映而娱乐于典故当中的形象。我们在讲杜甫夔州诗的时候是连带说到李商隐的诗,现在再把他同黄庭坚一起说。李、黄用典故的方法是一样,就是借典故表现主观,不过李的基本情调是从他个人的感情出发,黄是从他个人的理智出发。李商隐有《复至裴明府所居》一首律诗,三、四两句是"柱上雕虫对书字,槽中秣马仰听琴",雕虫用"雕虫篆刻,壮夫不为"的典故,因而把柱子上刻的字写得很形象;听琴用"伯牙鼓琴而六马仰秣"的典故,写出来真像煞有介事似的,剥削阶级的生活都给作诗的人美化了,作诗的人便这样堆了满脑子的"超然物外"的形象。同样黄庭坚有一首律诗写"清明",并没有在清明那一天真正看见了什么因而把它写下来,乃是借典故写了这么的两句:"人乞祭余骄妾妇,士甘焚死不公侯。"前一句引用《孟子》,有那么一种人,人家上坟,他乞了人家祭余的酒肉,饱饱的,醉醉的,回去骄其妻妾,说是从阔人家里回来;后一句"士甘焚死"用介子寒食断火的传说,同乞祭余的人成一鲜明的对比。所以像李商隐、黄庭坚的诗,离开书本是不行的,离开书本就没有典故,就没有得写,这正表明他们没有生活。再如李诗有这么的两句:"瞥见冯夷殊怅望,鲛绡休卖海为田!"里面有三个典故,冯夷是水神,这是一;鲛人住在海里,不废织绩,时出人家卖绡,这是二;沧海变为桑田,是三。李商隐用了这三个典故写了他的两句诗,意思是说,冯夷在那里着急,怅望着,卖绡人,你赶快回来,不要卖,我们的海要变为田了! 黄庭坚则习于这样写:"愚智相悬三十里,枯荣同有百余年!"用的典故是,曹操看见了曹娥碑上的八个字不懂其义,而杨修懂得,曹操走了三十里之后才懂得,因对杨修曰:"我才不及卿,乃较三十里!"李商隐、黄庭坚就是这样用典故,大体上李是感情起作用,黄是理智起作用,然而没有典故他们的感情他们的理智就没有作用,因为他们谈不上反映社会现实。中国古典诗人用典故的情况就是如此。我们今天应该得一句结论,知识分子从来就是把自己封在空中楼阁里。

最后说庾信的赋以及从庾信的赋变化出来的杜甫的五言长律。

如果把庾信的《哀江南赋》用白话翻译出来,那就完全是一篇历史的记叙,叙的是梁朝的治乱。这种翻译当然很枯燥。如这一段:"五十年中,江表无事。王歙为和亲之侯,班超为定远之使。(都是用《汉书》的典故,叙梁与东魏通好。)马武无预于甲兵,冯唐不论于将帅。(这是说不修武备,上句用东汉光武不许马武言击匈奴的典故,下句是从西汉文帝与冯唐论将帅反过来用。)岂知山岳暗然,江湖潜沸,渔阳有闾左戍卒,离石有将名〔兵〕都尉。"这"岂知"以下就是说梁朝岂知有侯景之乱了,渔阳戍卒用陈胜吴广的事,离石都尉用干宝《晋纪》的话,"彼刘渊者,离石之将兵都尉也。"庾信就是这样用古典叙时事。写侯景攻城,战事猛烈,城中梁武帝困,诸子援兵在外,父子兄弟不相接救,就这样写:"昆阳之战象走林,常山之阵蛇奔穴。五郡则兄弟相悲,三州则父子离别。"完全是典故,我们就不知道这些典故,庾信的语言也足以给我们造成恐怖和悲哀的空气了。他如果像我们现代写小说一样完全用白话来描写,他一定写得生动!这当然是一句笑话。再如他自己溯江而上,走三千余里,这样写:"淮海维扬,三千余里。过漂渚而寄食,托庐中而渡水,届于七泽,滨于十死。"都是典故,都是成语,大约也是事实。咱们汉语言文学在六朝时代产生了这么一种东西,就是所谓"六朝文",以庾信为代表,而杜甫非常佩服他,杜甫自己对五言长律的创造分明是受了庾信的赋的影响。

我们把"创造"两个字居然也用在长律上面,恐怕很多人不以为然,其实是公平的,杜甫的五言长律"哀伤同庾信",而积极性又过之。他有些为"干谒"而写的长律当然不能算,若在秦州写的《寄高适岑参三十韵》、《寄李白二十韵》,以及《夔府书怀四十韵》,切实地说比起长篇《北征》来,诗的思想感情是集中多了,我们必须加以注意。《北征》的主题思想并不明确,近乎信笔挥写,又有一般的作文的章法句法的痕迹,对表现主题并没有必要,虽然扩大诗的体裁正是《北征》的贡献。我们且看长律。如在秦州寄高适、岑参的三十韵,这时杜甫患疟疾,生活极端困苦,他写了这么一段:"男儿行处是,客子斗身强。(这种感情,这种语言,真是好!走在路上拍着胸脯,男子汉就是我!任何困难不低头,斗罢!)羁旅推贤至(孔夫子就是旅人),沈绵(长期的病)抵咎殃。三年犹疟疾,一鬼不消亡。(用典故作一对句,颛顼氏有三子生而亡去,为疫鬼,一居江水为疟鬼。)隔日搜脂髓,增寒抱雪霜。徒然潜隙地,有觍屡鲜妆。(这两句是写避疟的迷信,写得很形象,大概老杜躲到无人知道的地方去,自己还把自己画成一个花脸。)何太龙钟极,于今出处妨。(龙钟一般用来说老态,杜甫这年四十八岁,本不太老,但他的老态似乎很早就显得足。'出处妨',其实就是生活到了走投无路的地步。)无钱居帝里,尽室在边疆。(长安住不了,全家到了秦州边塞。)刘表虽遗恨,庞公至死藏。(两句是一个典故,荆州刺史刘表要庞统公出来做官,庞不肯,携家住在鹿门山,以采药为生。杜甫自己也会采药,在他的诗里常表现想学庞统公。这里也只是想上山采药去罢了,并没有谁在那里做刘表给他一官半职。)心微傍鱼鸟,肉瘦怯豺狼。(这是生病可怜的样子,怕给豺狼吃了。鱼鸟当然不怕,反而可亲,所以傍之。)陇草萧萧白,洮云片片黄。(陇、洮就是目下所在地秦州。)"我们看,这里面所表现的感情是多么不能自已,没有一句是可说可不说的话。《北征》里则有可说可不说的话。我们再读秦州《寄李白二十韵》的全文:

> 昔年有狂客,号尔谪仙人。笔落惊风雨,诗成泣鬼神。声名从此大,汨没一朝伸。文采承殊渥,流传必绝伦。龙舟移棹晚,兽锦夺袍新。白日来深殿,青云满后尘。(以上叙李白到长安后的事迹。)乞归优诏许,遇我宿心亲。未负幽栖志,兼全宠辱身。剧谈怜野逸,嗜酒见天真。醉舞梁园夜,行歌泗水春。(以上写李白离开长安后同杜甫一见如故,两人的性格都写出来了。)才高心不展,道屈善无邻。处士祢衡俊,诸生原宪贫。稻粱求未足,薏苡谤何频。(这几句杜甫很肯定地表示他了解李白。杜甫了解他,同情他,对他的遭罪很有愤慨。"薏苡谤何频"与"稻粱求未足"两句对得极好,没有典故就难于用十个字写出如此深刻的思想感情,没有深刻的思想感情也就不会用这个典故。典故是,马援征交趾,载薏苡种还,人谤之以为明珠大贝。当时以

为李白从永王璘造反,杜甫认为是"谤"罢了。这表现杜甫的人格,也见李白的人格,这种诗很不容易写。)五岭炎蒸地,三危放逐臣。几年遭鹏鸟,独泣向麒麟。(都是用典故写李白的流放夜郎,把李白看得极高,以贾谊之对鹏鸟、孔子之泣麒麟相比。这不是一般地乱吹捧人,乃是愤慨,杜甫自己的遭遇也正是"道屈善无邻"。)苏武先还汉,黄公岂事秦?(又替李白的人格作肯定,用的是典故而极表现着写时的情感。)楚筵辞醴日,梁狱上书辰。(用典故写李白没有做永王璘的官,而是上书辩冤。)已用当时法,谁将此义陈。(多么愤慨!)老吟秋月下,病起暮江滨。(李白后来被赦了,流落浔江。)莫怪恩波隔,乘槎与问津。("乘槎"是典故,就是坐船到天河去,"问津"也是成语,"乘槎"与"问津"合起来就是"问天"的意思。"问天"就是叫你不要问了,有什么可问的呢?杜甫在这里又可能有一种嘲笑之感,因为篇首写"昔年有狂客,号尔谪仙人",你是仙人,那么你就上天去问吧。)

我们把这种诗一看,确不是为用典故而用典故,用典故就是叙事实,表现作者的思想感情。在以前有庾信的赋是这样用典故的,杜甫乃用这种方法写他的长律。杜甫长律的代表作还应该是《夔府书怀四十韵》,这首诗才真正是与《哀江南赋》同性质的,不过《哀江南赋》像我们今天的长篇小说,杜甫的夔州四十韵像短篇小说,他写得更集中些。我们说它是短篇,其实它比起《北征》来要有三倍的篇幅。篇幅较《北征》长而思想感情比《北征》急迫。《北征》的语言又并没有包含典故,《夔府书怀四十韵》则充满了典故。我们讲明这些话的目的,是要指出我们今天以后的诗的语言无复典故存在的余地,首先乃把典故所以存在的事实摆出来。选杜甫的五言长律,无疑地要以《夔府书怀四十韵》为代表,本讲的目的不是选诗,所以不打算抄其全文,(全文真值得注意!)我们摘引一段:

……使者分王命(索饷的),群公各典司(州郡内的官吏)。恐乖均赋敛(就是说苛税),不似问疮痍(哪里会关心老百姓的痛苦)。万里烦供给(把赋税运到长安去),孤城最怨思(如杜甫在夔州所见,老百姓痛恨)。绿林宁小患,云梦欲难追(绿林、云梦,都是"民将为盗"的典故)。即事须尝胆(要学勾践,卧薪尝胆),苍生可察眉(这个典故用得极好,《列子》,晋有郄雍者,能视盗眉睫之间而得其情,杜甫用"苍生"二字来代替"盗",比他的"盗贼本为〔王〕臣"一句诗写得更不易得)。议堂犹集凤(把朝廷的官在一块儿说成"集凤",与下句"元龟"成对偶),贞观是元龟(应该太宗子有的意思)。处处喧飞檄,家家急竞锥(言诛求甚急)。萧车安不定,蜀使下何之?(《汉书·萧育传》,南郡江中多盗贼,拜育为太守,上以育耆旧名臣,乃以三公使车载育入殿中受策。萧车就是指做太守的萧育,他来有什么用?蜀使指司马相如,司马相如为节使蜀,他来又有什么用?)……

这一首四十韵,就从我们抄的这一段说,同《自京赴奉先咏怀》是一样的急迫,倾向性极大,要把统治阶级剥削老百姓的情况一下都说出来,而统治者也难得维持其统治秩序,杜甫也要把它说出来,确实是如此。表现方法都是用典故。

就用典故说,我们当然不能不说杜甫的典故用得好,同时很分明,古典文学的现实主义也就局限在这里,如果杜甫把他对他的社会的观察都用白描的手法写出来,那他就要费更多的思考,用更多的组织,他的思想也就必须有更大的提高。我们不能这样任意设想,不能非历史主义地要求杜甫。然而我们决不能受古典文学的威胁,认为我们今天还非学杜甫"读书破万卷"不可,非做"獭祭鱼"不可,杜甫如果死而有知,他就气死了!我们就太没有出息了!庾信的赋,杜甫的长律,是典故的堡垒,我们把它攻下了,还它一个本来面目,其余多得不可计算的古典文学里以古典代今事之作,便可一笔抹杀。让我们用句成语来讥笑那般用典故的人,他们叫做"丑妇效颦"。

以上我们把用典故的豪杰们都讲了。

我们必须注意,在文学史上,一方面有离不开用典故的知识分子的诗,一方面又有大量的民歌和唱本。民歌和唱本的词汇则是不要典故的,而其形式同知识分子的诗歌形式是一样,就是五言诗、七言诗。民间的唱本有许多篇幅是很长的,艺术形式是很了不起的,如梁山伯、祝英台的故事,都是七个字一句。这就是一个事实。这些事实是说,只要真有故事,典故丝毫没有用处。知识分子为什么不从这里吸取经验呢?诗的语言应该从故纸堆中解放出来。白居易就有这个尝试,我们看他的《新丰折臂翁》:"新丰老翁八十八,头鬓眉须皆似雪。玄孙扶向店前行,左臂凭肩右臂折。问翁臂折来几年,兼问致折何因缘?……"这就是唱本的语言。可惜文人没有朝这条路发展下来。要走这条路不容易,要有诗的内容。有杜甫的三"吏"、三"别"的内容,就可以用老百姓的写法来写。当然,写法上也必须要有一个自觉,于是越是注意内容的重要,越是避免或离开口语所不用的词汇。白居易仅仅走了一步。后来的文人就只知道走文人的路了,于是有什么这家那家的诗,这朝那朝的诗,说穿了是语言风格有差异,其所表现的则同是知识分子的东西。知识分子语言风格的差异,又正是从同一个标准产生的,就是向古典学习。因此,古典文学的诗,从很早就陷入了圈套了。必须向生活学习,向人民学习。但谁能提出这个问题呢?又必须生活给我们提出要求,人民给我们提出要求。这就需要有一个伟大的时代。

五四初期的新诗,是小资产阶级知识分子所欢迎的,不配解决中国诗的问题。

中国诗的问题,工农大众解决了,所以中国共产党有1958年的伟大的采风运动。

这个采风运动,是共产主义文学在中国文学史上开始出现,真是一鸣惊人。其内容是马克思主义的,其形式是民族的。其形式是民族的,其语言则彻底消灭了在口头上不起作用的词汇。具体地就是:新民歌的语言不用典故,不用难字。除了不用典故、不用难字之外,新民歌的语言充分表现着语言的艺术的继承性。

杜甫论

手稿,1963年2月完稿,署名冯文炳。共7节。另有打字油印本,署名冯文炳。据手稿排印。

这是一篇《杜甫论》。我们的计划还有一篇《杜甫诗论》。在《杜甫论》里是研究杜甫的为人,包括诗人一生的生活和思想。

在中国古代的作家当中,杜甫的传记,应该是很少有疑问的,因为关于杜诗的编年工作可以不发生什么困难,一部杜诗本就摆出了诗人的一生,包括他的生活和思想。然而诗人杜甫是中国的极为伟大的人物,主要的原因是他接近人民,他的生活,表现在诗里的他的思想感情,都是与人民的生活、人民的思想感情交织在一起的,因之根据历史上知识分子的传统见解,在对杜甫的理解上还存在着重要的问题,有些本来是明白的事,反而弄得糊涂起来了。比如唐玄宗天宝十四载(七五五年)十一月里杜甫从长安回奉先,写了有名的《自京赴奉先咏怀五百字》,我们认为等于陶渊明写《归去来辞》,即是说杜甫久在长安求官做,终于也得了率府胄曹参军的官职,而他毕竟还是做官不下去,"官定"后马上又走了,这一件事很能说明他的生活和他的思想感情,而像仇兆鳌就不认识这个问题,他断定杜甫归奉先后又回长安就职的,他举出诗来作证,他不知道这是他的主观,他把杜甫的这些诗理解错了。今天冯至的《杜甫传》仍然沿袭了仇兆鳌的这个意见。又如《前出塞九首》和《后出塞五首》,宋人黄鹤倒说过"当是(肃宗)乾元二年(七五九年)至秦州思天宝间事而为之",我们坚决地主张前后《出塞》诗是杜甫作于秦州,这是文学史上的重大事件,而从古以来多数人对于这件事不曾作认真的考虑,抱着不正确的见解,把杜诗的光辉都掩盖住了。再如杜甫在乾元二年由洛阳回华州,过了新安县,再到石壕村,再到潼关,那么"三吏"的诗的次序应该先是《新安吏》,再是《石壕吏》,再是《潼关吏》,而一般的编次则把《潼关吏》一首放在三首的中间,这看来是小事，却反映着对杜甫的作诗的感情有些隔膜，也就是没有把杜甫的生活——他的旅行的状况给读者产生亲切的印象。因为从《新安吏》和《石壕吏》两首诗的不同的气氛，分明是诗人写了这一首突然又写那一首的，在《新安吏》里杜甫说了许多动感情的话，而在《石壕吏》里他一句话也不说，他倒是一夜没有睡觉，"夜久语声绝，如闻泣幽咽。"这两首诗的连续着写，真真反映了杜甫之为人。我们举了上面的例子，是想说明对杜甫的研究，虽然有许多方便，向来对杜诗的编年大体上是可信的，但在今天我们格外地要研究杜甫，这里确有"温故而知新"的问题。

一、难得的杜甫的歌颂人民

现代的鲁迅,在他还没有认识无产阶级,没有成为共产主义者的时候,有一个鲜明的特点,就是他自己说的,"憎恶这熟识的本阶级,毫不可惜它的溃灭"。毛主席称赞他的两句诗:"横眉冷对千夫指,俯首甘为孺子牛"。这就表现鲁迅的爱憎分明,爱人民,憎恶本阶级。凡对鲁迅的作品有所接触的人应该认识到这一点。古代杜甫的最大的价值也正在这一点,我们读他晚年在湖南写的一首《朱凤行》:

> 君不见潇湘之山衡山高,山巅朱凤声嗷嗷,侧身长顾求其曹,翅垂口噤心劳劳。下愍百鸟在罗网,黄雀最小犹难逃。愿分竹实及蝼蚁,尽使鸱枭相怒号!

这里"愿分竹实及蝼蚁,尽使鸱枭相怒号"表现了杜甫的爱憎分明,和鲁迅的"横眉冷对千夫指,俯首甘为孺子牛"一样,如闻其声,如见其人。在历史上,在知识分子当中,确乎没有第三人,像杜甫,像鲁迅,从感情上站在"蝼蚁"的一边,站在"孺子"的一边。

现代鲁迅思想感情的特点,是从中国社会的半封建半殖民地性质产生的,他痛恨"国民性",早期他还不知道他所痛恨的这个东西正是半封建半殖民地中国的统治阶级的阶级性。中国的劳动人民,倒是他自己说的,"至于百姓,却就默默的生长,萎黄,枯死了,像压在大石底下的草一样,已经有四千年!"我们试读他下面的极为沉痛的话:

> 幸而谁也不敢十分决定说:国民性是决不会改变的。在这"不可知"中,虽可有破例——即其情形为从来所未有——的灭亡的恐怖,也可以有破例的复生的希望,这或者可作改革者的一点慰藉罢。
>
> 但这一点慰藉,也会勾消在许多自诩古文明者流的笔上,淹死在许多诬告新文明者流的嘴上,扑灭在许多假冒新文明者流的言动上,因为相似的老例,也是"古已有之"的。
>
> 其实这些人是一类,都是怜悧人,也都明白,中国虽完,自己的精神是不会苦的,因为都能变出合式的态度来。倘有不信,请看清朝的汉人所做的颂扬武功的文章去,开口"大兵",闭口"我军",你能料得到被这"大兵"、"我军"所败的就是汉人的么?你将以为汉人带了兵将别的一种什么野蛮腐败民族歼灭了。
>
> 然而这一流人是永远胜利的,大约也将永久存在。在中国,惟他们最适于生存,而他们生存着的时候,中国便永远免不掉反复着先前的运命。(《鲁迅全集》第三卷,14—15页)

很分明，这是鲁迅耽忧中国在现代遭到帝国主义的侵略，"有破例——即其情形为从来所未有——的灭亡的恐怖"，如果不把腐败的统治阶级推翻的话。他最初从爱国主义的感情出发，把这种腐败叫做"国民性"，看上面所引的他举的实例，显然不是劳动人民的事，是中国的统治阶级的阶级性。在《写在〈坟〉后面》里面他划分清楚了，他这样说："古人说，不读书便成愚人，那自然也不错的。然而世界却正由愚人造成，聪明人决不能支持世界，尤其是中国的聪明人。"这说明鲁迅从生活经验当中"憎恶这熟识的本阶级"，支持中国历史的是不读书的"愚人"，——按其实指的就是中国的农民。

在唐代的中国封建社会里，杜甫是历史的证人。那时天下遭了胡人安禄山之乱，乾元二年春从洛阳回华州的路上诗人有一系列的创造，在暴露统治阶级的同时歌颂了农民。我们如果不懂得杜甫笔下的农民形象，就不会真正受这些诗的感染，也就不会向劳动人民学习，主要是学习劳动人民对生活的积极态度，富有正义感，他们捍卫了祖国。这一年三月里，唐郭子仪、李光弼等九节度使的兵在相州——邺城遭了大败，就是《新安吏》里写的，"我军取相州，日夕望其平，岂意贼难料，归军星散营。"郭子仪的部队退到河阳，保卫东京。所以《石壕吏》的老妇人说："老妪力虽衰，请从吏夜归，急应河阳役，犹得备晨炊。"《新婚别》的新妇对丈夫说："君行虽不远，守边赴河阳，妾身未分明，何以拜姑嫜？"《垂老别》的老汉对老妻说："土门壁甚坚，杏园度亦难，势异邺城下，纵死时犹宽。"这都是反映当时的局势的。杜甫本人这时正从洛阳往西走，亲眼看见了相州败退后的情形。当他走在新安县的路上，"喧呼闻点兵"，而所点的都是未成年的孩子,因为壮丁已经没有了,"次选中男行"。"肥男有母送,瘦男独伶俜"。起初是"喧呼",后来是"白水暮东流,青山犹哭声",这就是说小孩子都已走了,母亲们还在那里哭,其时是日暮。府帖是"昨夜下"的。这明明是诗人在新安道上以极大的同情心有意地写下从"昨夜"到这一日日暮人民所遭受的痛苦,不仅仅因为写诗的技巧的关系故而把事情写得精练。杜甫劝母亲们不要哭,"莫自使眼枯,收汝泪纵横,眼枯即见骨,天地终无情!"这不是亲眼看见哭的人耳朵里不离哭声万万写不出来的。往下还说了许多安慰的话。《新安吏》整首诗表现了杜甫的盛情。而在《石壕吏》里则是极怒,诗一开始就是"暮投石壕村,有吏夜捉人!"直到终篇为"天明登前途,独与老翁别"两句。这样一个人投村出村,满腹的愤怒和同情,作为千载下的读者,我们谁都看得出来。毛主席指示我们,"无产阶级对于过去时代的文学艺术作品,也必须首先检查它们对待人民的态度如何",杜诗所反映的诗人对待人民的态度,到今天犹足以教育我们。我们更要注意杜甫笔下的人物形象,从这些形象证明杜甫是真正地歌颂人民,好比《新婚别》的女子,旧日说诗的人也都说她"既勉其夫,且复自励,乃所谓发乎情,止乎礼义者也。"什么叫做"发乎情,止乎礼义"呢?其实就是杜甫给我们写了一个典型环境的典型性格。从这个环境看,这个昨夜新婚的男子今天早晨是非从军不可的,当然不能说他是愿意,他同一般的农民一样,都是遭受压迫的。从这个昨夜新婚的女子看,她愤怒得很,诗里并没有写男子,而是写她,所谓"情"就是她的愤怒,杜甫把她的愤怒真写得真实。但怎么办呢?"父母养我时,日夜令我藏。生女有所归,鸡狗亦得将。君今往死地,沉痛迫中肠。誓欲随君去,形势反苍黄。"就是说丈夫不能不去,而自己不能不在家了。于是她劝丈夫:"勿为新婚念,努力事戎行!"旧日说诗的人说她是"止乎礼义",我们今天的分析则说杜诗刻划人物性格的发展,人民有正义感,当生活事实暴露在面前之后,自己的态度还是积极的,丈夫非从军不可。于是"自嗟贫家女,久致罗襦裳,罗襦不复施,对君洗红妆,……与君永相望!"这个夫妻之情该有多么重,他一定受了她的感动,她的两句话对他有决定的影响:"勿为新婚念,努力事戎行!"所以杜诗是歌颂人民。再看《垂老别》的老年人的形象,"投杖出门去",写这个老年人被催迫,要他去要得多么快!我们读了《石壕吏》也可以知道当时有被催迫的老年人。"同行为辛酸",我们又知道同去的有许多人,大家都可怜老年人。而老年人自己呢,乃连忙来一个幽默的动作:"男儿既介胄,长揖别上官!"这是诗人借"介胄之士不拜"的成语,写这个老年人投了杖之后已经是一个兵士了,来一个长揖不拜,逗得大家一笑。这是老年人转而安慰同行者。仇兆鳌对这两句解释道:"此叙出门时慷慨前往之状,乃答同行者。"这也是说明两句诗的形象性。杜甫用的"男儿"二字真是善于刻划,把"老"、把"兵"、把人民方面、把催逼的官吏方面,都写出来了。最后这个老年人说着"何乡为乐土,安敢尚盘桓"的话,同《新婚别》的女子最后说的话都是正义的人民的声音。《无家别》的男子,从邺城的败仗中回来,"归来寻旧蹊,久行见空巷"。像他这样的话真可爱:"安辞——且穷栖!方春独荷锄,日暮还灌畦。"这真是好农民的性格,一点也不表现着消极。杜甫不是为描写而描写的,他也没有为写诗而写诗的必要,"方春独荷锄"的"春","日暮还灌畦"的"日暮",反映着诗的真实性和具体性,记录了邺城吃了败仗那个春天一个"无家别"的男子的历史。

上面讲的是一个方面,主要的方面,杜甫从洛阳回华州路上写的诗的真实性和具体性,反映了时代,歌颂了人民,我们从这些诗看出了诗人杜甫的一段生活以及他的整个的人格。另外还有一首诗我们又必须注意,就是普遍传诵的《赠卫八处士》。我们把这首诗抄下来:

> 人生不相见,动如参与商。今夕复何夕,共此灯烛光。少壮能几时,鬓发各已苍。访旧半为鬼,惊呼热中肠。焉知二十载,重上君子堂。昔别君未婚,儿女忽成行,怡然敬父执,问我来何方。问答未及已,儿女罗酒浆。夜雨剪春韭,新炊间黄粱。主称会面难,一举累十觞。十觞亦不醉,感子故意长。明日隔山岳,世事两茫茫。

抄它是为得换一换空气,这首诗很容易把我们引向"桃花源"的世界里面去。而这个世界并不是什么空想,确是唐朝地主阶级的家庭生活,在战乱当中这个家庭安静得像"羲皇上人"。这首诗的编次,大家的意见是相近的,我们同意把它定为乾元二年春杜甫从洛阳回华州途中过了潼关之后访他的一位旧友——卫八处士的家而作。那么这是说《赠卫八处士》是同"三吏"、"三别"在一个时间一条路上写的了。是的,因此它应该引起我们的注意。在《新安吏》里,农民的孩子都去当兵了,"肥男有母送,瘦男独伶俜",而卫八处士家里,儿女成行,见了杜甫,"怡然敬父执,问我来何方,问答未及已,儿女罗酒浆",一点战争的影响没有。所以我们把"三吏"、"三别"和《赠卫八处士》一起读，才了解了唐朝封建社会的全面，一方面是农民从军作战，一方面是地主阶级过着剥削安逸的生活，寄生的生活。我们当然不是说杜甫能够对比着写两个阶级的生活，但对于诗人杜甫也难说他心里绝没有这个对比。他既然能把自己的家庭同一般的农民比过，如他在《自京赴奉先咏怀》里所说，"生常免租税，名不隶征伐，抚迹犹酸辛，平人固骚屑，默思失业徒，因念远戍卒，忧端齐终南，澒洞不可掇"，现在是目击新安县、石壕村的情况之后，到了这个安静的家庭里，诗人的思想感情一点没有触动之处吗？在《石壕吏》的开始是"暮投石壕村，有吏夜捉人"，在《赠卫八处士》里"怡然敬父执，问我来何方，问答未及已，儿女罗酒浆，夜雨剪春韭，新炊间黄粱"，都写出了旅途投宿的状况。在《石壕吏》里"天明登前途，独与老翁别"，《赠卫八处士》里"明日隔山岳，世事两茫茫"，我们认为确乎反映了诗人的感情，前者他不能忘记路上的农民的一家，依依不舍，后者他和卫八处士属于同一阶级，虽然境遇不同，而"世事两茫茫"，杜甫在这里分明看不见希望。

像上面的对比，一方面同情人民，对人民遭遇的痛苦抱不平，而在抵抗胡人的战争当中，把希望寄与人民，从《新婚别》的妇人口中表示出："勿为新婚念，努力事戎行！"另一方面"名不隶征伐"的地主家庭，《赠卫八处士》这一首诗是难得的史料，我们今天应该这样认识杜诗是诗史，它告诉我们人民是历史的主人。

"三吏"、"三别"是春天写的，就在这年七月至十月杜甫远客秦州，在秦州他写了《前出塞九首》、《后出塞五首》，都是歌颂农民的诗，写兵的诗。《前出塞》的主人公是唐代的一个农民，他从青年时从军，那是太明白了。《后出塞》从第五首"我本良家子"

句亦可证明这个人物是农民,因为如《哀陈陶》诗中所写,"孟冬十郡良家子,血作陈陶泽中水","良家子"指的是农民子弟。《前出塞九首》表示杜甫的歌颂诗达到最高的成就,我们真不应该忽视。"三吏"、"三别"如上所述,再从诗人更早写的《兵车行》来看,"道旁过者问行人,行人但言点行频",杜甫自己就是这个"道旁过者",他同兵士谈话,杜甫的诗都是从具体生活当中来,这是杜诗的真正价值之所在。乾元二年七月里他离开华州,度陇山,至秦州,在秦州住了一个短时期。这就是杜甫到了祖国的极西境了。他在这里看见了调往河北去的兵,如《秦州杂诗》第六首所写:"城上胡笳奏,山边海节归,防河赴沧海,奉诏发金微。士苦形骸黑,林疏鸟兽稀。那堪往来戍,恨解邺城围!"这个诗的体裁是律诗,而它的创作源泉同《兵车行》、"三吏"、"三别"等古诗是一样,是杜甫在秦州路上亲眼看见了"士苦形骸黑"因而写的,"那堪往来戍,恨解邺城围"可能就是兵士同杜甫说的话。所有杜甫的秦州诗表现着诗人一面忧蓟北,一面就忧秦州的吐番为患。如《秦州杂诗》第八首所写:"一望幽燕隔,何时郡国开?东征健儿尽,羌笛暮吹哀!"第七首有云:"蓟门谁自北?汉将独征西。"这是在秦州看见唐有将军在,(《日暮》诗对将军有描写:"将军别换马,夜出拥雕戈。")而连忙就想到蓟北,记起"出自蓟北门"的诗,当时蓟北为史思明所占据,那么"蓟门谁自北"呢?谁在那里走路呢?诗人自己这时是在秦州走路,他看见了许多可忧虑的事,如《寓目》有云:"羌女轻烽燧,胡儿掣骆驼,自伤迟暮眼,丧乱饱经过。"在他打秦州经过的第四年,代宗广德元年(七六三年),吐番果然入寇,并攻进长安都城。《前出塞九首》便是杜甫在秦州的不朽之作,是现实主义和浪漫主义相结合的诗,是爱国主义的诗,写着被压迫的农民形象,把阶级愤恨和保卫祖国的正义情感交织在一起,是"三别"的创造性的发展。同《后出塞五首》联系起来,杜甫又是有计划地创造两个典型人物了。这是毫没有疑问的,"三别"是有计划的创造,前后《出塞》也是有计划的创造。《前出塞九首》于乾元二年作于秦州,作者在第九首里等于告诉我们了:

  从军十年余,能无分寸功?众人贵苟得,欲语羞雷同。中原有斗争,况在狄与戎。丈夫四方志,安可辞固穷。

  按照向来的说法,"西方曰戎",主人公在秦州,秦州与吐番接壤,故他说他"在戎"。"在狄"是附带说的,也就是身在秦州,并忧河北未收复,按照向来的说法,"北方曰狄"。而乾元二年中原方面洛阳又为寇所侵占,合起来说当时唐朝的局势就是这两句:"中原有斗争,况在狄与戎。"这时杜甫客秦州。那么《前出塞九首》不是乾元二年杜甫在秦州写的,是什么时候写的呢?它所表现的杜诗的现实主义精神真是巨大。它又启示我们以典型塑造的方法,它说明生活是艺术的源泉,作家必须深入生活,作家创造人物必须有实生活作基础。杜甫创造《前出塞九首》曾经把他自己这次登陇山的生活经验结合起来写人物的,我们读第三首:

  磨刀呜咽水,水赤刃伤手!欲轻肠断声,心绪乱已久!丈夫誓许国,愤惋复何有?功名图麒麟,战骨当速朽!

这个形象,不能是从"陇头流水,鸣声幽咽,遥望秦川,肝肠断绝"的典故空想出来的,决定是杜甫运用了他自己登陇山的经验。他在《秦州杂诗》第一首里说,"迟回度陇怯,浩荡及关愁",而写起兵士来,则写这个兵士在陇水上磨战刀("磨刀鸣咽水"的"鸣咽"就指"鸣声幽咽"的"陇头流水"),这是唐代农民出身的兵,是杜甫写的!杜甫的秦州诗,因为是边塞诗,和他以前、以后写的诗比起来,格外有着"萧瑟"和"清新"的风格,说明杜甫受了庾信的影响。我们又必须懂得,杜甫是富有战斗性的,他的诗是"磨刀鸣咽水","丈夫誓许国",比起庾信文章"关山则风月凄怆,陇水则肝肠断绝",庾信是向关山"低头"。("低头"二字是庾信自己用的,他说过"不暴骨于龙门,终低头于马坂。")总之《前出塞九首》是文学史上的大事。我们从这第三首也应该相信它是杜甫从华州到秦州后写的,诗人杜甫之为人,他的生活和他的思想感情,不能给我们留一个强烈的印象吗?

《前出塞》作于秦州,如上所述。联系起来,《后出塞》亦必作于秦州。《后出塞》第五首写到"坐见幽州骑,长驱河洛昏,中夜间道归,故里但空村",这是主人公自述安禄山长驱洛阳他逃回家里,这是天宝十四载十二月的事,杜甫在十一月自京赴奉先以后没有机会遇见这种人物,只有乾元元年(七五八年)他从华州回洛阳时可能遇见,因而写出诗来。把这诗的写作时期推迟一年或几个月(从华州回洛阳是乾元元年冬,从洛阳回华州是乾元二年春,乾元二年七月至十月客秦州)当然也可以,就是推迟到客秦州时。客秦州而写《前出塞九首》、《后出塞五首》,分明是

"三别"的创造性的发展,是有计划地写诗,是杜甫的歌颂诗达到最高的成就。前人也有把前后《出塞》编在一起,认为是同时写的。如果把这两组诗分开,如一般把《前出塞》编在天宝中年,《后出塞》编在天宝末年,并没有根据,徒徒损害了杜诗的价值,不理解诗和生活的关系,不懂得伟大的诗人杜甫。

我们还必须把《前出塞九首》是阶级愤恨和保卫祖国的正义情感交织在一起的情况说清楚。首先要说明这九首诗是写一个兵士的传记。杜甫的这个写法本来是很明白的,所以旧日说诗的人都认为这九首诗"皆代为从军者之言","九首承接只如一首",只是他们不懂得写兵的意义,不懂得传记的意义,因而他们的话近于"作诗法"。我们今天是学习了毛主席文艺思想,在美学上懂得"写兵"的深刻涵义,读杜甫的诗乃能"温故而知新"。对这九首诗的内容,从前的人也说:"是公借以自抒所蕴。读其诗,而思亲之孝,敌忾之勇,恤士之仁,制胜之略,不尚武,不矜功,不讳穷,豪杰圣贤兼而有之,诗人乎哉?"那么《前出塞九首》是"豪杰圣贤兼而有之"的形象,旧日说诗的人也是认识的,不过他们不知道杜甫才真正是诗人,他能够写一个"豪杰圣贤兼而有之"的品质的兵,唐代的一个农民。诗第一首是:

> 戚戚去故里,悠悠赴交河。公家有程期,亡命婴祸罗。君已富土境,开边一何多?弃绝父母恩,吞声行负戈!

这是一个关中的老百姓,青年人,开始从军到西北交河地方去。在这第一首里说明了他要去的地方,他的"故里"是关中即秦川，读者到第三首"欲轻肠断声"句便知道（"欲轻肠断声"是从《陇头歌》"遥望秦川，肝肠断绝"来的，就是这个兵士自己说他在陇山遥望故里秦川），杜诗的简练每如此。这个人物最初是有怨恨的，有阶级的怨恨，对农民说是很自然的。如果诗仅仅有这一首，也是好诗，那就是讽刺开边之诗，但《前出塞九首》不如此，杜诗的人物性格是发展的。我们读第二首：

> 出门日已远，不受徒旅欺。骨肉恩岂断？男儿死无时！走马脱辔头，手中挑青丝。捷下万仞冈，俯身试搴旗！

比起第一首来，形象不同了。他还没有忘记家，所以说着"骨肉恩岂断？"他总有愤慨，所以说"男儿死无时！"这句话极深刻，因为自己不是生活的主人，随时给人送死似的，然而他到底是马上荷戈，所以道出"男儿"二字，有自负的气概。连忙就显自己的本事了，所以有"走马脱辔头"四句。

接着第三首便是登陇山而"磨刀呜咽水"的形象，是一路往前走。"丈夫誓许国，愤惋复何有"二句把第二首里"骨肉恩岂断，男儿死无时"的感情又发展了一步，完全是男儿的气概。他把"愤惋"丢在一边。第四首：

> 送徒既有长，远戍亦有身，生死向前去，不劳吏怒嗔！路逢相识人，附书与六亲，哀者〔哉〕两决绝，不复同苦辛！

说没有愤惋,这又是愤惋!《前出塞》的价值是双管齐下,一面写阶级压迫,一面就写劳动人民"丈夫誓许国"的正义情感,是很明白的。杜诗又是多么真实,多么具体,写远戍之人在路上的生活。第五首:

迢迢万里余,领我赴三军。军中异苦乐,主将宁尽闻?隔河见胡骑,倏忽数百群。我始为奴仆,几时树功勋!

前面写了四首,共三十二个句子,而实写了这个兵士走了万里路的生活。到这第五首,开始过戍卒生活了,而一下子又控诉军中待遇不平等。而"隔河见胡骑"又动了立功之心,于是就发出天真的叫喊:"我始为奴仆,几时树功勋!"这正是主人公感,悲愤于自己是在军中做奴隶而已。这两句诗旧日说诗的人最不能懂得,我们看一看仇兆鳌注,什么"卫青奋于奴仆",什么"封常清始为高仙芝傔,……此亦起于奴仆者",这就是士大夫的封建思想,与杜诗所表现的民主思想、爱国主义不可同日而语,杜诗的民主思想、爱国主义是从人民来的。

共是九首诗,从第一首到第五首,是实写,杜甫已把他的人物写给我们了,谁都不能忘记这个人物了,第六、第七、第八三首乃虚写。第六首表示对国防的理想,"苟能制侵陵,岂在多杀伤。"因为这个人物是真实的,所以这个理想也是真实的,读起来一点也不感到是诗人杜甫在那里发议论。第七首写戍守,第八首写临敌制胜,用了"汉月"的词汇,用了"单于"的词汇。杜诗里常有这种写法,《兵车行》里就有"汉家",有"武皇",然而我们并

213

不怀疑杜甫写的不是时事。现在这里第八首"单于寇我垒","虏其名王归",指的也是时事,据《通鉴》,天宝十载有"擒吐番酋长石国王揭师王"的记载。我们当然无须穿凿,但杜诗没有为写诗而写诗的情形。至少这里表示了杜甫的理想,也就是充实诗里主人公的性格。杜诗的主人公的性格是发展的,当其离家时,表现他的愤恨,"君已富土境,开边一何多!"这是真实的,自然的,遭受压迫的农民容易有这种愤恨。而自从到了边疆之后,看见胡骑,就有立功之心。立了功,"虏其名王归",而表现着"潜身备行列,一胜何足论"的思想感情。在这里我们还应该注意,一般史书上的记载,总把擒贼擒王的事记在某个大将的名下,杜诗则是描写"潜身备行列"的士兵的功绩。第九首便是"从军十年余"的总结,我们开始已经讲过了。杜甫在这总结的一首里,爱国主义的感情甚重,谁读了都能受到感动,不要争功,贵有"四方志",捍卫祖国。而发出这个呼声的是一个遭受压迫的农民,他的个性已经充分表现在他的阶级愤恨上面,杜甫把他写得多么可爱,多么真实,多么理想。毫无疑问,《前出塞九首》是"三别"诗的创造性的继续发展,是杜甫的歌颂人民的诗达到最高峰。同"三别"诗一样,有了诗所写的人物的形象,也就有了诗人的形象,我们读了《前出塞九首》,爱好它的人物形象,于是它的创造者杜甫的形象对读者说是太可景仰了,尤其是当我们了解了它是杜甫在秦州写的。

在这里我们也另外抄一首诗来换一换空气,广德元年吐番攻进长安杜甫在四川梓州写的一首《冬狩行》:

君不见东川节度兵马雄,校猎亦似观成功。夜发猛士三千人，清晨合围步骤同。禽兽已毙十七八，杀声落日回苍穹。幕前生致九青兕，駞驼𪊽麚垂玄熊。东西南北百里间，仿佛蹴踏寒山空。有鸟名鹡鸰，力不能高飞逐走蓬，肉味不足登鼎俎，何为见羁虞罗中？春蒐冬狩侯得同，使君五马一马骢。况今摄行大将权，号令颇有前贤风。飘然时危一老翁，十年厌见旌旗红。喜君士卒甚整肃，为我回辔擒西戎！草中狐兔尽何益，天子不在咸阳宫！朝廷虽无幽王祸，得不哀痛尘再蒙！呜呼得不哀痛尘再蒙！

这是杜甫写他眼中的大将，这完全是暴露，是讽刺。这当然是真实的历史。

以上我们说明杜甫以爱国的深心，满腔热情地歌颂人民，他又极其敏锐地暴露统治阶级之无能。我们首先要这样认识杜甫。

二、难得的自我暴露

杜诗的暴露,其本质是暴露剥削阶级,包括作者自己。当然,这并不是说杜甫已经懂得"阶级",他有的时候阶级偏见还很重,如他在《茅屋为秋风所破歌》里同情天下寒士,同情自己这一阶层的人,而对农村的孩子则大骂:"南村群童欺我老无力,忍能对面为盗贼!"这就是阶级偏见,指"南村群童"为"盗贼",失掉他本来有的"不为困穷宁有此"的胸怀。然而杜甫在复杂的社会现象当中确实看出了阶级对立的事实:"朱门酒肉臭,路有冻死骨!""彤庭所分帛,本自寒女出,鞭挞其夫家,聚敛贡城阙!"这都写在《自京赴奉先咏怀五百字》里。在《兵车行》里,他把他自己作为一个道旁过者,同被征的兵谈话,被征的兵答他:"长者虽有问,役夫敢伸恨?且如今年冬,未休关西卒,县官急索租,租税从何出?"因为积了这些活生生的生活经验,《自京赴奉先咏怀》里写他自己到家时的情况才能写:"入门闻号咷,幼子饥已卒。吾宁舍一哀,里巷亦呜咽。所愧为人父,无食致夭折。岂知秋禾登,贫窭有仓卒。生常免租税,名不隶征伐,抚迹犹酸辛,平人固骚屑。默思失业徒,因念远戍卒,忧端齐终南,澒洞不可掇。"这就把自己的家庭和"平人"分开了。其所思的"失业徒",所念的"远戍卒",在杜甫明明是有记忆的,他自己的家庭和他们比起来居于有特权地位之列。社会就是这样的阶级对立，一直到晚年，自己飘流在湖南，有《遣遇》一诗，写着："石间采蕨女，鬻市输官曹。丈夫死百役，暮返空村号。闻见事略同，刻剥及锥刀。贵人岂不仁，视汝如莠蒿。索钱多门户，丧乱纷嗷嗷。奈何黠吏徒，渔夺成逋逃。自喜遂生理，花时甘缊袍。"这无意中把杜甫是一个寒士的形象写得很生动，"花时甘缊袍"，而其"自喜"的心理也暴露得极有趣，就是侥幸自己这一家还没有到民不聊生的地步，睁开眼睛一看，到处是"刻剥及锥刀"！凡这些，都表现杜甫看出了社会上分两种人，一种是人民，一种是剥削阶级，他自己虽然穷困，是属于后一种的，"生常免租税，名不隶征伐。"

　　暴露自己是很不容易的事，要像杜甫这样的深入生活的人才能做到一些。深入生活的具体意义在旧时代就是深入到人民的痛苦生活当中去。要像杜甫的"夜投石壕村"，要像他在湖南真正地接触了"石间采蕨女"，要像他"骑驴三十载，旅食京华春"，确实做了"爷娘妻子走相送，尘埃不见咸阳桥"的道旁过者。这样的人才能暴露自己"朝扣富儿门，暮随肥马尘。"这样的人才能写出《狂歌行赠四兄》这样的诗来："与兄行年校一岁，贤者是兄愚者弟。兄将富贵等浮云，弟窃功名好权势。长安秋雨十日泥，我曹鞴马听晨鸡。公卿朱门未开锁，我曹已到肩相齐。"有时又啼笑皆非，很难分出是暴露，还是自怜，还是自己炫耀，如杜甫写过他长安过考的情况："忆献三赋蓬莱宫，自怪一日声烜赫。集贤学士如堵墙，观我落笔中书堂。"又写他做官的时候怕遇见上司："徒步翻愁官长怒"，请假不去又提心吊胆的，"东家蹇驴许借我，泥滑不敢骑朝天。已令请急会通籍，男儿性命绝可怜！"所有中国的诗人，没有像杜甫这样的坦白的。陶渊明是很诚实的人,他写起诗来就是含蓄,所以含蓄的原故,是他怕他说的话不诚实,他不肯自欺,这正是陶渊明的美德,如他的《饮酒》的一首:"在昔曾远游,直至东海隅。道路迥且长,风波阻中途。此行谁使然?似为饥所驱。倾身营一饱,少许便有余。恐此非名计,息驾归闲居。"他本来是问他自己,当初为什么跑得那么远呢?出来求官做呢?要答这一问,说是因为饥寒交迫,可以的,像什么"冬暖而儿号寒,年丰而妻啼饥"正是好文章,然而陶渊明不肯这么说,他在早年家里还未必穷到这个地步,出来恐怕也是自己想做一做官,所以他的诗写着"似为饥所驱",一个"似"字,就是含蓄的写法了。杜甫就没有这个含蓄,他是暴露。陶渊明的诗也反映了陶渊明未曾深入生活,他很快就决定了自己的生活方式,"息驾归闲居。"当他真正遇到饥寒的时候,也只能说着:"人皆尽获宜,拙生失其方。理也可奈何,且为陶一觞。"这表现的是统治阶级内部的问题,所说的"人皆尽获宜",是他自己所属的这一个阶级的人。"理也可奈何"的"理"正属于维护其社会秩序的上层建筑的范畴,不像杜甫"自喜遂生理"的话暴露出一种"苟活"的心理,即是社会的不合理。中国古代的知识分子反映统治阶级内部矛盾问题的确实不少,有些人向来称之为愤世嫉俗,其实是本阶级的矛盾,他们又喜欢歌颂自己,阮籍可以算是一个典型。阮籍作了《大人先生传》,所谓大人先生,当然是阮籍自己一流,就是对自己歌颂。他所刻划的裤裆中的虱,可谓真实得很,但这些虱也正是"君子","汝君子之处区内,亦何异夫虱之处裈中乎?"所以阮籍所暴露的矛盾是统治阶级内部的事。阮籍也是善于妥协的人,而在他的诗里把他的妥协也写得很美丽,也还是自我歌颂,像这样的形象:"曲直何所为,龙蛇为我邻!"真非阮籍不能写,感情真实得很,很有气魄。他认为他同龙一样,能够"曲",那么他的妥协也正是凤毛麟角了。凡这些,都说明一件事,知识分子能够把自己和劳动人民比是不容易的,他们注意的焦点是在一个阶级之中,所以像阮籍那样,"青眼"也是对本阶级的人看,"白眼"也是对本阶级的人看。只有唐代的杜甫,他深入生活,接近受剥削受压迫的劳动人民,他的诗就能歌颂人民,暴露剥削阶级,包括作者自己。后于杜甫有白居易,白居易的诗表现了暴露的性质,确乎是难得的,是白居易学习杜甫的暴露而且有所创造,他把暴露的主题给集中起来。同时我们必须指出,杜甫的诗和白居易的讽谕诗还存在着根本上的差异,比如白居易的《新丰折臂翁》,属于现实主义的批判性质,杜甫的《垂老别》就不能如此说,它揭露了社会的黑暗,而在黑暗的社会里总是有光明的,所以它歌颂人民。杜甫的暴露,暴露和人民对立的统治阶级,他自己也在内,白居易是自己居于人民之上,不过他确实要求做一个好官,如《新制布裘》所写:"丈夫贵兼济,岂独善一身,安得万里裘,盖裹周四垠,稳暖皆如我,天下无寒人。"这依然是自我歌颂,即是歌颂知识分子。

上面的话,不是为得抬高杜甫而把别的人都贬低一些,不是的,只因为在古代作家当中难得有杜甫这个人,他能够暴露自己,歌颂人民。根据我们今天的学习,什么叫做暴露,什么叫做歌颂,还不是一个容易的课题。必须接近人民,才懂得歌颂,也才懂得知识分子的局限性,对自我暴露感到亲切。鲁迅的《一件小事》应该给我们说明了一个规律,他的话该是多么亲切,"觉得他(一个车夫)满身灰尘的后影,刹时高大了,而且愈走愈大,须仰视才见。而且他对于我,渐渐的又几乎变成一种威压,甚而至于要榨出皮袍下面藏着的'小'来。"这就是两个阶级的对比,这说明了暴露和歌颂的规律。

三、杜甫走的生活的道路

  杜甫何以能够深入生活呢？这又是一个问题。有杜甫本人的个性的原因；有唐代知识分子所走的生活道路的原因，还有安史之乱，这是客观方面。杜甫和他同时的诗人也确有不同，如他和高适、岑参诸人同登慈恩寺塔，大家都写了诗，高、岑的诗和杜甫的诗比起来，杜甫反映了时代，高、岑写的是自己个人方面；〔，〕属于一般的知识分子的诗，这说明杜甫较之高适、岑参能深入到社会里面去。再如李白，他同杜甫其实是处于同一时代背景的，杜甫有长安十年的丰富经验，李白也有他的长安生活，也经过了安史之乱，也有长久的游走生活，但和李白比起来，杜甫深入民间，这应该说是他们个人的原因。然而杜甫之为杜甫，他在中国古代知识分子当中能够深入生活因而接近人民，我们必须注意的，还在于唐代知识分子（尤其是李白、杜甫的时期）所走的生活道路有其特殊的地方。他们的仕进，不同于隋以前完全由选举决定，也不同于唐以后完全由科举决定，他们还很有自己选择的余地。还有，如孟浩然、李白，他们还可以不仕，孟浩然隐居而"风流天下闻"，李白离开长安，真是"奔流到海不复回"，这也是他们自己选择的，天下也容许这条路，唐以后的科举时代便不能说有这样的一条路了。杜甫所走的正是这个特殊的生活道路,沿着这个道路他便深入到社会当中去了。在他二十四岁的时候,应进士考试,这是走科举的路。考试落第了,这并没有对他起什么打击,这以后八九年他"放荡齐赵间,裘马颇清狂",不像后代的知识分子每每是一场考试决定了命运。从三十五岁的时候起,开始了他的长安十年的丰富生活,目的是一个,求官做。这证明唐代知识分子的仕进不止科举一条路,因为杜甫在长安走了许多路子(都不像二十四岁时应进士考试那一条正式的科举的路),以"天下通一艺者"的资格应过尚书省的试,自己向皇帝进过《三大礼赋》,结果"玄宗奇之,命待制集贤院",于是"召试文章,送隶有司,参列选序",还向皇帝进了一篇赋,两篇赋。都没有达到目的。他还走了向不少达官贵人投诗的门径。到了四十四岁的时候,他得了官职了,在两个官职之中还经过了自己的选择,他决定就右卫率府胄曹参军之职。以上说明杜甫的仕进的路不止一条,虽然条条都是不好走的。不好走是当然的,而路不止一条,是科举制度在杜甫时代还没有绝对化,杜甫从各方面都碰了一下,因而深入到生活当中去了。

就了率府的官之后,作了《官定后戏赠》,又作《去矣行》,就是要像陶渊明一样"归去来兮",而杜甫果然归奉先家中去,写了《自京赴奉先咏怀五百字》。这首《咏怀》的内容就决不是陶渊明的《归去来辞》可比,陶渊明的事情简单得很,虽然也坚决得很,他回来就不出去定了,杜甫的《咏怀》太复杂,包括的问题太多,下一步我们真不知道作者将怎么办。当然,这么一首划时代的诗岂能是一时的感情作用,回去之后又回到长安来做率府的官?像仇兆鳌那样的想法,那是太大的误解。仇注杜诗把杜甫归奉先后次年正月在奉先家中写的《晦日寻崔戢李封》的诗认为是杜甫时又在长安写的,再次年沦陷在长安城中写的《苏端薛复筵简薛华醉歌》也认为同《晦日寻崔戢李封》是同一个正月在长安的诗,这样杜甫归奉先后又回长安做率府的官了,事实是大谬不然。关于这些诗的编次,杨伦的《杜诗镜铨》是正确的。总之《自京赴奉先咏怀五百字》等于杜甫的《归去来辞》,倘若不是安禄山在天宝十五载(七五六年)打进了潼关,玄宗跑出长安了,肃宗即位于灵武,我们真不知道杜甫将怎样实践他的五百字的《咏怀》的。因为国难当前,肃宗即位于灵武,杜甫就很自然地采取了行动,从家里动身,"羸服奔行在",在路上被捉住了,遂陷贼中,陷在长安。以写在《自京赴奉先咏怀五百字》里那样严重的思想矛盾,以及它所反映的当时社会的矛盾,来一个奔赴灵武,在杜甫的主观上确实是得到了解决,就是后来《喜达行在》诗的两句:"今朝汉社稷,新数中兴年!"这样的生活的道路,至此暂告一段落,是杜甫走的。我们认为很分明,摆在杜甫面前让他选择的道路不止一条,这样在生活当中就产生了思想矛盾,他的思想矛盾又是以实际生活来解决的,所有这些都反映在杜甫的诗里。

我们考察一下杜甫长安十年以及沦陷长安又逃至凤翔的诗。

所有杜诗的具体性、真实性,表现在细节描写的手法上,杜甫在他的诗里一定要把具体时间、具体地点告诉读者,通过细节的描写。如《兵车行》,读者从"尘埃不见咸阳桥"以及"况复秦兵奈〔耐〕苦战"两句,就知道了出发地点在长安,兵是秦兵。从"未休关西卒"以及"君不见,青海头,古来白骨无人收",就知道要到达的地点是西边境。时间呢,是一年之中还没有到秋收的时候,从"禾生陇亩无东西"句可以看出,所以接着就是"且如今年冬,未休关西卒,县官急索租,租税从何出?"这是说,到了冬天索租的时候,关西兵未休,男子没有回来,家里的女人怎么办?"且如今年冬"一句的具体性,同前面"尘埃不见咸阳桥"的具体性一样,写出了言者、听者、身临其境者面对面的真实,不是间接的描写。而对读者说又没有不明白的地方,杜诗都是以高度的技巧传达生活的真实,这才是"诗史"的价值。

　　再看《丽人行》,"三月三日天气新,长安水边多丽人",这是杜甫长在长安水边走,目击的事情。最后一句:"慎莫近前丞相嗔!"这个形象的逼真不能是作者空想出来的,我们简直可以说杜甫自己也在群众之中,要"近前"去看一看,所以它同"尘埃不见咸阳桥"一样是直接从生活中取得的形象。《兵车行》、《丽人行》,是杜甫的了不起的创造,是诗人"骑驴三十载,旅食京华春"的收获。士大夫如果不参加到老百姓的一般生活当中去,对于这样的诗只好是"望尘莫及"。杜甫以前和杜甫以后,便没有这样的诗,是当然的,因为作诗者自己都没有杜甫的深入生活的机会,他们有一定的做官的路,其中陶渊明又自己说得明白,"实迷途其未远,觉今是而昨非",他的路走得"未远"了。

　　陶渊明一句话就决定了他的生活,"觉今是而昨非"。杜甫的思想则总是矛盾的,他没有一个简单的"今是而昨非"。杜甫的思想矛盾都反映在《自京赴奉先咏怀五百字》里,这五百字也就是生活本身的复杂的反映。"许身一何愚,窃比稷与契","生逢尧舜君,不忍便永诀",这应该是杜甫的主导思想,综观杜诗全部以及诗人的一生,谁都承认的,但我们看他的"永诀"这两个字,便和"生逢尧舜君"的思想矛盾,杜甫的"永诀"的感情甚重,"永诀"就是愤,就是他不相信有"尧舜君"的事实!在诗里他就这样刻划："况闻内金盘,尽在卫霍室。中堂有神仙,烟雾蒙玉质。暖客貂鼠裘,悲管逐清瑟。劝客驼蹄羹,霜橙压香橘。"这和《丽人行》是一样的反映,所以接着就是两句:"朱门酒肉臭,路有冻死骨!"但《自京赴奉先咏怀五百字》决不同《丽人行》那样简单,我们很难用一句话说明它的主题思想,就因为它所反映的矛盾太多了。"穷年忧黎元",这个感情是杜甫在任何时候都有的,他没有不"忧"之事,这也就是他解决不了问题,和"窃比稷与契"的思想矛盾,那就叫做"许身一何愚"。所以他又说:"非无江海志,萧洒送日月。"这两句反映了杜甫常常有的"归去来"的思想。这个思想,在他在长安十年,一直到他后来,表现在诗里。我们且说长安十年的诗,如《重过何氏五首》里他说:"何日沾微禄,归山买薄田。"在《送裴二虬尉永嘉》诗里说:"扁舟吾已僦,把钓待春风。"《留赠崔于二学士》诗里又说:"故山多药物,胜概忆桃源。"这都不是说假话,是真有那么的想法,是"朝扣富儿门,暮随肥马尘,残杯与冷炙,到处潜悲辛"的生活刺激起来的,是"独耻事干谒"的唯一的逃路。他还没有得到官职(,)他的家不知道什么时候从河南搬到长安来了,在长安杜曲却也是一个小地主,这时他也发过感慨:"自断此生休问天,杜曲幸有桑麻田,故将移住南山边,短衣匹马随李广,看射猛虎终残年!"我们已经说过,在杜甫的时代,如果真要归隐,是可以的,当时不乏其人,但杜甫的这种思想,是他的思想里的矛盾的一面,他的思想不是静止的,静止的"隐士"的思想在他倒是没有的。他自己说得非常好,"行歌非隐沦",就是说他不作官而作诗人,他也不是隐士了。在《咏怀五百字》里又说:"终愧巢与由,未能易其节。"即是说还是求官做,不能有巢由之节了。到了得了率府的官,作了《官定后戏赠》

的诗,又暴露了自己的矛盾:"故山归兴尽,回首向风飘!"这是说做官没有什么意义,对"故山"亦无归兴。其实他这时已没有一定的故乡,他的家已从长安移到奉先去了。连忙又作了《去矣行》,说着"野人旷荡无羁颜,岂可久在王侯间,未试囊中餐玉法,明朝且入蓝田山!"接着就归奉先,一直以来他的生活,他的思想,集中表现在《自京赴奉先咏怀五百字》里。我们把《官定后戏赠》、《去矣行》、《自京赴奉先咏怀五百字》三首诗联系起来,确实看得出杜甫长安十年最后等于赋一首"归去来兮",不过杜甫的《归去来辞》是他深入生活、自己的思想矛盾以及社会的阶级矛盾的记录。《咏怀》的下文怎么样,我们已经说了,是"羸服奔行在,遂陷贼中"。这是合乎逻辑的发展的,合乎杜甫的生活的逻辑,因为恰好是这一行动能统一他在《咏怀》里所反映的他的思想的矛盾,他奔向"中兴"的皇帝那里去!

杜甫沦陷长安城中这段生活不到一年的时间,从肃宗至德元载(七五六年)八九月间至次年四月里逃脱了。这期间写的《哀王孙》、《悲陈陶》、《悲青坂》、《塞芦子》、《春望》、《哀江头》,向来都是有名的诗。这些诗是杜甫写的,其形式,其内容,一望而知。这些诗表现了杜甫在国难当中的生活,也表现了杜甫在国难当中的思想,尤其是他肯定生活的态度,他对生活不丧失信心。如《春望》一开首就是这五个字:"国破山河在!"我们好像当面听见了杜甫的声音。一个"在"字,就是他后来在成都《登楼》诗中说的"北极朝廷终不改"的意思,不过在眼前"国破"的现实之下,"山河在"真喊得响亮。司马光说,"山河在,明无余物矣",这对杜甫的思想感情就没有把握住。"草木深,明无人矣",倒说得不错。再看看《哀江头》,"少陵野老吞声哭,春日潜行曲江曲",我们也仿佛看见杜甫就在眼前,我们知道他从前写过《丽人行》,也写过《乐游原歌》,他现在在"黄昏胡骑尘满城"的紧张日子里走到曲江来了,这个时候当然同"三月三日天气新,长安水边多丽人"的空气不一样,所以杜甫对唐明皇和杨贵妃很有一些同情,有一些感伤。但我们必须注意这两句:"人生有情泪沾臆,江草江花岂终极!"这表现杜甫的真正的感情还是爱国,"泪沾臆"是少陵野老自己的泪,"江草江花岂终极",仇兆鳌解释得不错:"江草江花岂终极乎?盖望长安之兴复也。"这个感情在同时写的《一百五日夜对月》里就说得更明白:"牛女漫愁思,秋期犹渡河!"杜甫真是不丧失信心。在天下太平的时候他游乐游园,他高唱:"此身饮罢无归处,独立苍茫自咏诗!"在《哀江头》里他倒没有苍茫无归之感,"黄昏胡骑尘满城,欲往城南望城北",这表现诗人是多么的沉着,正合乎四月里自京窜至凤翔的少陵野老的神气。《悲陈陶》,《悲青坂》,《塞芦子》,同以后写的《潼关吏》一样表示杜甫对重大事件的关心,而这三首诗是在危城中写的,在危城中他怕"帝阍"叫不应,"谁能叫帝阍?胡行速如鬼!"我们再看看这个春天里写的一首《喜晴》,这又反映了杜甫的思想的矛盾,我们把全诗抄下来:

皇天久不雨,既雨晴亦佳。出郭眺西郊,肃肃春增华。青荧陵陂麦,窈窕桃李花。春夏各有实,我饥岂无涯?干戈虽横放,惨澹斗龙蛇,甘泽不犹愈,且耕今未赊。丈夫则带甲,妇女终在家,力难及黍稷,得种菜与麻。千载商山芝,往者东门瓜,其人骨已朽,此道谁疵瑕?英雄遇辙轲,远引蟠泥沙。顾惭昧所适,回首白日斜。汉阴有鹿门，沧海有灵查。焉能学众口，咄咄空咨嗟。

这和沦陷期中其余的诗比起来，好像不是杜诗似的，其实这正是杜甫写的诗，一面写出了长安的萧条景况，而一面表现了诗人是多么地振作，"春夏各有实，我饥岂无涯？"这是杜甫在饥饿中对着桃李和麦秀的好容颜！"干戈虽横放，惨澹斗龙蛇，甘泽不犹愈，且耕今未赊。丈夫则带甲，妇女终在家，力难及黍稷，得种菜与麻。"这和后来写的《无家别》的主人公"方春独荷锄，日暮还灌畦"是一样的空气，杜诗总不是悲观的。而下面杜甫好像消极起来了，"商山"，"东门"，"鹿门"，"沧海"，正是一般隐士的口气。我们认为这不是消极，这合乎杜甫的生活逻辑，他的思想里总是矛盾的，因为现实生活本来替他统一不起来，他感到自己的做诗等于"空咨嗟"，对古代的有些"英雄"起向往之情，不敢轻易疵瑕。当然他也总没有走上他们的道路。这一段长安生活留下了杜甫的有名的诗，反映了他的光明的人格，千载读者感到光荣，又喜于诗人脱难了，其实杜甫脱难奔到皇帝所在地，他的价值，如诗人自己写的，"所亲惊老瘦，辛苦贼中来"，如此而已。更凄惨的是我们读一年之后写的一首诗——这首诗的题目很长，不忍卒读，写出来是：《至德二载，甫自京（金）光门出，间道归凤翔，乾元初，从左拾遗（移）华州掾，与亲故别，因出此门，有悲往事》。我们把这首诗抄下来：

此道昔归顺，西郊胡正繁。至今犹破胆，应有未招魂。近侍归京邑，移官岂至尊。无才日衰老，驻马望千门。

旧时代的社会就是这样的不合理,反映在杜甫的思想里,当然有矛盾的,"千载商山芝,往者东门瓜,其人骨已朽,此道谁疵瑕?"这才是杜甫。

上面的事实证明,杜甫在《自京赴奉先咏怀》里说着"生逢尧舜君,不忍便永诀",而他在一年多一点的时间里,至德二载至乾元初,他由京(金)光门,和长安永诀了。谁也没有留他,他自己也知道他是"永诀"了。

我们回头看一看他在长安做左拾遗的官的生活,也是有意义的。一句话,又是矛盾。杜甫写的朝皇帝的诗,我们认为很有它的价值,不能轻易说它是封建的。这样的诗,除了杜甫,谁都不能写呢。杜诗的价值每每表现了两点,一是诗的美丽,一是诗人性情的"真"。别人难得及他,就在于不及他的美丽和他的性情的"真"。他自己也说了,"为人性僻耽佳句",这是美丽;"不爱入州府,畏人嫌我真",这是性情的"真"。他写的朝皇帝的诗正是诗的美和诗人真性情的表现。如《奉和贾至舍人早朝大明宫》:

五夜漏声催晓箭,九重春色醉仙桃。旌旆日暖龙蛇动,宫殿风微燕雀高。朝罢香烟携满袖,诗成珠玉在挥毫。欲知世掌丝纶美,池上于今有凤毛。

又如《紫宸殿退朝口号》:

> 户外昭容紫袖垂,双瞻御座引朝仪。香飘合殿春风转,花覆千官淑景移。昼漏稀闻高阁报,天颜有喜近臣知。宫中每出归东省,会送夔龙集凤池。

这都经得起"文章千古事,得失寸心知"的考验。到了今天,我们还应该感谢杜甫,他把唐代的朝仪完全用图画留下来了。如果我们宝贵古代的文物,为什么不宝贵杜甫的这些庄严性的图画呢?就是"天颜有喜近臣知",也只见得杜甫可爱,他真正是"葵藿倾太阳"的性格,他认为皇帝应该是"圣人"!而事实上皇帝总不是"圣人",他就埋怨起来了,"唐尧真自圣,野老复何知!"可见他对于"圣人"并不是谄媚,而且他把人民的血汗看得非常贵重,"圣人筐篚恩,实欲邦国活,臣如忽至理,君岂弃此物?多士盈朝廷,仁者宜战栗!"他不懂得"圣人"是官的代表,他以为"圣人"是人民的代表,代表人民把俸禄给官,这是他的局限性。正因为他以为"圣人"是代表人民的,所以他写的朝皇帝的诗表现了诗人的性情的"真"。而思想上的矛盾也就来了。杜甫在长安做左拾遗的时候写的游曲江的诗也真是诗的美丽和诗人的性情的"真"的表现,我们只抄《曲江对酒》一首:

> 苑外江头坐不归,水精宫殿转霏微。桃花细逐梨花落,黄鸟时兼白鸟飞。纵饮久判人共弃,懒朝真与世相违。吏情更觉沧州远,老大徒伤未拂衣。

这就是思想的矛盾。杜诗总表现诗人对时光真爱好,而在美丽可爱的时光之下他的拂衣而去的感情是多么的真实!杜甫的归隐之思和陶渊明总不同，在他不是哪里有一块"自然"天地，所谓"久在樊笼里，复得返自然"，不是的，他写的曲江的诗，都是良辰美景，只是良辰美景逗起了诗人思想的矛盾，思想的矛盾就是他解决不了的现实生活的矛盾。

　　杜甫在乾元元年（七五八年）六月里同皇帝"永诀"了，——这"永诀"二字是他在《自京赴奉先咏怀五百字》里一口气说出来的，包含着丰富的思想感情，生活上则到这回"自京（金）光门出"，果然有"永诀"的事实。他从此决没有再回长安的思想，虽然他后来总是思慕长安，"每依北斗望京华"。他同他的故乡也早已永诀了，虽然到后来他也总是思故乡，"孤舟一系故园心"。长安不能回来，故乡不能归去，这两个范畴，故国和故乡，应该是杜甫灵魂的根据地，都丧失了，那么杜甫的生活道路从此就决定了，就是"行歌非隐沦"，——这五个字是他很早的时候在一首诗里一口气说出来的，可谓光芒万丈，伟大的杜甫的一生是这五个字的实践。他走出长安后，不知到了多少地方，走了多少路程，首先是华洛之行，再西至秦州，今天甘肃的天水，往南又走了一段极险的路到了四川成都。在成都好像是"卜居"了，然而没有住下去。再就是夔州生活，很可以"萧洒送日月"的，诗人还是出三峡，过洞庭，到了湖南的耒阳县境，两年之间，在湘江上死了，死时五十九岁。他的歌颂人民的诗，如我们所已讲过的，都是在路上写的。在生活当中培养了他的同人民站在一边的感情，虽然他不忘记他的知识分子的身分，自己比作凤凰，晚年写了一首《朱凤行》，但这个"朱"字就是"血"字，"血"字就是"泪"字，和《朱凤行》同时写的《客从》说得明白：

> 客从南溟来,遗我泉客珠,珠中有隐字,欲辨不成书。缄之箧笥久,以俟公家须。开视化为血,哀今征敛无!

在《朱凤行》里却是杜甫的极其愤怒的声音,从古以来懂得愤怒的杜甫,还是少的。

在这里我们想提出两首诗来,与杜甫的游走生活有关。一首是由秦州出发往同谷写的《赤谷》:

> 天寒霜雪繁,游子有所之。岂但岁月暮,重来未有期。晨发赤谷亭,险艰方自兹。乱石无改辙,我车已载脂。山深苦多风,落日童稚饥。悄然村墟迥,烟火何由追?贫病转零落,故乡不可思。常恐死道路,永为高人嗤。

一首是在湖南写的《次空灵岸》:

> 沄沄逆素浪,落落展清眺。幸有舟楫迟,得尽所历妙。空灵霞石峻,枫栝隐奔峭。青春犹无私,白日已偏照。可使营吾居,终焉托长啸。毒瘴未足忧,兵戈满边徼。向者留遗恨,耻为达人诮。回帆觊赏延,佳处领其要。

杜甫的这两首诗是有联系的,虽然写诗的时间相隔了十年。《赤谷》的话是直说,"常恐死道路,永为高人嗤",表现了他的思想矛盾。他走他自己的生活道路,和"高人"不同,"高人"当然指的是从古以来的隐士一派,他没有讽刺他们的意思,也并不是不相信自己,但死在道路上总是一个讽刺,他想到他要死在道路上了。《次空灵岸》则是经过十年之后,不妨说杜甫把天下的艰险都走过了,他的话就说得曲折,同时他的胸怀何其豁达,他没有什么叫做"遗恨"了。"遗恨"两个字即指《赤谷》诗里"常恐死道路,永为高人嗤"的两句话。我们绝对地相信,所有杜甫的诗,他哪里有什么个人的"遗恨"呢?他的生活道路是和人民共走的,他的足迹是伟大的祖国山川,"得尽所历妙"!

我们还应该注意杜甫过剑阁的时候写的《剑门》一诗,看他胸中有些什么思想。我们大家知道,毛主席对昆仑写了有名的词,"而今我谓昆仑,不要这高,不要这多雪。安得倚天抽宝剑,把汝裁为三截。一截遗欧,一截赠美,一截留中国。"这是大同世界的理想。古代的杜甫,他过剑门,思考的是古代中国的历史。历史上"并吞与割据"的局面,是不是因为"至今英雄人"高据险要的原故呢?"吾将罪真宰,意欲铲叠嶂!"他又知道这不是必然的原因,"恐此复偶然,临风默惆怅。"我们把他经险的诗通读起来,他对个人不是像对国家、对历史那么关心的。

在《剑门》的诗里杜甫想到了"真宰",他又认为"恐此复偶然",就是不相信有"真宰"。在另一个问题上杜甫确实相信"真宰",他在一首《遣兴》的诗里告诉天下的恶势力,你们的性命是不长的,等到你们遭灭亡的时候,再也不要说"真宰意茫茫"吧!我们今天知道,没有什么神秘的"真宰",社会生活是有它的客观规律的,根据客观规律,恶势力决不能久长。杜甫用了"真宰",是他相信恶势力不能久长,有他的深刻的经验。在另外一首《遣

兴》的诗里他用老虎的形象表现了他的思想,我们把它抄下来:

> 猛虎凭其威,往往遭急缚。雷吼徒咆哮,枝撑已在脚。忽看皮寝处,无复睛闪烁。人有甚于斯,足以劝元恶。

这不是对真理有信心的人万万写不出来,世上的老虎,它的皮不都是给剥下来了吗?它有什么"睛闪烁"呢?

最后我们把个人的生活道路和它的社会原因再谈一谈。杜甫和李白,他们的生活道路,是他们的社会允许他们走的。李白以布衣而召到金銮殿上去了,最后仍是"赐金归之",就是不给官他做,给钱叫他走了。于是李白就漫游起来。这是李白的被允许。杜甫在长安出来的时候是"移华州掾",是调职,一直到后来到处走,他还是个官,"已老尚书郎",不等于李白的"赐金归之"。实际上杜甫是自己"归之"。皇帝不要他在长安就是了,至于他到哪里去由他。杜甫的飘流明明也是社会许可的。这是政治的原因。但经济呢?杜甫一家人从长安出来以后最困难的日子是在同谷的时候,史书上都是这样记载,到了居成都草堂,日子就好过些了,是靠朋友的帮助,"故人分禄米","携钱过野桥"。这以后的生活,如夔州时期有奴仆,有田,有园林,住的地方不止一处,都不知是怎么来的,有自己说是买来的,"古堂本买藉疏豁","春深买为花",也不知道他的钱是怎么来的。这些财产后来都送给人了,自己走了。我们说这些,是指出杜甫所取的生活道路,在经济上是有一定的条件的。我们想,主要是别人送钱给他,至于他的"郎"官的俸禄,照他自己所说,"事主非无禄",似乎也是有的,但不知怎么给他。再看他从夔州出峡水上的生活,他的书籍都运走了,一定还不少,装在船上,"书史全倾挠,装囊半压濡"。他所心爱的一张几,也带在船上,不过日久损坏了,要把绳子层层捆起来,所以他说"乌几重重缚",——在旅行当中倒是运费的问题,不管东西的破旧。船上杜甫也总有仆人,"仆夫问盥栉"。凡这些,都说明杜甫的生活道路,还因为经济上有可能,客观上给了他一定的条件。否则如他自己在《闷》那一首诗里说的,"无钱从滞客",走不动了。

四、杜甫的思想的特点

　　一般都说杜甫是儒家,其实这样的提法,很是表面,不能说明什么问题。杜甫的思想,确实有它的特点,杜甫只能说是爱国的诗人,是人民的诗人,他的思想的特点就是他不属于哪一家。

　　在身分上杜甫当然不否认"儒"字,他说他"儒冠多误身",这同说某人是一个商人或者是一个农民一样,不等于有诸子百家的儒家的思想。他倒是明确地表示过:"儒术于我何有哉?孔丘盗跖俱尘埃!"这就很像《齐物论》一派人说的话。有《齐物论》思想的人也可以有儒家思想,甚至以儒家思想为主导,陶渊明就是显明的例证,但杜甫确不是儒家,我们看他说了这样有风趣的话:"小儿学问止《论语》"。这样的话连《世说新语》里面都找不出,到了韩愈、朱熹以后简直没有人敢说了。有许多人,如韩愈,是正统的儒家,他反对佛教,他主张"人其人,火其书,庐其居";如陶渊明,他本来是旷达的,但不肯同和尚有来往,莲社的和尚请他去,他说要让他喝酒他就来,来了,"忽攒眉而去"。杜甫不知道同多少和尚来往,他对他们都很有感情,很佩服,杜诗中怀僧、游寺、以及有关佛教道理的诗,或全篇,或几句,很不少呢。对我们有参考意义的有两回的诗,一次是他沦陷长安时到大云寺去(这时他在长安等于各处乞食,"诸家忆所历,一饭迹便扫",

到庙里去可能也是为得找饭吃),写有《大云寺赞公房四首》,有云:"既未免羁绊,时来憩奔走。近公如白雪,执热烦何有?"这说明和尚对遭难的诗人有帮助,杜甫接近和尚并不因为他相信佛教,他的交游广,他对生活的兴趣属于多方面,却是的确的。再一次是广德元年吐番陷长安代宗一度出走的时候,杜甫在梓州写了一首《山寺》,叙他同人在一个野寺里游,诗的开首是,"野寺根石壁,诸龛遍崔嵬。前佛不复辨,百身一莓苔。虽有古殿存,世尊亦尘埃。如闻龙象泣,足令信者哀。"这明明是受了时事的影响,因为当时"天子不在咸阳宫,……呜呼得不哀痛尘再蒙"。最后六句很可注意:"穷子失净处,高人忧祸胎。岁宴风破肉,荒林寒可回。思量入道苦,自哂同婴孩。"这岂不反映了杜甫有做和尚的思想?他笑他自己同小孩子一样,怕苦。我们认为杜甫的特点在于他的生活面广,他的思想的特点是他没有哪一家的教条,我们不能说他是儒家,正如我们不应该说杜甫信佛。杜甫确有下面的思想:

> 市人日中集,于利竞锥刀。置膏烈火上,哀哀自煎熬。农人望岁稔,相率除蓬蒿。所务谷为本,邪赢无乃劳。舜举十六相,身尊道何高。秦时任商鞅,法令如牛毛。(《述古三首》第二首)

这种思想是他不同意法家,但也不是儒家思想。(他举出了"舜",是他相信有那么的君,不是儒家虚构的道统观念。)同是这样的思想,他有时又用起佛教的词汇了,如《写怀二首》之一:

237

夜深坐南轩,明月照我膝。惊风翻河汉,梁栋日已出。群生各一宿,飞动自俦匹。吾亦驱其儿,营营为私实。天寒行旅稀,岁暮日月疾。荣名忽中人,世乱如虮虱。古者三皇前,满腹志愿毕。胡为有结绳,陷此胶与漆。祸首燧人氏,厉阶董狐笔。君看灯烛张,转使飞蛾密。放神八极外,俯仰俱萧瑟。终然契真如,得匪金仙术。

杜甫的这个思想是很真实的,也是素朴的,是农民的思想经过诗人用诗的句子写出来,因而显得华采些,说到"金仙"上去了。杜甫确乎不是儒家的思想,我们可以说他有一般农民的思想。他"自比稷与契",在他的诗里就是没有把自己和孔子的道理一起比较过,是很可注意的事。"稷与契"不过是素朴的农民思想的代表人物,是理想中的贤臣。我们读他的《昼梦》:

二月饶睡昏昏然,不独夜短昼分眠,桃花气暖眼自醉,春渚日落梦相牵。故乡门巷荆棘底,中原君臣豺虎边。安得务农息战斗,普天无吏横索钱。

再读一首《蚕谷行》:

天下郡国向万城,无有一城无甲兵。焉得铸甲作农器,一寸荒田牛得耕。牛尽耕,蚕亦成。不劳烈士泪滂沱,男谷女丝行复歌。

这两首诗表示了杜甫的理想,他的理想是具体的,素朴的,即男耕女织,没有贪官污吏。这就是农民的思想。农民总不情愿打仗,杜甫当然要看打什么仗,如在夔州写的《甘林》,记了他同一个老年农人的谈话,"主人长跪问,戎马何时稀?我衰易悲伤,屈指数贼围,劝其死王命,慎莫远奋飞。"这里的"贼"指吐番为寇,杜甫就劝农民不要逃兵役。《蚕谷行》是在湖南写的,杜甫正逢着湖南有内乱,所以他自己就是"烈士泪滂沱",替农民说话了。所有杜甫的诗,都是对现实生活表示态度和愿望,是一般老百姓的态度和愿望,儒家则是一种有系统的意识形态的代表,杜甫的思想我们认为归入不进去。

陶渊明的思想的特点是以儒家思想为主导,而一般还不感到陶渊明是儒家之徒。杜甫的思想的特点是他并不是儒家之徒,而一般认为杜甫是儒家思想的强烈的代表。这是什么原故呢?这恐怕因为陶渊明是学长沮桀溺的,要自己耕田,所谓"遥遥沮溺心,千载乃相关",而长沮桀溺是和孔子反对的;杜甫在历史上是"忠君"的代表人物,儒家思想最显著的一条就是忠君,所以杜甫公认为儒家。陶渊明学习长沮桀溺,但他最佩服的是孔子,他说"汲汲鲁中叟,弥缝使其淳,凤鸟虽不至,礼乐暂得新。"接着他就叹惜他自己的时代:"终日驰车走,不见所问津!"这是他以长沮桀溺自比,他没有遇见像孔子那样的人了。他不以长沮桀溺和孔子为对立面。这是诗人陶渊明的特点,我们且不多说。人民诗人杜甫,在他的思想里,也不是反对长沮桀溺的,在他生活困难的时候,他也想到自食其力,他会种药,他懂得药物,在同谷时他想到"采药吾将老"。总而言之杜甫没有隐逸的思想,生活可以有长沮桀溺的生活方式,在他的灵魂深处长沮桀溺的生活方式和"忠君"不是对立的。这就表现杜甫不是儒家,因为孔子之徒对长沮桀溺式的生活是这样批评的:"不仕无义。长幼之节,不可废也;君臣之义,如之何其废之!"杜甫的思想里当然没有这样的教条,他不认为一定要"仕"。他的生活实践明明证明他"行歌非隐沦"。杜甫的忠君思想,也正是封建社会里一般老百姓的思想,如《洛阳》所写:"洛阳昔陷没,胡马犯潼关,天子初愁思,都人惨别颜。清笳去宫阙,翠盖出关山,故老仍流涕,龙髯幸再攀。"这是老百姓喜欢看见皇帝,杜甫自己也正是这样忠君的。有时杜甫确实表现了封建思想,如《杜鹃》诗里竟写着"我见常再拜,重是古帝魂。生子百鸟巢,百鸟不敢嗔,仍为喂其子,礼若奉至尊。鸿雁及羔羊,有礼太古前,行飞与跪乳,识序如知恩。"这真叫做腐儒。在《牵牛织女》一诗里,腐儒又有极不腐的话:"嗟汝未嫁女,秉心郁忡忡,防身动如律,竭力机杼中。虽无舅姑事,敢昧织作功。明明君臣契,咫尺或未容。义无弃礼法,恩始夫妇恭。大小有佳期,戒之在至公。方圆苟龃龉,丈夫多英雄!"这最后两句,是说女子和男子地位不是平等的,不能闹别扭,闹起来女子是吃亏的,"丈夫多英雄"嘛!诗人多么站在被压迫者一边,这正是杜甫思想感情的特点,讲到底杜甫不是儒家的面孔。

一种思想意识的代表派别都是有体系的,儒家有儒家的体系,好比陶渊明的思想就反映了儒家的体系。我们已经说过陶渊明推崇孔子"凤鸟虽不至,礼乐暂得新",这是陶渊明为儒家的标志。还有,陶渊明在喝酒当中说他"重觞忽忘天。"连忙又解释:"天岂去此哉?任真无所先。"这样的自我夸大,在陶诗里不止一次,"啸傲东轩下,聊复得此生",空空洞洞地认为自己得着一个东西了,这个东西是绝对的。这种绝对思想,向来是"大儒"的标志。还有,陶渊明重视"乐",就是宋儒所谓"寻孔颜乐处"的乐,他虽然家贫,他确实是乐,这是读陶诗的人都能够认识的。以这三个标志来考察杜甫的思想,杜甫的思想里都没有。他不把"诗书礼乐"当作教条。杜诗里没有人生的绝对观念。杜诗里没有"孔颜乐处"的乐。所以杜甫不是儒家一派。

儒家当然也口不谈仙道。杜甫虽然和李白很有些不同,早年他说他"未就丹砂愧葛洪",但杜甫并不是否认有葛洪这类人物的,他明明寻访过这类人物。他的绝笔诗《风疾舟中伏枕书怀呈湖南亲友》里面正是把家事与丹砂并起来谈,"家事丹砂诀,无成涕作霖!"他是不是真的相信"葛洪尸定解"呢?难说他相信,也难说他不相信。我们也无须研究他是真相信,还是假相信。我们必须说明,杜甫有这种思想,是和他带着家人到处逃难的生活分不开的。我们把《风疾舟中伏枕书怀》最后六句都抄出来:"战血流依旧,军声动至今。葛洪尸定解,许靖力难任。家事丹砂诀,无成涕作霖!"这只能是乱离人对身家之忧的反映,自己死了,一具尸身和一家老幼,付托给谁呢?诗人是求湖南亲友了。又把同年同在这条路上舟中写的《咏怀二首》里的话抄来比较一下:"虎狼窥中原,焉得所历住?葛洪及许靖,避世常此路。贤愚诚等差,自合受驰骛。"这是他在舟中想到如果再往前走就是葛洪和许靖从前走的路了,一个尸解得仙,一个携带亲族避乱。杜甫这时自己总是病,他的诗真实地反映了他在这个环境当中的思想感情。他带着一家人长途跋涉的生活当然是不容易的,他有多少次的长途跋涉,当他从同谷入蜀过飞仙阁时,写有《飞仙阁》,飞仙阁是飞仙的地方,所以杜甫有句云:"歇鞍在地底,始觉所历高。往来杂坐卧,人马同疲劳。浮生有定分,饥饱岂可逃。叹息谓妻子,我何随汝曹!"这是说他自己也应该作飞仙才好,但妻子为什么紧紧跟着自己呢?这是多么真实的话!一直到死的时候,还是叹息:"家事丹砂诀,无成涕作霖!"

总括上面的话,把诗人杜甫说成儒家,是不能说明问题的,杜甫的思想的特点在于它真实地反映了生活。

五、杜甫的性格的特点

　　对杜甫的性格我们提出四个特点：一是激烈；二是乐观；三是杜甫有大量的山川草木的诗，但他根本上没有"卜居"的要求，也不是"一生好作名山游"；四是"语不惊人死不休"的癖性。下面我们分别加以说明。

　　先说杜甫的激烈。"激烈"这两个字是杜甫自己曾经用过的，他说："穷年忧黎元，叹息肠内热。取笑同学翁，浩歌弥激烈。"很明白，杜甫的"浩歌弥激烈"必须同他对现实生活联系起来，必须看出他同"同学翁"的不同。就拿他同李白来说吧，他在最初认识李白的时候就有《赠李白》的诗，"痛饮狂歌空度日，飞扬跋扈为谁雄？"他是欣赏李白，并不是批评李白，李白也是激烈的，"痛饮狂歌"，"飞扬跋扈"，不过杜甫的激烈和李白不同罢了。他的这一首《赠李白》就写得很激烈，异乎常调，把要说的话都说出来了。杜甫以后怀李白的诗都写得激烈，我们抄一首："死别已吞声，生别常恻恻。江南瘴疬地，逐客无消息。故人入我梦，明我长相忆。恐非平生魂，路远不可测。魂来枫林青，魂返关山黑。君今在罗网，何以有羽翼？落月满屋梁，犹疑照颜色。水深波浪阔，无使蛟龙得！"这真是激烈之声，不平之气。杜诗的激烈之处，明代的杨慎表示过不满，他对"慎莫近前丞相嗔"，"千家今有百家存","哀哀寡妇诛求尽","但有牙齿存,所悲骨髓干",都认为是写得不含蓄的。我们认为"激烈"正是杜甫的价值,同谷七歌,《茅屋为秋风所破歌》,为什么一望而知是杜甫的诗呢?别人没有这样的激烈的声音。"莫自使眼枯,收汝泪纵横,眼枯即见骨,天地终无情!"这是激烈。"夜〔暮〕投石壕村,有吏夜捉人!"这是激烈。为什么要"含蓄"呢?"新松恨不高千尺,恶竹应须斩万竿!"这一望而知是杜诗,因为它表现了激烈的杜甫。当他初营成都草堂那年,好像过的是安静的日子了,但他的心情还是激烈的,我们读他的《晚晴》:"村晚惊风度,庭幽过雨沾。夕阳薰细草,江色映疏帘。书乱谁能帙,杯干自可添。时闻有余论,未怪老夫潜。"(王符有《潜夫论》)这个"老夫潜"不像晋代的陶潜,倒像我们现代的鲁迅。陶潜有时对着人不说话,如《饮酒》诗所说:"觞来为之尽,是谘无不塞。有时不肯言,岂不在伐国?仁者用其心,何尝失显默。"他是心中有数,有些话他不肯说,不是不屑于说。杜甫的"潜"乃是激烈,表示了他的"不屑于",像鲁迅在一篇文章里说的"不说"。"何以不说之故,也不说。"然而我们为鲁迅这个"不说"的神气所感染了,感得作者的激烈。杜甫的"未怪老夫潜"也是一样。因为杜甫的激烈的性格,杜诗所取的形象常常出乎别人的意外,真真标志着杜诗的美丽。如《瞿塘两崖》:"三峡传何处?双崖壮此门。入天犹石色,穿水忽云根。猱玃须髯古,蛟龙窟宅尊。羲和冬驭近,愁畏日车翻。"这个"日车"的形象该有多么美丽!我们读着感到这个太阳真有翻车的危险,比起李白的"捶碎黄鹤楼"、"倒却鹦鹉洲"显得利害得多,它确实是从杜甫平日的"愁"来的。又如《衡州送李大夫赴广州》:"斧钺下青冥,楼船过洞庭。北风随爽气,南斗避文星。日月笼中鸟,乾坤水上萍。王孙丈人行,垂老见飘零。"杜甫以太阳为笼中鸟呢,在世界文学史上难得有这个美丽的形象,表现了诗人的灵魂是多么的激烈!在杜诗里绝对没有"人生如梦"一类的话,"日月笼中鸟"出在他的口中。

其次说杜甫的乐观。杜诗里动不动就是"忧"字,动不动就是"愁"字。杜甫他确实是"忧端齐终南",他确实是呼吁自己"春来花鸟莫深愁"。然而杜诗的总的空气是乐观,杜甫的总的精神是乐观。我们谁都相信他的"北极朝廷终不改"的信心,他的信心正是在"花近高楼伤客心"之下表现出来的。乐观精神是能够传给人的,必须在困难之中才表现一个人的乐观精神。杜诗的乐观空气,杜甫的乐观精神,传给了千古的读者。他从同谷入蜀的路上写的诗,我们可以想像他当时遇到的困难是很不容易克服的,读了他的诗却是感到他的天真烂漫,饶有风趣。读《泥功山》这一首:

朝行青泥上,暮在青泥中。泥泞非一时,版筑劳人功。不畏道途永,乃将汩没同。白马为铁骊,小儿成老翁。哀猿透却坠,死鹿力所穷。寄语北来人,后来莫匆匆。

走在这个路上该不是开玩笑的事吧,不小心你就要"汩其泥"了,杜甫写得多么有趣!他的小孩子当时也可能像泥菩萨了。杜诗传给我们的是乐观空气。如在成都写的《百忧集行》:

忆年十五心尚孩,健如黄犊走复来。庭前八月梨枣熟,一日上树能千回。即今倏忽已五十,坐卧只多少行立。强将笑语供主人,悲见生涯百忧集。入门依旧四壁空,老妻睹我颜色同。痴儿不知父子礼,叫怒索饭啼门东。

这是五十岁的杜甫,其实他还是"心尚孩"。"老妻睹我颜色同",是说家里的人以为他在外面吃了饭喝了酒回来了,看了他一眼,而"颜色同",即是同为饥色,写得饶有风趣。小孩子的形象更妙。读了这种诗,我们一点也不是愁眉苦脸的,为杜诗的乐观空气所感染了。再读出三峡后写的《江汉》:

江汉思归客,乾坤一腐儒。片云天共远,永夜月同孤。落日心犹壮,秋风病欲苏。古来存老马,不必取长途。

"片云天共远,永夜月同孤"是杜诗的句子,杜甫的形象。"落日心犹壮,秋风病欲苏"也正是杜诗的句子,杜甫的形象,他向来是"日暮聊为梁甫吟"的。关于"古来存老马,不必取长途"有不同的解释,我们认为杜甫是一种幽默的说法,也就并不真是一位腐儒者的口气,他是说古来存老马,不必要老马总在路上走吧。杜甫是有风趣地说他自己的飘流生活。

再说杜甫有大量的山川草木的诗,但他根本上没有"卜居"的要求,也不是"一生好作名山游"。这关乎诗人性格的特点,必须指出来。人们将问,杜甫一到成都的时候就经营草堂,一开始就写了《卜居》的诗,怎能说他没有"卜居"的要求呢?我们把这一首《卜居》的诗抄下来：

　　浣花溪水水西头，主人为卜林塘幽。已知出郭少尘事，更有澄江销客愁。无数蜻蜓齐上下，一双鸂鶒对沉浮。东行万里堪乘兴，须向山阴入小舟。

我们认为这首诗真正表现了杜甫的性格，他开始写《卜居》的诗，写到第六句就想到走了，"东行万里堪乘兴，须向山阴入小舟"，所以他确实没有卜居的意思。他写这首诗之前，在一年之内，该走了多少路。他写这首诗之后，过了几年，又该走了多少路，一直到死无葬身之地。在中国封建社会里，"卜居"其实就是过地主的生活，像辛弃疾的《西江月》，就是地主家长"以家事付儿曹"，"乃翁依旧管些儿，管竹管山管水。"杜甫在夔州的时候几乎像"卜居"的样子，毕竟还是居不下去，走了。他在成都草堂，头一年还显得安静，如仇兆鳌所说，"盖多年匍匐，至此乃得少休也。"到第二年春天，自己就同自己闹起来了，我们读《绝句漫兴九首》第一首：

　　眼见客愁愁不醒，无赖春色到江亭，即遣花开深造次，便教莺语太叮咛！

这简直达到了一种颠狂状态。在《江畔独步寻花七绝句》第一首就自道"颠狂"：

　　江上被花恼不彻，无处告诉只颠狂！走觅南邻爱酒伴,经旬出饮独空床。

这是合乎杜甫的思想情况的,他经常有思想矛盾,他怎么会求一个安定的生活呢?所以我们说他没有"卜居"的要求。同样,他也不是"一生好作名山游"。他游了名山大川,他写了大量的山水诗,他绝没有为写景而写景的事情,他是"花近高楼伤客心,万方多难此登临"罢了。我们引过他的《次空灵岸》一诗,在这首诗里有"可使营吾居,终焉托长啸"的话,也有"回帆觊赏延,佳处领其要"的话,好像有"卜居"的要求,好像以游历为心愿似的,其实不是,实质是杜甫对生活总有新鲜感,对自然世界和对社会现实一样。所以在这诗里就有两句:"青春犹无私,白日已偏照。"

再说杜甫的"语不惊人死不休"的癖性。杜甫的这个癖性是很容易看得出的,他在青年的时候写的《望岳》,出语就惊人,"岱宗夫如何?齐鲁青未了!"这决定是杜甫诗集的语言,别人的集子里夺不去了。又如他晚年写的《登岳阳楼》,"昔闻洞庭水,今上岳阳楼,吴楚东南坼,乾坤日夜浮!……"我们可以想像,这和他早年写《望岳》是一样的"语不惊人死不休"的神气,不是"老去诗篇浑漫与"了。当然,"老去诗篇浑漫与"的情况是有的,但"语不惊人死不休"的癖性是年既老而不衰。我们必须注意,杜甫所谓"惊人",和他的"不薄今人爱古人,清词丽句必为邻"分不开,所有古代作家当中,要说尊重别人的创作成果,杜甫是第一。前乎他的,他把谁都赞美过;和他同时的,谁都经过他的赞美。他赞美过许多人的画,他的题画的诗也都是"语不惊人死不休",一定要把画师的真本领写出来。他赞美民间艺人的歌唱,他的《听杨氏歌》这样写:"佳人绝代歌,独立发皓齿。满堂惨不乐,响下清虚里。江城带素月,况乃清夜起。老夫悲暮年,壮士泪如水。……"这种诗的手法真是"响遏行云"!这表现杜甫"语不惊人死不休"。他赞美公孙大娘舞剑器,"观者如山色沮丧,天地为之久低昂!"这也是"语不惊人死不休"。杜甫的这个癖性,是他懂得艺术之所以为艺术,诗之所以为诗。

六、杜诗的妇女形象

　　中国的作家,从屈原起,有一个"思美人"的倾向。《离骚》里"哲王又不寤"的上一句,就是"闺中既以邃远兮"。所以刘安和司马迁都说:"《国风》好色而不淫,《小雅》怨悱而不乱,若《离骚》者,可谓兼之。"萧统批评陶渊明"白璧微瑕,惟在《闲情》一赋",他没有了解到陶渊明的这一赋,是有传统的呢。到了晚唐李商隐,乃是发展到一方面去了,他的"《小雅》怨悱而不乱"的一面就减了色。(其实从李商隐的"君王不得为天子,半为当时赋洛神"的诗看来,他也还是有怨悱的。)杜甫,他在中国诗人当中,可谓最没有"思美人"的一面。他有《佳人》一篇,这是我们特别要提出来讲一讲的。杜甫的"佳人"的形象,和屈原的美人,和陶渊明的美人,都不同。和他同时的李白写的美人,也不同。杜甫所歌的"绝代有佳人",她有着唐代封建社会里妇女自己的生活和人格。而且杜甫同情她的社会地位和男子不平等,她被弃。拿李白的诗来说,"笑出花间语,娇来竹下歌,莫教明月去,留着醉嫦娥",这已是李商隐式的幻想了,即是诗人自己脑中的女人。现实生活当中的妇女,她们自己不会有"奔月"的思想的。说实话,诗人诗中的妇女,并没有离开男子的装饰品的性质。杜甫的"佳人"则不然,她是现实生活当中的一个妇人。我们把这首诗抄下来：

> 绝代有佳人，幽居在空谷。自云良家子，零落依草木。关中昔丧乱，兄弟遭杀戮。官高何足论，不得收骨肉。世情恶衰歇，万事随转烛。夫婿轻薄儿，新人美如玉。合昏尚知时，鸳鸯不独宿。但见新人笑，那闻旧人哭？在山泉水清，出山泉水浊。侍婢卖珠回，牵萝补茅屋。摘花不插发，采柏动盈掬。天寒翠袖薄，日暮倚修竹。

杜甫创造这个人物时，有没有浪漫主义的因素，那是另外一回事，但这个人物的性格是真实的，她所处的环境也是有代表性的。民间文学的妇女，如《孔雀东南飞》的主人公，是现实生活当中的妇女，那是明白的事，杜甫的《佳人》的意义，也正表现了杜诗妇女形象的社会意义，我们必须指出来。

所有杜甫关于妇女的诗，都有反映社会生活的特点，《负薪行》写的是夔州的劳苦妇女，《又呈吴郎》诗里是"无食无儿一妇人"。《听杨氏歌》和《观公孙大娘弟子舞剑器行》，诗人笔下都是有独立人格作为民间艺人的女子。

以"为人性僻耽佳句"的杜甫难道他不能像别的诗人一样会画仕女图吗？当然不是，他有《数陪李梓州泛江有女乐戏为艳曲二首》，我们抄下来：

> 上客回空骑，佳人满近船。江清歌扇底，野旷舞衣前。玉袖凌风并，金壶隐浪偏。竞将明媚色，偷眼艳阳

天。白日移歌袖,青霄近笛床。翠眉萦度曲,云鬓俨成行。立马千山暮,回舟一水香。使君自有妇,莫学野鸳鸯。

杜甫的这个艳曲,有其特点,像"江清歌扇底,野旷舞衣前",正是杜诗的名句,但作者在这里是客观态度,这个客观态度是杜甫其他诗所没有的。原因是杜甫对他的艳曲的描写是受"使君自有妇,莫学野鸳鸯"的思想指导的。当然,杜诗没有道学气。所以我们说这个艳曲有其特点。在这里我们想到一个问题,男女自由恋爱,是天经地义,但爱情是不是应该专一?容不容许泛爱众?我们认为诗人杜甫是个榜样。在共产主义社会里也必有婚姻法。从这个意义上说,萧统对陶渊明《闲情赋》的批评,还是应当考虑的。

七、杜甫的一生对我们的借鉴

我们研究了杜甫的生活和思想,这对我们有什么借鉴的作用呢?

我们的研究,是理论联系实际的一项具体课程,是学习了毛主席《在延安文艺座谈会上的讲话》,《讲话》的精神指导我们来读杜诗的。在"五四"新文学以后,受了欧洲资产阶级批判的现实主义的影响,有它的好的一面,但也有消极的一面,主要是不懂得歌颂性质的文艺,仿佛文艺就是暴露,因此也不懂得暴露本身还有一个立场问题,要看暴露的是什么。毛主席指示我们:"只有真正革命的文艺家才能正确地解决歌颂和暴露的问题。"又说:"对于人民,这个人类世界历史的创造者,为什么不应该歌颂呢?"在我们中国的文学史上,杜甫的诗明明可以作我们今天的借鉴,杜甫歌颂人民。不要光看到杜诗的艺术性高,杜甫的创作源泉明明是在彼时彼地的人民生活当中。

杜甫是唐代的一位知识分子。他一生的生活证明在旧社会里有良心的知识分子就是没有出路。他做官也不成,"归去来兮"也不成。他的价值决定于他在一定程度上深入到人民的生活当中去。其余的只表示他一事无成。这明明摆出了古代诗人生活的路。毛主席向现代的知识分子说:"知识分子如果不和工农民众相结合,则将一事无成。"我们坚决地相信这是历史必由之路。

　　杜甫对他自己的诗当然是肯定的,但他也说过"斯文亦吾病"(《早发》)的话,这话他说得极其真实。他的意思是说他有时不能不做一些应酬人的诗。我们感到他有时也并不选择题材,什么都要写一写。难得的,他对为人民服务的民间艺人估价甚高,怀着真心尊重的感情,如《听杨氏歌》里说:"古来杰出士,岂特一知己,吾闻昔秦青,倾侧天下耳。"公孙大娘弟子李十二娘演出以后,杜甫和她很是惜别,"老夫不知其所往,足茧荒山转愁疾。"我们认为社会主义社会以至共产主义社会,文艺是为人民服务。杜甫"斯文亦吾病"的话,对我们也有反面的借鉴作用。

杜甫诗论

手稿,作于1963年8月,未署名。原计划有八个专题,即"生活是诗的源泉""杜诗的各体""杜诗的表现方法""杜诗的语言""杜诗的风格""杜诗怎样学习前人""杜诗对后代的影响"和"杜诗对我们今天的借鉴",仅完成第一个专题一部分。据手稿排印。

生活是诗的源泉

毛主席在《讲话》里作了科学的论断,人民生活"是一切文学艺术的取之不尽、用之不竭的唯一的源泉。这是唯一的源泉,因为只能有这样的源泉,此外不能有第二个源泉"。过去的文艺作品,"是古人和外国人根据他们彼时彼地所得到的人民生活中的文学艺术原料创造出来的东西"。我们在《杜甫论》里讲的,其最主要之点就是说明杜甫的创作源泉是在彼时彼地的人民生活当中,杜甫的价值,杜诗的成就,是杜甫确确切切地曾经同当时劳动人民接近。现在我们把杜甫诗各个阶段的情况都摆出来,生活是诗的源泉,完全得到证实。

除最早写的少量诗不算外,杜甫诗,按着年代,分九个时期:

一、长安十年的诗

二、沦陷长安和逃至凤翔的诗

三、在长安做左拾遗的诗

四、华州掾期间的诗

五、秦州诗

六、同谷诗

七、入蜀诗

八、夔州诗

九、出蜀入湘诗

在这九个时期的诗当中,我们以为第一期长安十年的诗,第四期华州掾期间的诗,还有第五期秦州诗,这三个时期的诗是决定诗人杜甫的价值的关键,也就是说,杜诗的现实主义的主要因素,在这个时期当中集中起来了,虽然杜甫的最好的诗不限定在这三个时期当中,各时期都有他的代表作。我们在《杜甫论》里,就是以长安十年的诗、华州掾期间的诗、秦州诗作为栋梁构成大厦的。

长安十年的诗

长安十年的诗像《兵车行》、《丽人行》、《自京赴奉先咏怀五百字》三篇作品,应该说在古典文学里是空前而且绝后,它们证明古代知识分子谁也赶不上杜甫的深入生活。这三首诗简直是缺一不可,缺其一就不足以见杜甫的生活和思想的全面。以杜甫生活和思想之丰富,在帝都的十年之中,就有了这三首诗的收获了。在这三首诗之前,杜甫在长安住了二年,当他三十七岁的时候,写有《奉赠韦左丞二十二韵》一首:

纨绔不饿死,儒冠多误身。丈人试静听,贱子请具陈。甫昔少年日,早充观国宾。读书破万卷,下笔如有神。赋料扬雄敌,诗看子建亲。李邕求识面,王翰愿卜邻。自谓颇挺出,立登要路津。致君尧舜上,再使风俗淳。此意竟萧条,行歌非隐沦。骑驴三十载,旅食京华春。朝叩富儿门,暮随肥马尘。残杯与冷炙,到处潜悲辛。主上顷见征,欻然欲求伸。青冥却垂翅,蹭蹬无纵鳞。甚愧丈人厚,甚知丈人真。每于百僚上,猥诵佳句新。窃效贡公喜,难甘原宪贫。焉能心怏怏,只是走踆踆。今欲东入海,即将西去秦。尚怜终南山,回首清渭滨。常拟报一饭,况怀辞大臣。白鸥没浩荡,万里谁能驯?

对这首诗旧日说诗人持有不同的说法,这些说法,又同是因为这首诗对诗体的创造所引起的。这首诗,是杜甫感到他要写长篇大论的文章似的来写诗了。是的,杜甫写的《赠韦左丞》就等于司马迁的《报任安书》,司马迁这篇有名的作品是他写的一封信,并非存心在那里做文章。他"意有所郁结,不得通其道,故述往事,思来者",写起来就滔滔不绝,一波未平,一波又起,一封信本来已经写完了,还要加一句:"要之死日然后是非乃定!"这一句就等于杜甫《奉赠韦左丞二十二韵》的最后一韵:"白鸥没浩荡,万里谁能驯!"这是很明白的,诗写完了,不平之气又要添这两句。如果说杜甫这首诗有什么文章作法,像旧日说诗人范元实所说:"其布置最得正体,如官府甲第,厅堂房舍,各有定处,不可乱也。"那便应如朱鹤龄所批评:"未为知言。"不过,若如朱鹤龄的意见,认为杜甫的这首诗"应与昌黎《上宰相书》同读",我们也不能同意。韩愈只做古文,古文确有文章作法,"如官府甲第,厅堂房舍,各有定处,不可乱也",而杜甫是像司马迁一样,"悲夫,悲夫,事未易一二为俗人言也"!杜甫和司马迁不同的,是他写这二十二韵的时候,他的事业还没有展开,他还是刚刚露出诗的"蓓蕾"来!司马迁写《报任安书》的时候,他的《史记》早已是胸有成竹，剩下的是"藏之名山，传之其人"的事。我们就是重视杜甫是他在事业开始的时候写有这一篇《赠韦左丞二十二韵》，由他后来所有的诗证明它的真实性，诗人杜甫的一生确是"行歌非隐沦"。杜甫写这二十二韵的立场，并没有超越本阶级，他也说了大话，什么"致君尧舜上，再使风俗淳"。但他没有说假话，他的话是门面语。因而杜甫后来的成就都与这首诗有决定关系。首先是诗的创造性。杜甫对各体诗的运用都不是偶然的，大发议论的五言古体多有从这回开始出现了，就像庄周说"风"的话，"是唯无作，作则万窍怒号"。"纨绔不饿死，儒冠多误身"，我们一读就感到它的突兀，是杜甫一肚子不平之气因而呼喊出来的，并不如范元实所说："山谷谓文章必谨布置，每见后学，多告以《原道》，命意曲折。后予以此概考古人法度，如子美《赠韦左丞》诗云：'纨绔不饿死，儒冠多误身！'此一篇立意也，故使人静听而具陈之耳。"照这样的说法就完全误解了杜诗的创造性。像韩愈的文章确实有一套"布置"，应该叫做形式主义，杜诗乃是内容和形式的统一，他的《赠韦左丞二十二韵》在他的集子里就只有这一首，以后当然有五言古体，如《咏怀五百字》，如《北征》，而又是另外的古风了，一篇是一个样子。他用五言古体的形式，就因为他要发一套议论，这个形式最适合，而胸中议论又每不同，所以同样的五言古体，并非同种风格，像庄周说"风"的话，"夫吹万不同"，天下哪里有死板板的风呢？它是最有生气的东西，一吹一回新。杜甫当他在长安住了二年，当他三十七岁的时候，他感到他要写长篇大论的文章似的来写一首诗了，因为他很有生活的经验，他又不知道他将要怎么办，一开口是忍不住的两句："纨绔不饿死，儒冠多误身！"其实这两句就很不像他以前和他以后头上有一顶"儒冠"的人口中的话,不但这两句,在整首诗里都不是儒者的话,只有"致君尧舜上,再使风俗淳"才是儒家说教。"甫昔少年日,早充观国宾。读书破万卷,下笔如有神。赋料扬雄敌,诗看子建亲。李邕求识面,王翰愿卜邻。自谓颇挺出,立登要路津。"这些话同韩愈的《进学解》比起来,只是显得杜甫的天真,他像小孩子似的,我们今天还感得他可爱,而不是可笑。到了"此意竟萧条,行歌非隐沦",我们就真正佩服这一位豪杰之士,自己给自己指出了一生的道路。"骑驴三十载,旅食京华春。朝叩富儿门,暮随肥马尘。残杯与冷炙,到处潜悲辛。"这样没有知识分子架子的话,谁也说不出来,杜甫说了出来,我们今天才知道他是有出息,因为我们从旧社会过来的人每每自居为清高,像陶渊明的《乞食》:"叩门拙言辞",其结果是"主人解余意,遗赠岂虚来。谈谐终日夕,觞至辄倾杯。情欣新知劝,言咏遂赋诗"。这样陶渊明的局限性就显出来了,既不能深入到生活当中去,当然就无从改变立场。杜甫便能够改变自己的立场。这就是我们要讲《赠韦左丞二十二韵》的原故。在这首诗里明明还是"儒冠"的杜甫,到了写《兵车行》,就完全是人民的立场。这件事太大了!

《赠韦左丞二十二韵》是一部杜甫集里第一次对诗体的创造,他把诗拿来做长篇大论的文章写。《兵车行》是杜甫第二次对诗体的创造。就现实主义的价值说,《兵车行》当然又算第一首,它是作者长安十年划时代的杰作。我们现在讲《兵车行》。

《兵车行》对诗体的创造,前人的话都说得很好,如说它是杜甫因时事自出立意主题,说它用韵平仄互换,句子是七言而三五错综,曲折变化,开阖自由。如说"少陵不效四言,不仿离骚,不用乐府旧题,是此老胸中壁立处。然风骚乐府遗意,杜往往得之"。用杜甫自己的话也许就是"读书破万卷,下笔如有神"。然而我们今天知道,"过去的文艺作品不是源而是流",唐代诗人别人不能创造《兵车行》而杜甫创造之,还在于他"骑驴三十载,旅食京华春",他常常在长安道上走,他为人民作了记录:"车辚辚,马萧萧,行人弓箭各在腰。耶娘妻子走相送,尘埃不见咸阳桥。牵衣顿足拦道哭,哭声直上干云霄。"我们读了只感到作者是直接从生活里得来的。诗里的有些词汇当然是用了前人的,前人也都是前人的口语,如《诗经》"有车辚辚"的"辚辚","萧萧马鸣"的"萧萧"。其余便都不能说有出处,如"耶娘"二字,为什么一定要说出自《木兰诗》呢?"耶娘"要找出处,"妻子"当然也要找出处了,这不太可笑吗?《木兰诗》杜甫是读的,像他后来在成都写的《草堂》,有这样八句:"旧犬喜我归,低徊入衣裾。邻舍喜我归,沽酒携胡芦。大官喜我来,遣骑问所须。城郭喜我来,宾客隘村墟。"这是学木兰诗的"阿姊闻妹来,当户理红妆。小弟闻姊来,磨刀霍霍向猪羊"。但《兵车行》的"耶娘妻子走相送",是杜甫在长安道上看见耶娘妻子走相送,他就写了这七个字,与"读书"不能说有什么关系。更荒谬的是"尘埃不见咸阳桥"的"尘埃"二字,在仇兆鳌的注本里也引了出处,他认为出在楚辞:"蒙世俗之尘埃。"他并引钱谦益的话为杜甫的这句诗作解释:"尘埃不见,言出师之盛。"这把杜甫的"尘埃不见咸阳桥"七个字的形象,由这个形象所表现的诗的现实主义的精神完全糟蹋了!杜甫诗的形象是产生于生活当中,不是产生于故纸堆中。"尘埃不见",是杜甫当日站在路旁,一阵阵脚步快了,踏起了尘土,咸阳桥都给遮住了,哪里有什么"出师之盛"的意义呢?当时的天气是晴朗的,只是距地面近的范围灰尘蔽日,所以爷娘妻子哭起来"哭声直上干云霄"!这一幅图画把长安道上的哭叫和头上青天(的)无情都绘给我们了。杜诗形象的直接性,总是来自生活的耳闻目睹,如后来《新安吏》所写:"白水暮东流,青山犹哭声。莫自使眼枯,收汝泪纵横。眼枯即见骨,天地终无情!"同样是一面写眼下,一面写哭声直上。诗人杜甫就在这个天地之间,他为人民作了记录。我们再读:"道旁过者问行人,行人但云点行频。或从十五北防河,便至四十西营田。去时里正与裹头,归来头白还戍边。边庭流血成海水,武皇开边意未已。君不闻汉家山东二百州,千村万落生荆杞,纵有健妇把锄犁,禾生陇亩无东西。况复秦兵耐苦战,被驱不异犬与鸡。"这些句子都来得快极了,句子快,是《兵车行》的特点,这表示杜甫在下笔之时整个的诗已经有了,只须信笔抒写,而生活本身是复杂的,所以写起来势必显得曲折,然而还是来得快极了。写了十五从军现在四十岁的一个人,杜甫看见他了,看见他"头白还戍边",他发了许多怨言,从他的话里反映了当时"千村万落生荆杞。纵有健妇把锄犁,禾生陇亩无东西"。也就是他耽心他自己走了以后,家里的田地要荒废。而他又是逼迫着走的,"被驱不异犬与鸡"。诗人又赞美了人民的性格,就是"秦兵耐苦战"五个字,写得快而诗意不简单,是生活的真实的反映。家中女人究竟怎么办呢?我们读:"长者虽有问,役夫敢伸恨?且如今年冬,未休关西卒。县官急索租,租税从何出?"这是为"禾生陇亩无东西"的家中忧愁。往下"信知生男恶,反是生女好,生女犹得嫁比邻,生男埋没随百草!君不见,青海头,古来白骨无人收。新鬼烦冤旧鬼哭,天阴雨湿声啾啾"!这倒应该说杜甫是从读书来的。陈琳的《饮马长城窟行》有云："生男慎莫举,生女哺用脯。君独不见长城下,死人骸骨相撑拄。"这些话说得痛苦极了,悲愤极了。男子长大了免不了"长城下,死人骸骨相撑拄",所以"生男慎莫举",那女子有什么好命运呢?为什么"生女哺用脯"呢?从杜甫的《兵车行》看,女子还可以偷生,就是:"生女犹得嫁比邻!"所以《兵车行》最后的诗,显得杜甫痛苦极了,悲愤极了,对人民的感情太深了。诗中"且如今年冬,未休关西卒"两句,是去时(冬以前)想着年冬的话,这次的兵役是往关西去,当时设有关西游奕使,故曰"关西卒"。

《兵车行》显示了杜甫的伟大的创造,我们看得出,杜甫的创造是迫不及待的,明明是生活的召唤。

杜甫长安十年第二个伟大的创造是《丽人行》。

首先我们要注意的是《丽人行》作者的立场。旧日说诗人把杜甫的《丽人行》和《诗经·鄘风·君子偕老》比,其实不然。《君子偕老》所讽刺的对象是"不淑"的女人,是站在"君子"的立场,也就是丈夫的立场说话,虽然其讽刺是正确的。《丽人行》讽刺的范围则大得多,是讽刺一种政权,作者对"丽人"的态度无宁说是客观的,因为政权的腐败不能由她们负责,她们是像玩物似的。但《君子偕老》和《丽人行》也有一个共同的特点,两首诗都写了妇女的容颜和服饰之美,作者的态度是客观的刻画,把她们的美写得很好,《君子偕老》有"如山如河"、"鬒发如云"的形象,《丽人行》是"长安水边多丽人"、"绣罗衣裳照暮春",而作者一点也不像李商隐那个旁观者,自己每每是"不敢公然仔细看",就是李白的《清平调》,虽是替唐明皇写杨贵妃,也很表现了作者主观方面的情感,能够体贴入微,"解释春风无限恨,沉香亭北倚栏杆"。对"丽人"描写的客观态度,是诗人杜甫的伟大之处,表现他在此时此地完全是代表人民的利益说话,确确实实没有沾染剥削阶级男人对妇女的思想感情。怎么见得杜甫完全是代表人民的利益说话呢？我们读："紫驼之峰出翠釜,水精之盘行素鳞。犀箸厌饫久未下,鸾刀缕切空纷纶。黄门飞鞚不动尘,御厨络绎送八珍。箫鼓哀吟感鬼神,宾从杂遝实要津。"这同十八世纪的小说《红楼梦》比起来,《红楼梦》里也有太监马到贾府的文章,笔下总显得是一位阔人家的大事,不完全是暴露,杜诗则完全是诗人站在人民的立场上的控诉,室内生活是那么的奢侈,外面太监是那么飞奔而来,山珍海味川流不息送到,朝廷做大官的都挤在这里。最后是杨国忠来了,"后来鞍马何逡巡,当轩下马入锦茵。杨花雪落覆白蘋,青鸟飞去衔红巾。炙手可热势绝伦,慎莫近前丞相嗔"。这个"丞相"的面孔和中国在解放以前国民党蒋宋朝廷是一个面孔！杜甫是不是亲眼看见了这些事情呢？我们认为是的,《兵车行》是他在长安道上的记录,《丽人行》也是长安水边的记录。诗人的立场明明就是人民的立场。杜诗是内容和形式的统一,作者感得他要创造诗体,因为他有前所未有的思想感情要求表达出来。这就是"少陵不效四言,不仿离骚,不用乐府旧题"之故。"然风骚乐府遗意,杜往往得之。"当然,杜甫自己说了："别裁伪体亲风雅,转益多师是汝师。"

长安十年第三个伟大的创造是《自京赴奉先咏怀五百字》。

就诗体说,因为有《赠韦左丞二十二韵》在先,《自京赴奉先咏怀五百字》就显得不是突然而起的,正如现在有《自京赴奉先咏怀五百字》往后的《北征》就不是突然而起的是一样,作者显然是有意把一种体裁作了继续的发展。就诗的内容说,也必须有

《兵车行》在先,有《丽人行》在先,才能有《自京赴奉先咏怀五百字》所包含的丰富的思想感情,在古典文学的作家当中,杜甫以前未见,以后也未见。"默思失业徒,因念远戍卒。忧端齐终南,澒洞不可掇",这就是有《兵车行》的思想感情作为因素。"瑶池气郁律,羽林相摩戛。君臣留欢娱,乐动殷胶葛。赐浴皆长缨,与宴非短褐。""中堂舞神仙,烟雾蒙玉质。煖客貂鼠裘,悲管逐清瑟。劝客驼蹄羹,霜橙压香橘。"这就是《丽人行》的反映,现在诗人的思想范围扩大了,是要对社会现实作出概括:"朱门酒肉臭,路有冻死骨!""彤庭所分帛,本自寒女出。鞭挞其夫家,聚敛贡城阙!"而且作者把自己归到特权里面去了:"生常免租税,名不隶征伐。抚迹犹酸辛,平人固骚屑。"所以《自京赴奉先咏怀五百字》是杜甫在长安十年最伟大的创造,他把《兵车行》、《丽人行》的社会现实都集中起来考虑问题了,诗人的眼界明明看见了统治阶级和被压迫被剥削人民对立着的生活。我们从诗人在长安十年里虽然只举出这三首诗来作为代表,其所代表的意义有说不尽的深和广,不仅代表一个时代,不仅代表杜甫,乃是好不容易由杜甫代表了一个客观的真理,就是,艺术的来源是社会现实,艺术要反映社会现实,作家如何能深入到社会当中去才是问题的关键。

五百字,有说不尽的代表性,我们今天才能够根据阶级和阶级矛盾的道理来分析它,它的艺术感染力量却是吸引了向来的读者,这也说明这五百字是杜甫在千载一时写出来的,在他个人身上则有十年的生活经验的积累。杨伦《杜诗镜铨》在此诗后批云:"五古,前人多以质厚清远胜,少陵出而沉郁顿挫,每多大篇,遂为诗道中另辟一门径,无一语蹈袭汉魏,正深得其神理。"这种话虽是知其然而不知其所以然,也就是从"流"来看问题不能从"源"探寻问题,但对杜诗的艺术感染力量说得很不错,"少陵出而沉郁顿挫",这确乎是读了《自京赴奉先咏怀五百字》自然要想想唐以前同时也想想唐以后所得定评。杨伦又把这一首诗分成三段,在第一段有眉批云:"百折千回,仍复一气流转,极反复排荡之致。"其实就整首诗说也正是"百折千回,仍复一气流转",就是"沉郁顿挫"。五百字里面的话也正是如此:"忧端齐终南,澒洞不可掇。"一座山脉当然是百折千回,一座山脉又当然是一气流转。我们且看看这第一段怎样是"百折千回,仍复一气流转":"杜陵有布衣,老大意转拙。许身一何愚,窃比稷与契。居然成濩落,白首甘契阔。盖棺事则已,此志常觊豁。穷年忧黎元,叹息肠内热。取笑同学翁,浩歌弥激烈。非无江海志,萧洒送日月。生逢尧舜君,不忍便永诀。当今廊庙具,构厦岂云缺。葵藿倾太阳,物性固难夺。顾惟蝼蚁辈,但自求其穴。胡为慕大鲸,辄拟偃溟渤?以兹误生理,独耻事干谒。兀兀遂至今,忍为尘埃没。终愧巢与由,未能易其节。沉饮聊自适,放歌颇愁绝。"这是杜甫在长安十年整个的写照,一个活的人格,一个剥削阶级知识分子复杂的思想,一言难尽,因而"沉郁顿挫"。像陶渊明那样的诗人,如说他"独耻事干谒",如说他"未能易其节",如说他"沉饮聊自适,放歌颇愁绝",陶渊明可以无遗憾,我们没有误解他,只不过要他自己来说每句话当更显得有陶诗的韵味些。拿这些话当中的任何一句来说杜甫,就没有一句话像杜甫,虽然这些话明明是杜甫自己"咏怀"的。你说他"独耻事干谒"吧,他明明又"终愧巢与由,未能易其节",就是说他还是"干谒"了,十年当中他有不少"干谒"的诗。他有庄周的思想,所以他这样"咏怀":"顾惟蝼蚁辈,但自求其穴。胡惟慕大鲸,辄拟偃溟渤?"这明明是庄周"逍遥游"的思想,所以接着就说:"以兹误生理,独耻事干谒。"这无非是从"干谒"生活引起的思想矛盾。"葵藿倾太阳,物性固难夺。"这两句倒决定是杜甫,杜甫自道其忠君的思想。但由"葵藿倾太阳"而引起的"物性"的思想,就是"顾惟蝼蚁辈"四句,又其所以为"沉郁顿挫"之故。突出杜甫的"葵藿倾太阳"是可以的,如果取消了诗人的"终愧巢与由"的感情,就不合乎杜甫的实际了。他自己"穷年忧黎元",因而"取笑同学翁"。取笑便是杜甫为"腐儒",可见这个"同学翁"不装作儒者相了。"浩歌弥激烈",这又是"沉郁顿挫",他的"思君"思想不像他在一首诗里说的"君看随阳雁,各有稻粱谋",他自己确实是"穷年忧黎元,叹息肠内热"的。至于他的"江海志",也是真实的,是诗人本色的一面,"白鸥没浩荡,万里谁能驯"难道不正是杜甫吗?所以这五百字的第一段,"百折千回,仍复一气流转",它表现了杜甫的活的人格。由这第一段而写起第二段来,又是"百折千回,仍复一气流转",杨伦在旁边却另外批了三个字:"接陡健。"这也批得不算错,杜诗是"陡",是"健",但最主要的还是诗人思想感情上的"沉郁顿挫"。杨伦对这第二段的眉批云:"次叙自京赴奉先道途所闻见,而致慨于国奢民困,此正忧端最切处。"这只能是替杜诗分了段落,没有说明白分了段落而仍是"一气流转"。倒是他引的别人的话可谓中肯:"蒋云:叙事中夹议论,不觉发上指冠,大声如吼,即所谓激烈愁绝也。"其所以大声如吼,不同于一般的"致慨于国奢民困",表现了杜甫的"激烈"、"愁绝",是杜诗在本质上揭露了封建社会的阶级矛盾,杜甫所没有认识清楚的是一个"君"字究竟代表什么东西,他以为代表百姓,这是他的局限性。

我们可以说他的沉郁顿挫,正是从这个局限性来的。我们读这第二段:"岁暮百草零,……荣枯咫尺异,惆怅难再述!"首段里面尽是矛盾,这二段里面也尽是矛盾。矛盾是我们今天用的科学的术语,从杜甫自己起,以及于后来的读者,分明感到的,是杜诗的风格,所谓"沉郁顿挫"。"沉郁顿挫",无非是思想感情不简单,一句话说不清。好比"彤庭所分帛,本自寒女出。鞭挞其夫家,聚敛贡城阙。圣人筐篚恩,实愿邦国活。臣如忽至理,君岂弃此物?多士盈朝廷,仁者宜战栗!"这就是话说不清,沉郁顿挫,也可以说是"百折千回,仍复一气流转"。谁都能接触到杜诗的生动性,也就是诗的生命。我们再读第三段:"北辕就泾渭,……顿洞不可掇。"杨伦说这一段是遥接第二段"凌晨过骊山",更追忆当时"途次仓皇之状","末叙抵家事,仍归到忧黎元作结",杜甫自己"穷困如此,而惓惓于国计民生,非希踪稷契者,讵克有此。"这些话当然都是不错的,但都近于表面,不足以说明杜诗的"沉郁顿挫",也就是"百折千回,仍复一气流转"。杜诗的价值乃是现实主义,是杜甫在长安十年深入社会实际来的,他有写《兵车行》的生活经验,有写《丽人行》的生活经验,而且说"生常免租税,名不隶征伐"!当"入门闻号咷,幼子饿已卒"时,自然就"默思",就"念远",所以"忧端齐终南"了。所以一口气写了《自京赴奉先咏怀五百字》。若说"非希踪稷契者,讵克有此",那正是"生逢尧舜君"的思想,是一种表面性的东西,属于封建社会的上层建筑的范围,本着它何足以揭露社会矛盾呢?诗人杜甫又如何而能作自我解剖呢?杜诗又何以形成独特的"沉郁顿挫"的风格呢?

  以上我们讲了长安十年的三首诗,我们认为这三首伟大的创造是有有机的联系的,缺一不可,缺其一就不足以见杜甫的生活和思想的全面。当其写《兵车行》的时候,思想感情是替人民说话。当其写《丽人行》的时候,是暴露统治阶级。这两首诗分明是两个对立的面。等到写《自京赴奉先咏怀五百字》,就以五百个字把唐代的封建社会完全反映出来了,诗人自己处于什么地位也作了自我解剖。《自京赴奉先咏怀五百字》等于杜甫长安十年赋的一首《归去来辞》,但他不像陶渊明"实迷途其未远,觉今是而昨非",他的思想矛盾是没有得到解决的,因为现实生活的矛盾本来没有解决。

沦陷长安和逃至凤翔的诗

杜甫在长安十年的三首杰作,《兵车行》、《丽人行》、《自京赴奉先咏怀五百字》,是长期的现实生活刺激了他,因而他的诗在古典文学当中取得了现实主义最高的成就。在《自京赴奉先咏怀五百字》里,他的局限性表现在对"君"是一个什么东西他不能认识,他神秘地把他叫做"圣人"。至于什么叫做"彤庭",什么叫做"城阙",他认识了。"彤庭所分帛,本自寒女出。鞭挞其夫家,聚敛贡城阙。"他自己的家庭他也认识了,和"平人"是对立的,"生常免租税,名不隶征伐。"我们只能说这是杜诗所表现的现实主义,是作者从现实生活所激动起来的,是思想感情一时的迸发,并没有从根本上动摇作者的世界观,这是不可能的。一旦环境变了,地主阶级知识分子又最容易有思君的感情,最容易有思家的感情,这就形成杜甫沦陷长安这一短时期的诗的特点。《哀王孙》和《哀江头》,向来认为是杜甫的有名的诗,就是思君的诗,把这两首诗同《兵车行》、《丽人行》、《自京赴奉先咏怀五百字》对比起来,有着质的差异,然而两样的作品都不可移异地表现了杜诗的风格。杜诗的风格产生于杜甫总是努力反映不同的生活,他自己谓之"语不惊人死不休"。《哀王孙》是杜甫陷在长安写的第一首诗,他骤然看见"可怜王孙泣路隅,问之不肯道姓名,但道困苦乞为奴。已经百日窜荆棘,身上无有完肌肤。"

(后文缺)

关于杜诗两篇短文[1]

下面两篇短文不是同时写的,现在放在一个题目之下寄给"文学遗产"。《"听杨氏歌"解》作于今年的春节。第二篇是最近在"文学遗产"(《光明日报》,1957年3月24日)上读了乔象钟先生的《对于"杜甫写典型"一文的意见》因而写的一点东西。

一 "听杨氏歌"解

> 佳人绝代歌,独立发皓齿。满堂惨不乐,响下清虚里。江城带素月,况乃清夜起。老夫悲暮年,壮士泪如水。玉杯久寂寞,金管迷宫徵。勿云听者疲,愚智心尽死。古来杰出士,岂特一知己?吾闻昔秦青,倾侧天下耳。

这是杜甫的一首《听杨氏歌》,在夔州写的,我很爱它。我觉得这首诗比同在夔州写的《观公孙大娘弟子舞剑器行》更能直接

---

[1] 载《光明日报·文学遗产》1957年6月30日第163期,署名冯文炳。收入中华书局1963年2月版《杜甫研究论文集》二辑。

地写出当场的感情,尤其是写出了听众。《观公孙大娘弟子舞剑器行》我最喜欢末两句:"老夫不知其所往,足茧荒山转愁疾。"把老杜望着民间艺人奔走的后影,依依不舍,写给我们了。《听杨氏歌》我为什么爱它呢?已经说了,它直接地写出了当场的感情,尤其是写出了听众。老杜真是会写,他不从"江城带素月,况乃清夜起"写起,把不定感情的人就一定先写出这个时间和地点来,那就叫做一般化。老杜现在首先把那个女儿站在那里开口唱告诉我们,"佳人绝代歌,独立发皓齿",因为听众首先被吸引的是这两句的形象。"满堂惨不乐,响下清虚里",写唱真是写得快,一唱就把大家的心悲惨起来了,唱的一定是一首悲惨生活的歌;声音本来是佳人发皓齿而出,而老杜却写着"响下清虚里",声音已经是天空里下来,真会写女子的高音!比"响遏行云"更觉真实。在大家听了感得惨不乐之后,乃写"江城带素月,况乃清夜起",才不是一般地写时间地点,一般地写时间地点是文章作法一类,是作者应该让读者知道,与当场人的思想感情未必有关,杜甫的"江城带素月,况乃清夜起"乃同李白的"床前明月光,疑是地上霜,举头望明月,低头思故乡"一样,是当场人已经浸在月光之中,再望天上明月了。杜甫并没有告诉我们唱的是什么歌,我们推想可能是悲惨生活的故事,所以"老夫悲暮年,壮士泪如水。"未必是老夫无故生悲,也未必是触景伤情,应与歌辞有关,更不用说与歌调有关。唱歌的时间是不短的,所以接着写"玉杯久寂寞,金管迷宫徵",就是说大家听得有些迷胡了。但连忙两句,"勿云听者疲,愚智心尽死",我认为这两句写出杜甫的悲愤,他也不是借题发挥,是他当时实有此感,他告诉我们:"不要以为听者疲了,不要以为天下人不分愚智心都死了。"这个歌可能还与国事有关的。照语法,我认为不成问题,"勿云"贯两句。只是杜甫为什么用"愚智"这两个字?照汉语的语气,应该是说有一种人心死而有一种人心不死,所以才说不是"尽死"。我认为杜甫是说"智"心死,而"愚"心不死。"智"指士大夫阶级,"愚"指一般老百姓。"智"和"愚"犹如说"君子"和"小人"。上文"老夫悲暮年,壮士泪如水",正是老百姓心不死的表现。最后四句就用"响遏行云"的秦青的典故,表示杜甫对民间歌唱的爱好,它能够倾侧天下人的耳朵,也就是对民间艺人的尊敬。

以上是我对《听杨氏歌》的理解。其中有问题的是"勿云听者疲,愚智心尽死"两句。旧注作"老壮智愚即满堂中人,听若疲而心欲死,所谓惨不乐也。"我觉得"心欲死"决不是"心尽死"的意思。我认为"老壮"是"愚",即满堂中人,而"智"不在这里,在朝廷做官,他们的心死。我近来常常感到古代杜甫同现代鲁迅有相似的地方,鲁迅在早期曾无意中说出"不读书便成愚人,那自然也不错的。然而世界却正由愚人造成,聪明人决不能支持世界,尤其是中国的聪明人。"杜甫也叫我们不要以为"愚智心尽死"!鲁迅"横眉冷对千夫指,俯首甘为孺子牛",杜甫在一首《朱凤行》里则说"下悯百鸟在罗网,黄雀最小犹难逃。愿分竹实及蝼蚁,尽使鸱枭相怒号!"都是在人当中分出两种,一种指统治阶级,一种指人民。

我曾分析了杜甫的前后《出塞》,题为"杜甫写典型",发表于去年一月号东北人民大学《人文科学学报》,在那篇文章里引了《听杨氏歌》里面"勿云听者疲,愚智心尽死"两句,今天再把此诗全文解释出来。当然因为它值得解释。另外还有一个原因,读了一月号《文史哲》上面吴代芳先生《目前杜诗研究中存在的问题》的文章,吴先生说我对杜诗(指《听杨氏歌》和前后《出塞》)"不是进行艺术分析,而是机械地庸俗地搬用某些公式和术语"等等,其实我是进行艺术分析的,拙作《杜甫写典型》是对前后《出塞》进行艺术分析,对《听杨氏歌》也曾经过仔细分析,在《杜甫写典型》里只引用了它的两句罢了。

二 "前出塞"、"后出塞"不是写正面人物吗?

《前出塞》、《后出塞》不是写正面人物吗?是的,这两组诗各是写一个正面人物,等于杜甫替两个人物写的传记。《前出塞》这个传记共是九首诗,《后出塞》这个传记共是五首诗。这件事情本来是非常显著的,所以过去读杜诗的人也说"诸章皆代为从军者之言",又说,这两篇诗,九首或五首,"只如一首,章法相衔而下"。这当然是文章作法一类的话,但实际的意义就是说,这是两组诗,各写一个故事,每个故事是一个人的传记。怎见得这两个传记是写正面人物呢?我们也看过去读杜诗的人的话,他们对《前出塞》这样说:"是公借以自抒所蕴。读其诗,而思亲之孝,敌忾之勇,恤士之仁,制胜之略,不尚武,不矜功,不讳穷,豪杰圣贤兼而有之,诗人乎哉?"这当然是正面人物,"豪杰圣贤兼而有之"的品质。不过从前读诗的人不能懂得杜甫才是真正的诗人,所以他才能在他的诗里写了"豪杰圣贤兼而有之"的品质的一个兵,一个劳动人民,写得非常有个性。对《后出塞》前人也有这样的话:"将校有此一人,而不知其姓名,可恨也。"这明明也承认杜甫写的是正面人物。我觉得这个问题非常的显著,到今天我们应该用新的文艺理论的观点把它提高到科学水平,把它肯定下来，从而认识杜甫《前出塞》、《后出塞》的真实的价值。拙作《杜甫写典型》就是本着这种努力写的。我知道要说服读者我的文章写得不够详细，不够明白，而且笔锋常带感情也容易生出毛病，但杜甫的伟大的立场、伟大的艺术我是指出了方向的。我认为杜甫是站在人民的立场写农民出身的兵，而且写得人物个性分明，性格是发展的。我还肯定《前出塞》的人物应该是杜甫在秦州看见的，(《后出塞》的人物是安禄山打洛阳的时候间道逃归，诗中明白叙出来了)杜甫的前后《出塞》应该是在秦州写的，这是非常有意义的事，对于理解杜甫和他的诗和他的时代都极重要，乔象钟先生说我的这个论断"是并无事实根据所强下的论断，对于理解杜甫和他的诗并没有什么意义"，未免是一笔抹杀。分析文艺作品，什么叫做"事实"的根据，这是一件事；这个论断对理解杜甫和他的诗有没有意义，又是一件事。我认为我的论断是有意义的，而且是有根据的。乔先生说我"用了很多的篇幅来讨论这两组诗的写作时间"，我的"很多的篇幅"就是说明我的根据，可惜我不能在这里再说一遍。

在今天这篇短文里我也应该说明杜甫是站在人民的立场写农民出身的兵，而且写得人物个性分明，性格是发展的。达到这个目的真不难，只要"把这一组诗作为一个整体对待"，不"仅就个别诗句的表面来看"，如乔象钟先生所劝告我的。其实拙作《杜甫写典型》正是用了这样的方法。先说《前出塞》九首。第一首写离家，愤慨已极，"弃绝父母恩，吞声行负戈！"第二首写离家已远，"出门日已远，不受徒旅欺"，跟同伴们混熟了。当然也还是想家，所以说"骨肉恩岂断？"但他"捷下刀仞冈，俯身试搴旗"，就是说在马上显武艺，试着如何拔敌人的旗子。第三首写中途走到陇山,所以这一首第一句是"磨刀'呜咽'水",用了《陇头歌辞》"陇头流水,鸣声呜咽"的典故。这首诗真是写得悲愤,"欲轻'肠断'声,心绪乱已久?""肠断"二字也是从《陇头歌辞》"肝肠断绝"来的。接着"丈夫誓许国,愤惋复何有"两句,我认为真写得好,杜甫会写一个青年农民。在第二首里有"骨肉恩岂断,男儿死无时"两句,到了"丈夫誓许国,愤惋复何有",感情就更明朗化了,一方面表现出此人的爱国正义感,一方面他总有遭受阶级压迫的愤恨。第四首又具体地写路上遭受压迫,"生死向前去,不劳吏怒嗔!路逢相识人,附书与六亲……"写得太真实了。第五首写走了一万里路走到军中,"迢迢万里余,领我赴三军。军中异苦乐,主将宁尽闻?隔河见胡骑,倏忽数百群。我始为奴仆,几时树功勋!"我极爱"我始为奴仆,几时树功勋"两句,把封建社会里青年农民高贵的品质表现出来了,自己是爱国,是要立功,而实际上是在军中做奴隶。《前出塞》前五首已经把人物写在纸上了,个性是分明的,性格是发展的。第六首是发议论,说是人民的理想也可以,说是诗人杜甫的理想也可以,总之这一首插在这里极好,在前五首真实、美丽的形象之后,是容得下这种思想的:"杀人亦有限,立国自有疆。苟能制侵凌,岂在多杀伤。"第七首写戍守,还是想家,"已去汉月远,何时筑城还?"第八首写打胜仗,"潜身备行列,一胜何足论。"第九首写他"从军十年余",而他还在国防的西边,就是诗里说的"在戎"。而其时蓟北尚为史思明所占据,所以此人又不忘"在狄"的方面。戎者西戎,狄者北狄。而其时(杜甫在秦州是唐肃宗乾元二年)洛阳又为寇所侵占。所以《前出塞》第九首杜甫表现他的主人公的思想感情道:"中原有斗争,况在狄与戎!丈夫四方志,安可辞固穷。"以上就是《前出塞》九首的故事,我认为杜甫是写一个典型人物,这个典型人物就是农民出身的兵。其实杜甫的《垂老别》《无家别》,也是写兵的,也是写典型,不过《前出塞》的典型诗人把他更理想化了。虽是理想化,而是有血有肉的真实人物。

再简单地说一说《后出塞》五首。乔象钟先生说,"《后出塞》五首是杜甫针对安史之乱前夕唐帝国所潜伏的危机而写的组诗。"这话显然是不对的。《后出塞》第五首诗人明明总结了诗的主人公的生活:"坐见幽州骑,长驱河洛昏,中夜间道归,故里但空村。恶名幸脱免,穷老无儿孙。"这不是写一个人的传记是什么?《后出塞》主人公的个性也是分明的,性格也是发展的。第一首写他壮年豪放,第二首写听了胡笳之后"壮士惨不骄",第三和第四两首通过他的见闻写出安禄山造乱的始末,第五首生活总结。《前出塞》的主人公由悲愤而到坚强,《后出塞》的主人公由豪放而到深沉,是随着环境发展的。在此我对《前出塞》又附说一句,我不敢轻易说着"穷兵黩武"的话,但《前出塞》的主人公一开始说着"君已富土境,开边一何多",是完全可以理解的,杜甫也是同情着写的,写下去却不是唐朝侵略,而是防御,乔象钟先生"我们可以肯定的说,这一组诗的主要思想是在于反对当时统治者的穷兵黩武"的话,是没有理解这组诗的整体的。

我惭愧我的话写的少了些,但今天就止于此。

谈"语不惊人死不休"[1]

杜甫说他作诗是"语不惊人死不休"。"语不惊人死不休",不光是"语"的问题,同时包含了"语"所表现的思想感情的问题,而首先是要思想感情饱满。作者要把自己的思想感情传达给人,就要有一枝熟练的笔,否则就不能更好地表达出来。古今中外所有的杰作都是如此。杜甫是属于那些最用功的人中的一个,因此他的成绩显著。又是他说的:"文章千古事,得失寸心知"。他在当时那样用功,作为千古后的读者,我们完全可以感到他的一枝惊人的笔,读了他的诗真喜悦,而且能够推知他是怎样下功夫的。我们且读他的一首《闻官军收河南河北》:

剑外忽传收蓟北,初闻涕泪满衣裳。却看妻子愁何在,漫卷诗书喜欲狂。白首放歌须纵酒,青春作伴好还乡。即从巴峡穿巫峡,便下襄阳向洛阳。

这首诗的题目就惊人:"闻官军收河南河北",知道他下笔将极快。极快是从思想感情的饱满来的,是从"语不惊人死不休"

---

[1] 载《长春》月刊 1961 年 10 月 1 日 10 月号,署名冯文炳。

的精神来的。"闻官军收河南河北"决不能慢吞吞地写,因为安史之乱河南河北沦陷太久了,杜甫一家人离故乡太远了。官军收河南河北是唐代宗广德元年正月的事。在前三年杜甫初来四川的时候便写有《恨别》一诗,开首四句是"洛城一别四千里,胡骑长驱五六年。草木变衰行剑外,兵戈阻绝老江边。"现在一闻官军收河南河北,应该是"即从巴峡穿巫峡,便下襄阳向洛阳"了。象这样的句子难道不是"语不惊人死不休"的证据吗?我们不能想象杜甫当时下笔的神气吗?就诗的结构说,人在剑外,故乡是洛阳,故事发生的时间是春天,八句诗里都交代明白了,然而没有一点结构的痕迹,这叫做结构自然。这是我们最要向大作家学习的。诗一开始的"忽传""初闻",都是快极了。"初闻涕泪满衣裳",非常合乎人情,这个突然之喜是容易"涕泪满衣裳"的。接着"却看妻子愁何在"便真是老杜惊人之笔,本来是写妻儿之喜,而说着"愁何在"呢,连带把一家人多年的愁都写出来了,而今天则该是如何地狂喜啊!就作对偶说,下句"漫卷诗书喜欲狂"的"喜欲狂"是定的,上句便只能用"愁何在"来对。这种地方都见杜甫的"苦用心"。"却看妻子愁何在,漫卷诗书喜欲狂"两句又把一个穷书生的杜甫,和他的家人避难异地的生活写得极其真实,富有形象性。"白首放歌须纵酒,青春作伴好还乡",又最写出了杜甫的性格,"白首"对"青春"在这里真对得好。官军收河南河北是广德元年春天的事,所以"青春作伴好还乡"是写实。"白首放歌"当然也是写实,杜甫屡次说自己的"白首",他的头发早白了,现在有青春作伴还乡之喜,故这个老头儿纵酒放歌了。我们读了能不为他喜?能不为他悲?实际生活里他这回并没有能够回乡,他一直没有能够回乡,他是漂流而死的。然而他作这首诗的时候,"即从巴峡穿巫峡,便下襄阳向洛阳",他是神驰故乡了,也真是"下笔如有神"。"下笔如有神"这五个字也是杜甫自己说的,这句话可以说他有作诗的天才,也可以说他是"语不惊人死不休"。我们认为杜甫的这一首诗对我们练习文学基本功可能有些帮助,就是要狠狠地用功。

谈杜甫的"登楼"[①]

我最爱杜甫的《登楼》。我想说出我的理由来。先把这首诗抄下来：

花近高楼伤客心，万方多难此登临。锦江春色来天地，玉垒浮云变古今。北极朝廷终不改，西山寇盗莫相侵。可怜后主还祠庙，日暮聊为梁甫吟。

沈德潜对这首诗也赞美得很，他评道："气象雄伟，笼盖宇宙，此杜诗之最上者。"我认为这是杜甫的一首抒情诗。抒情诗而是律诗，这是了不起的事，因为律诗讲对仗，容易逞技巧，见作者的功夫，未必有抒情诗的效用。而杜甫的《登楼》是中国古典文学里一首伟大的抒情诗。我还没有见过古代诗人有谁表现过象杜甫这样深厚的感情。这首诗的表现方法是直接地写出，即是把一刹那一刹那的感情记出来，然后给读者以整个的艺术形象。第一句"花近高楼伤客心"，这一句诗就是杜甫了，除了杜甫没有别人，他登上高楼，看见了花，并感伤于怀。这一句里面有

[①] 载《吉林日报》1961年10月22日第3版，署名冯文炳。

一个"客"字,因为他在外面漂流很久了。就这一句说,也是直接的写法,从最后一刹那写起,要说登楼,而已在楼上,要说楼上,而已见高楼外,所以首先是"花"。又难得第六个字是一个"客"字,即登楼之人。此人是"万方多难此登临"了。所以这首诗的第二句是"万方多难此登临"。第一句"客"字的位置,第二句"此"字的位置,都是直接的写法,其时其地其人自知了。杜诗所表现的感情总是极其直接的,作者不容许一点间接。然而直接的感情究竟是要传达给读者,于是不能不有三四两句,即是解释"此登临"的"此"字。此是何地呢?此地水有锦江,山有玉垒,换句话说客在成都。但不能这样告诉读者,这样告诉读者,便不是直接的感情,是间接的文字了。所以杜诗只能是抒情:"锦江春色来天地,玉垒浮云变古今。"这样的两句就是沈德潜说的"笼盖宇宙"。一句写空间,一句写时间。江上春色不就是世界的存在吗?山上浮云不等于古今的变换吗?杜甫一点没有"人生如梦"的意思,他是写景,他是抒情,他有的是对祖国的献身感,对历史的责任感。所以诗接着写:"北极朝廷终不改,西山寇盗莫相侵。"这都是直接的感情,在杜甫写《登楼》的时候,吐番曾经侵入到长安,然而被击退了,所以有"北极朝廷终不改"句,这一句也确实表示杜甫的信心。在四川方面吐番也为患,故有"西山寇盗莫相侵"句。最后两句我非常爱好,我认为杜甫的思想感情极深刻,表现得极直接,他是写成都的刘后主庙,刘后主是亡国之君,所以他用了"可怜"两个字,这一来与"北极朝廷终不改"的思想好象有矛盾似的。然而杜甫有信心,所以马上接一句:"日暮聊为梁甫吟。"这用的是诸葛孔明的故事,诸葛孔明好为梁甫吟,这是一种兴奋的精神。"日暮"两个字我们应该注意,登楼是在日暮,所以"日暮"是写实,但杜甫没有一丝一毫"只是近黄昏"的意思,他有的是屈原的"吾令羲和弭节兮,望崦嵫而勿迫"的精神。不过杜甫也和屈原不同,他这首诗表现的是现实主义,不是浪漫主义,他是"日暮聊为梁甫吟"。就作诗的技巧说,题目是"登楼",作者应该告诉读者他在什么时候什么地方登楼的,杜甫当然没有这么笨,然而我们读完了诗也都知道了,地方在四川成都,时间是春天日暮。

　　我爱杜甫的这一首诗,有两点,一,它反映了中国古代长期封建统治的历史,一方面诗人相信"北极朝廷终不改",一方面又"西山寇盗"相侵;二,这首诗的语言充分表现汉语之美,它利于作对仗,而杜甫用以抒情。

杜甫的价值和杜诗的成就[①]

杜甫的价值和杜诗的成就,在中国文学史上,从古及今,可以说是得到普遍的承认的。在解放后,由于受了党的教育,我们对旧的课题,每每能够"温故而知新",关于杜甫和他的诗的问题,也确乎表现新的社会科学的伟大的指导作用。在这里我就来谈谈几年来我学习杜诗的一些心得。

杜甫是忠君的,从古及今,这是一个普遍的认识。杜甫自己也说他是"乾坤一腐儒"。他的忠君的思想感情,就表现他是腐儒。在他的诗里,对于"君",确实有他的爱戴之处,"云移雉尾开宫扇,日绕龙鳞识圣颜"的描写,不只一处。有趣的是,杜甫之为腐儒,就反映在一个"朝臣"的形象上面,此外他很少有"腐"的气味。他一点也不像宋儒动不动把孔夫子抬出来,他曾经笑夔[kuí]州人"小儿学问止《论语》"。杜诗里引的孔夫子的话,无论是孔夫子的道理,或是孔夫子的词汇,不像在陶渊明的诗里那么惹人注目,可见杜甫引用得少。所以除了"忠君"这一顶"儒冠"外,杜甫还不及陶渊明是真正学习孔子的。我们在讲杜甫"忠

---

① 载《人民日报》1962年3月28日第5版,署名冯文炳。收入中华书局1963年9月版《杜甫研究论文集》三辑。

君"的项目之下,把杜甫同陶渊明作比较,有什么必要呢?我认为很有必要。杜甫是很佩服陶渊明的,当他在成都草堂的时候,他就是一个陶渊明,"只作披衣惯,常从漉酒生","此意陶潜解,吾生后汝期",就都是他了解陶渊明之为人。到了"不爱入州府,畏人嫌我真,及乎归茅宇,旁舍未曾嗔[chēn]",更是解释了陶诗里常常提出的"真"字。在农村中最是合得来,是他们两人的共同点。但杜甫决定不同陶渊明一样做隐逸,整个杜甫的灵魂,除了一点"腐"气,到处是奋不顾身。这样一来,杜甫的"忠君",不但同他的爱祖国的精神分不开,也同杜诗的人民性分不开,我们要从整个杜诗、整个杜甫的生活来看。当他感到生活失败时,也就是忠君思想在实践当中发生矛盾时,他又恐怕自己要为陶渊明一类的人所笑,这种感情在杜诗里常常有,发出"常恐死道路,永为高人嗤"的怨声。伟大的杜甫!陶渊明的隐逸思想是很起了消极作用的,所以陶诗里没有反映当时的社会状况以及人民的痛苦生活,不及时代相同的鲍照的诗有"岁暮井赋讫,程课相追寻。田租送函谷,兽藁输上林。河渭冰未开,关陇雪正深。笞[chī]击官有罚,呵辱吏见侵。"还有,陶渊明念念不忘于自己的儿女的态度也同他的隐逸思想分不开,而杜甫就在这一点上批评过陶渊明:"陶潜避俗翁,未必能达道,……有子贤与愚,何其挂怀抱?"在中国古代的封建文化里确乎有这一个对比,重点不在"君臣"一边,就在"父子"一边。杜甫当然也是慈父,是爱自己的孩子的,但他所表现的家庭之间的感情比起陶渊明来要博大得多,当天宝十四年他从长安回到奉先家里的时候,"入门闻号咷[táo],幼子饿已卒。吾宁舍一哀,里巷亦呜咽[yè]。所愧为人父,无食致夭折。岂知秋禾登,贫窭[jù]有仓卒[cù]。生常免租税,名不隶征伐。抚迹犹酸辛,平人固骚屑。……"这是由一家的贫困而想到天下的贫困,更确切地说是由剥削者家庭而想到劳动人民。"穷年忧黎元,叹息肠内热。取笑同学翁,浩歌弥激烈。非无江海志,萧洒送日月。生逢尧舜君,不忍便永诀。"这就是杜甫忠君思想的自白。我认为杜甫的最伟大之处在于他在"忠君"思想支配之下,他"取笑同学翁,浩歌弥激烈",综其一生没有安心做地主的倾向。地主阶级的知识分子,如果"萧洒送日月",就一定安心做地主。我们拿后代的辛弃疾为例,辛弃疾当然是豪杰之士,然而他说着"乃翁依旧管些儿,管竹管山管水",也正是地主家长"以家事付儿曹"。陶渊明倒不是"萧洒送日月"的人,他自己耕田,所以他说"人生归有道,衣食固其端,孰是都不营,而以求自安。"杜甫在他在长安没有得到官职的时候,也想到"何日沾微禄,归山买薄田",晚年他在夔州也就是地主,可以过"萧洒送日月"的生活的,然而他还是抛弃这种生活了,"天地身何在?风尘病敢辞!"事实证明是如此,他飘流到楚湘,死无葬身之地。我认为以上是分析杜甫"忠君"的思想的时候我们应该考虑的,他的"忠君"思想的对立面就是陶渊明的隐逸思想。

陶渊明不能做官,所以做隐逸。杜甫忠君,但也同陶渊明一样不能做官。陶渊明做彭泽令,不肯"折腰",回去了,写了《归去来辞》。杜甫也确乎有杜甫的"归去来辞",在天宝十四年他得了右卫率府胄曹参军的官之后。这包括三首诗,即《官定后戏赠》、《去矣行》和有名的《自京赴奉先咏怀五百字》。一点没有疑问,这三首诗是依次写的。前两首表示他不肯"折腰"之意,接着就"归去来兮"了,一归去,马上就写了《自京赴奉先咏怀五百字》,那是多么伟大的"归去来"呵,它是杜甫深入生活、揭露阶级矛盾的深刻的记录。这一点是现在人人都知道的,所以其中"朱门酒肉臭,路有冻死骨"两句今天最被称引。有一个问题,杜甫的《自京赴奉先咏怀五百字》如果等于陶渊明的《归去来辞》,那么杜甫归奉先之后就没有回长安来做率府的官,是吗?是的,杜甫这回归奉先之后就没有回长安来,他在这一个短时期内所写的诗告诉我们是如此,杨伦《杜诗镜铨》的编次是正确的。这不是一件小事,这说明杜甫做官是做不下去了。同样是做官做不下去,而陶渊明不能深入生活,因而不肯暴露自己,把话总说得好听一些,什么"一世皆尚同,愿君汩[gǔ]其泥!"什么"纡辔[pèi]诚可学,违己讵非迷?"杜甫就不这样,他深入生活,因而能暴露自己,这在所有的中国古代诗人当中是最难得的。在《自京赴奉先咏怀五百字》里他就暴露了自己,"生常免租税,名不隶征伐。"他写他在长安十三年,"朝扣富儿门,暮随肥马尘。"他刻划过他过考的情况,"忆献三赋蓬莱宫,自怪一日声烜赫。集贤学士如堵墙,观我落笔中书堂。"他写他做官的时候怕遇见上司,"徒步翻愁官长怒";请假不去又提心吊胆的,"东家蹇[jiǎn]驴许借我,泥滑不敢骑朝天。已令请急会通籍,男儿性命绝可怜!"他有一首《狂歌行赠四兄》,诗云:"与兄行年校一岁,贤者是兄愚者弟。兄将富贵等浮云,弟窃功名好权势。长安秋雨十日泥,我曹鞴[bèi]马听晨鸡。公卿朱门未开锁,我曹已到肩相齐。……"看看杜甫的这些诗,有一点"腐儒"气吗?像一般"忠君"的人说的话吗?

杜甫能暴露自己,因为他深入生活,他真正地接近了人民。必须接近人民,才能暴露自己,这是一个规律。他的《兵车行》就是他"骑驴十三载,旅食京华春,朝扣富儿门,暮随肥马尘"的时期写的,所以这四句诗上面的一句就是"行歌非隐沦",《兵车行》

就是"行歌非隐沦"的证明，是他深入生活的成果。"长者虽有问，役夫敢伸恨?"这是杜甫同兵士谈话。《新安吏》、《石壕吏》都是同写《兵车行》的情况一样，是杜甫在路上写的，我们从两首诗可以看出杜甫本人在旅途中的状况，因而看出杜甫之为人。在《新安吏》里他还问了新安吏一些话，就是诗里的两句："借问新安吏，县小更无丁?"新安吏回答以"府帖昨夜下，次选中男行"之后，杜甫更问："中男绝短小，何以守王城?"往下杜甫叫送儿子的母亲们不要哭："莫自使眼枯，收汝泪纵横，眼枯即见骨，天地终无情!"杜甫在这首诗里真是说了许多话。而在《石壕吏》里他一句话也没有说，好像他把问题已经看得更明白了，一开始就是"暮投石壕村，有吏夜捉人!"这个吏已经就是强盗了，杜甫不同他讲话了。杜甫一夜没有睡觉，他把事情都看见了，话都听见了，深夜还听见人家哭，"夜久语声绝，如闻泣幽咽。"天明再走他的路，"天明登前途，独与老翁别。"杜甫这个人该是多么可爱呵!《新安吏》表现他的盛情，《石壕吏》表现他的极怒。我们再看当他从关中走到秦州的时候，他个人的生活是越过越苦，他的深入生活的精神却是发挥到了极光辉的地步，我认为他的写一个兵士的传记，即《前出塞九首》，是在这个时候写的，待下面讲杜诗的成就时再说。现在且从《秦州杂诗二十首》里读一首，看杜甫是不是在秦州接触了许多兵士。这一首是："城上胡笳[jiā]奏，山边汉节归。防河赴沧海，奉诏发金微。士苦形骸黑，林疏鸟兽稀。那堪往来戍，恨解邺城围。"这写的是杜甫在秦州路上看见被征调到河北去的兵士，七八两句可能就是兵士同杜甫说的话。所以这首诗正是《兵车行》一样的写诗的精神，不过诗的体裁是律诗罢了。再看一看他在四川看见逃难的人，他写了这样的诗：

"二十一家同入蜀，唯残一人出骆谷。自说二女齧[niè]臂时，回头却向秦云哭。"这也一定是他在路上亲眼所见。他在湖南有一首《遭遇》，诗里有四句："石间采蕨女，鬻[yù]市输官曹。丈夫死百役，暮返空村号。"这无疑也是他亲眼看见的了。这同《兵车行》比较起来，显得写《兵车行》的时候杜甫的生活经验还不是太多的，所以《兵车行》里还说："县官急索租，租税从何出？信知生男恶，反是生女好。"到了后来的诗则总是写丈夫死于兵役，而家中寡妇都在被追索。《遭遇》这一首的最后六句是："索钱多门户，丧乱纷嗷嗷。奈何黠[xiá]吏徒，渔夺成逋[bū]逃。自喜遂生理，花时甘缊[yùn]袍。"这就是把自己天暖了没有衣服换穿破棉袄的生活同人民受剥削受压迫的生活比，自己依然是太好了。这样的人就能暴露自己。杜甫的暴露自己就是暴露剥削阶级，就是杜甫真正地接近人民。

杜甫把自己同陶渊明比，不止一次。杜甫又曾把自己同庾[yú]信比，不止一次。杜甫为什么同庾信比呢？杜甫说："庾信平生最萧瑟，暮年诗赋动江关。"庾信的灵魂总在江南故国，用他的赋里的两句话就是："班超生而望返，温序死而思归。"杜甫自己是思故乡，杜甫自己是爱祖国。思故乡，因为"飘泊西南天地间"；爱祖国，因为"支离东北风尘际"，遭了安禄山之乱。我们还要注意，"支离东北风尘际"一句，是以"东北"为代表，按杜甫的本意也包括西北，即指秦州方面的吐番为患。杜甫自己在《秋兴八首》里倒是说了："直北关山金鼓振，征西车马羽书驰。鱼龙寂寞秋江冷，故国平居有所思。"身在西南，总是眼望西北，"江间波浪兼天涌"指西南，"塞上风云接地阴"就是望西北；"关塞极天惟鸟道"又是望西北，"江湖满地一渔翁"指西南。过去对杜甫的秦州诗的价值认识得很不够,倒是太注意了夔州诗,因之对诗人的"故国平居有所思"的感情是很有些距离的。庾信的思故国,集中于《哀江南》一赋。但杜甫的积极奋斗的精神却是庾信所完全没有的。杜甫的积极奋斗的精神就以极其美丽的形式表现在杜甫所写的关塞诗中,就是杜甫的秦州诗。秦州诗的风格,有庾信的"清新",有庾信的"萧瑟",同时杜甫的"故老思飞将,何时议筑坛"的思想,"风尘苦未息,持汝(剑)奉明王"的感情,都是前面有光明,说明杜甫从来不失掉信心。

我还认为应该把杜甫和屈原比。屈原之死,举世所知,他在水里死了。杜甫的死,还要许多人替他作考证,他到底是在船上死的,还是在旅寓中死的,还是"饫[yù]死"的(如果说"饫死",其实等于饿死,因为久没有得吃,所以一回就吃多了,这不很明白吗?),不一其说。总之杜甫死无葬身之地是定的。杜甫自己就同屈原比过:"南方实有未招魂!"

我还认为应该把杜甫和现代的鲁迅比。我引杜甫最后在湖南写的一首《朱凤行》:

> 君不见潇湘之山衡山高,山巅朱凤声嗷嗷,侧身长顾求其曹,翅垂口噤心劳劳。下愍[mǐn]百鸟在罗网,黄雀最小犹难逃。愿分竹实及蝼蚁,尽使鸱枭[chī-xiāo]相怒号!

这里"愿分竹实及蝼蚁,尽使鸱枭相怒号",不很像鲁迅的"横眉冷对千夫指,俯首甘为孺子牛"吗?杜甫虽然自比为凤凰,但他一点没有知识分子的骄傲,只显得他一个有良心的剥削阶级知识分子的处境艰难。杜甫和鲁迅,都是憎恶本阶级的感情极重,自己愿站在"蝼蚁"的一边,愿站在"孺子"的一边。

以上说杜甫之为人。

再说杜诗的成就。杜诗的成就是多方面的,我在这里想集中谈一个方面,即杜甫继承而且发挥了我国民间文学的优良传统。在我国民间文学里,有一个歌颂的传统,前乎杜甫的两首长篇民歌,《孔雀东南飞》和《木兰诗》,都是歌颂诗。木兰之为歌颂的形象,是容易知道的。《孔雀东南飞》里的两个少年男女,也就是奇男女,——这一个"奇"字是从诗中主人公口里借来的,所谓"今日违情义,恐此事非奇。"所以《孔雀东南飞》也并不是暴露性的作品,是对爱情的歌颂。暴露旧社会的黑暗,是暴露统治阶级,这个当然不易;歌颂光明就更难,因为必须认识被压迫的人民的力量。这是杜诗的成就非后来白居易讽谕诗所能及的地方。杜诗的歌颂,都是歌颂人民,是杜甫继承而且发挥了《孔雀东南飞》和《木兰诗》的歌颂诗的传统。有名的"三别"的形象,非歌颂而何?杜甫把《新婚别》的女子,该写得多么坚强,这个女子在出嫁前在家里是不敢露头面的,不敢多说话的,"父母养我时,日夜令我藏",现在她把她的话都说出来了,首先是表示她的愤恨,"嫁女与征夫,不如弃路旁!"而到最后杜诗人物的发展是:"勿为新婚念,努力事戎行!"所以《新婚别》是歌颂性质的诗。《垂老别》的老年人的形象是极生动的,"投杖出门去",写这个老年人被催迫,要他去要得多么快呵!我们读了《石壕吏》也可以知道当时有被催迫的老年人。"同行为辛酸",我们又知道同去的有许多人,大家都可怜老年人。而老年人自己呢,乃连忙来一个幽默的动作:"男儿既介胄,长揖别上官!"这是诗人借"介胄之士不拜"的成语,写这个老年人投了杖之后已经是一个兵士了,来一个长揖不拜,逗得大家一笑。这是老年人转而安慰同行者。多么可爱的老人呵!杜甫用的"男儿"二字真是善于刻划形象,把"老"、把"兵"、把人民方面、把催逼的官吏方面,都写出来了。最后这个老年人说着"何乡为乐土,安敢尚盘桓"的话,同《新婚别》的女子最后说的话都是正义的人民的声音。杜甫写劳动人民应征赴国难是如此尽情地写,写得人物个性突出,正义伸张。而当他以暴露统治阶级为主题时,他的诗就没有形象,表现在诗人笔下的是强烈的蔑视的感情,他不屑于写这些东西。

《前出塞九首》表示杜甫的歌颂诗达到最高的成就。这写的是一个兵士的传记,写了这个兵士的"从军十年余"的生活,内容包括阶级矛盾和保卫祖国的正义情感,比起木兰的"壮士十年归"的形象来,那《木兰诗》就显得简单了。杜诗的写法本来是很明白的,所以从前说诗的人都认为这九首诗"皆代为从军者之言","九首承接只如一首",这些话的意义就等于说杜甫写的是一个兵士的传记。对这九首诗的内容,从前的人也说:"是公借以自抒所蕴。读其诗,而思亲之孝,敌忾[kài]之勇,恤[xù]士之仁,制胜之略,不尚武,不矜功,不讳穷,豪杰圣贤兼而有之,诗人乎哉?"那么《前出塞九首》是"豪杰圣贤兼而有之"的形象,旧日说诗的人也是认识的,不过他们不知道杜甫才真正是诗人,他能够写一个"豪杰圣贤兼而有之"的品质的兵,唐代的一个农民。这样的诗,当然有浪漫主义的因素,然而杜诗是用现实主义的手法写出来的。我想把九首的形象作一说明。第一首诗:

戚戚去故里,悠悠赴交河。公家有程期,亡命婴祸罗。君已富土境,开边一何多?弃绝父母恩,吞声行负戈!

这是一个关中的老百姓,青年人,开始从军到西北交河地方去。为什么知道他的"故里"是关中呢?读到下面第三首便知。这个人物最初是有怨恨的,有阶级的怨恨,对农民说是很自然的。如果诗仅仅只有这一首,也是好诗,那就是讽刺"开边"之诗,但《前出塞九首》不如此,杜诗的人物性格是发展的。第二首:

出门日已远,不受徒旅欺。骨肉恩岂断?男儿死无时!走马脱辔头,手中挑青丝。捷下万仞冈,俯身试搴[qiān]旗!

比起第一首来,形象就不同了。他还没有忘记家,所以说着"骨肉恩岂断?"他总有愤慨,所以说"男儿死无时!"这句话极深刻,因为自己不是生活的主人,随时给人送死似的,然而他到底是马上荷戈,所以道出"男儿"二字,有自负的气概。连忙就显自己的本事了,所以有"走马脱辔头"四句。我们可以看出杜甫对这四句诗不是不着意的描写。第三首:

磨刀鸣咽水,水赤刃伤手!欲轻肠断声,心绪乱已久!丈夫誓许国,愤惋复何有?功名图麒麟,战骨当速朽!

这第三首的形象真不易得,决不是从"陇头流水,鸣声幽咽,遥望秦川,肝肠断绝"的典故空想出来的。杜甫自己就从关中登陇山到秦州,现在是把自己登陇山的生活经验用来写这个兵士了。我推定《前出塞九首》是杜甫在秦州写的,这"磨刀'呜咽'水"就是一个理由(当然不只这一个理由)。在这个水上磨刀,多么伟大的想像,伟大的想像必须有实生活作基础。我们从"欲轻肠断声"句,知道这个兵士是关中的老百姓。"丈夫誓许国,愤惋复何有"二句把第二首里"骨肉恩岂断,男儿死无时"的感情又发展了一步,完全是男儿的气概。他把"愤惋"丢在一边。我们非常容易看出杜甫的价值高出于庾信,庾信文章是:"关山则风月凄怆,陇水则肝肠断绝!"美则美矣,其如向关山"低头"何!("低头"二字是庾信自己用的,所谓"终低头于马坂"。)伟大的杜甫乃写一个中国的兵士就陇水而磨刀!杜甫自己本来就是走过陇山的呵!第四首:

　　送徒既有长,远戍亦有身,生死向前去,不劳吏怒嗔!路逢相识人,附书与六亲,哀哉两决绝,不复同苦辛!

　　说没有愤惋,这又是愤惋!《前出塞》的价值是双管齐下,一面写阶级压迫,一面就写劳动人民"丈夫誓许国"的正义感,不是很明白的吗?在杜甫以前的中国诗里,没有像杜甫这样具体地写远戍之人在路上的生活的。第五首:

　　迢迢[tiáo-tiáo]万里余,领我赴三军。军中异苦乐,主将宁尽闻?隔河见胡骑,倏[shù]忽数百群。我始为奴仆,几时树功勋!

前面写了四首,共三十二个句子,而实写了这个兵士走了万里路的生活。到这第五首,开始过戍卒生活了,而一下子又控诉军中待遇不平等。而"隔河见胡骑"又动了立功之心,于是就发出天真的叫喊:"我始为奴仆,几时树功勋!"这正是主人公感,悲愤于自己是在军中做奴隶而已。这两句诗旧日封建文人最不能懂得。

通过前五首,杜甫已把他的人物完全写给我们了,谁都不能忘记这个人物了,六、七、八三首乃虚写。第六首表示对国防的理想,"苟能制侵陵,岂在多杀伤。"因为这个人物是真实的,所以这个理想也是真实的,读起来一点也不感到是诗人杜甫在那里发议论。第七首写戍守,第八首写临敌制胜,用了"汉月"的词汇,用了"单[chán]于"的词汇。杜诗里常有这种写法,《兵车行》里就有"汉家",有"武皇",然而我们并不怀疑杜甫写的不是时事。现在这里第八首"单于寇我垒","虏其名王归",我想指的也是时事,据《通鉴》,天宝十年有"擒吐番酋长石国王竭[qiè]师王"的记载。我们当然无须穿凿,但杜诗没有为写诗而写诗的情形。至少这里表示了杜甫的理想,也就是充实诗里主人公的性格。

我们读第九首即最后的一首:

从军十年余,能无分寸功?众人贵苟得,欲语羞雷同。中原有斗争,况在狄与戎。丈夫四方志,安可辞固穷。

这最后一首又是实写,"从军十年余"是最具体不过的,"中原有斗争,况在狄与戎"两句也是最具体不过的。我们读到这一首,诗的形象完全了,一个兵士的传记完全了。第一首说他"悠悠赴交河",到中国的西边境去,所以这第九首里就说"在戎"。按照向来的说法,"西方曰戎"。然而何以又说"在狄"呢?按照向来的说法,"北方曰狄"。是的,杜甫在秦州,是"西""北"并忧的,我最爱《秦州杂诗》第十一首的两句:"蓟[jì]门谁自北?汉将独征西。"征西是指西边的秦州方面中国确有将军在,杜甫本人此时在秦州见到了,而他连忙就想到蓟北,记起"出自北门"一句诗,时为唐肃宗乾元二年,蓟北尚为史思明所占据,未能收复,那么"蓟门谁自北"呢?谁在那里走路呢?在《前出塞》的主人公的口里也正是西和北并忧,而中原方面洛阳又为寇所侵占,合起来说当时唐朝的局势就是:"中原有斗争,况在狄与戎。"所以《前出塞》主人公"丈夫四方志,安可辞固穷"的思想感情,是杜诗人物性格发展到了高度爱国主义的地步,九首诗是一个整体,杜甫给我们写了一个"豪杰圣贤兼而有之"的劳动人民出身的兵士的传记。

《前出塞九首》的现实主义精神确实巨大。秦州西出吐番,杜甫走到这里,看见许多可忧虑的事,如在《寓目》一诗里所说:"羌[qiāng]女轻烽燧,胡儿掣骆驼,自伤迟暮眼,丧乱饱经过。"而在他打秦州经过的第四年,唐代宗广德元年,吐番入寇,并攻进长安都城。我们安得不重视杜甫在秦州写他的《出塞》诗的意义!可惜向来读者没有认真考虑《出塞》诗写作的年代,宋人黄鹤倒是说过"当是乾元二年至秦州思天宝间事而为之"。我坚决地相信《前出塞九首》是杜甫作于秦州,是中国文学史上现实主义与浪漫主义结合的杰作,同时杜诗又启示我们以典型塑造方法。我们只要想一想"磨刀呜咽水"的形象,杜甫的创造人物是怎样以生活作基础的呵!如果承认《前出塞》作于秦州,那么《后出塞》作于秦州又是有理由的,因为《后出塞》第五首写到"坐见幽州骑,长驱河洛昏,中夜间道归,故里但空村",这是主人公自述安禄山长驱洛阳时他逃回家里,杜甫在天宝十四年自京赴奉先以后没有机会遇见这种人物,只有乾元元年他从华州回洛阳时可能遇见,因而写出诗来。把这诗的写作时期推迟一年或几个月(从华州回洛阳是乾元元年冬,从洛阳回华州是乾元二年春,乾元二年七月至十月客秦州)当然也可以,就是推迟到客秦州时。这一来杜甫的前后《出塞》是同时写的,有计划写的了。这是十分合理的事,合乎诗人创作的实际情况。